CELUI QU'ON N'ATTENDAIT PAS

R o b e r t   R o p e r

CELUI QU'ON N'ATTENDAIT PAS

Roman   **Laurédit.**inc.

Titre original : *The Trespassers*
Traduit par Martine Céleste Desoille

© Robert Roper, 1992
Edition originale Ticknor & Fields
© Presses de la Cité, 1994, pour la traduction française
ISBN 2-258-03659-3

A Michael Doise,
ce bienveillant disciple du cœur.

Le corps de l'homme n'est pas distinct de son âme ; car ce qu'on appelle le corps est une portion de l'âme divisée en cinq sens...

La concupiscence de la chèvre est la bonté de Dieu.
La colère du lion est la sagesse de Dieu.
La nudité de la femme est l'œuvre de Dieu.
William Blake, *Le Mariage du Paradis et de l'Enfer*

Ah, ces mâles virils, ces flâneurs, ces flirteurs, ces mangeurs de bonnes choses !
D.H. Lawrence, *L'Amant de Lady Chatterley*

1

Il était cinq heures moins le quart lorsque le vrombissement d'une voiture qui arrivait par le sentier de la carrière fit sortir Catherine Mansure et son jeune fils, Ben, de la maison.

Une Volvo bleu foncé d'une bonne vingtaine d'années s'engagea sur le rond-point situé devant la maison, et le conducteur fit deux tours complets en poussant des cris joyeux. Il s'arrêta juste à l'endroit le plus mal choisi, bloquant l'accès du rond-point aux autres véhicules. Catherine lui fit signe de se garer plus loin.

Le conducteur, un bel homme dans la quarantaine, le cheveu brun et ondulé, légèrement dégarni sur les tempes, changea la voiture de place avec des mimiques d'excuses aussi ironiques qu'excessives, puis il serra Catherine dans ses bras pendant près d'une minute. Après quoi il salua le petit garçon avec une poignée de main faussement cérémonieuse. Il tenait à la main une sacoche de cuir et une bouteille de vin.

— La maison est toujours aussi... délabrée, dit-il avec un rire guttural. — En réalité, la maison, fraîche et récemment recrépite de blanc, était absolument superbe au milieu des chênes majestueux. — Une des plus belles maisons de Californie, ajouta-t-il. Je ne comprends pas pourquoi elle ne m'appartient pas. — Il rit à nouveau et, saisissant la main de Catherine, il ajouta : — Toi aussi tu m'as l'air décrépite.

Ils se dirigèrent vers la maison, main dans la main. Le fils de Catherine, qui marchait à côté de sa mère, observait l'homme avec un visage totalement dénué d'expression. Lorsqu'ils gravirent les quelques marches de briques qui menaient à l'imposante porte de chêne, le garçon s'esquiva.

— Commençons par le commencement, dit Bob Stein.

— Ils avaient à peine franchi le seuil de la maison qu'il sortit un manuscrit dactylographié de sa sacoche de cuir et le tendit à Catherine avec un sourire embarrassé. — Je ne veux plus le voir ni en entendre parler de tout le week-end, même si, bien entendu, j'en attends une critique complète et intelligente, une critique sans concessions mais qui ne me descende pas en flammes tout de même. Est-ce trop demander ?

Catherine rit en prenant le manuscrit.

— Parfait, dit-il, en lui abandonnant son œuvre.

La soirée était splendide. Les fenêtres grandes ouvertes du vaste salon où ils avaient pris place laissaient pénétrer la senteur enivrante des chênes et des collines verdoyantes. De temps à autre, Catherine percevait des bruits venant des différentes dépendances situées en contrebas de la maison. Ben était probablement en train de jouer par là, et elle se surprit à guetter le son de sa voix au lieu de prêter l'oreille à Bob Stein, qui, après tout, n'était qu'un vieil ami qu'elle n'avait pas vu depuis longtemps. Elle se força à se concentrer sur la présence de ce moustachu, brun aux yeux verts, un spécimen somme toute relativement sain en dépit de son teint pâle et de son front nerveux où perlait la transpiration.

Il était assis à un bout du canapé couleur vanille, les pieds croisés. Ses cuisses courtes, aussi puissantes dans son souvenir que celles d'un faune, tendaient la toile de son pantalon presque au point de la faire craquer. Il avait posé son verre de vin blanc en équilibre sur sa hanche. Catherine avait oublié combien ses mains étaient velues : la première phalange de ses doigts était couverte d'une petite touffe de poils d'un noir profond et velouté, et l'une d'elles portait une bague en argent ornée d'une pierre de jade.

Agée de trente-cinq ans, Catherine était une grande femme aux formes épanouies, dont le teint offrait une succession de nuances subtiles, de pâleur et de fraîcheur. Contrairement à sa mère et à sa sœur aînée, rousses elles aussi, elle avait constaté qu'un teint clair n'était pas une fatalité et qu'elle pouvait s'exposer aux rayons du soleil sans craindre de brûler. Sans doute était-ce pour cette raison qu'elle avait toujours eu un goût prononcé pour l'effort physique. Ces dernières années, depuis qu'elle et Rick, son mari, étaient venus s'installer avec leur fils dans cette illustre maison de la côte ouest, elle s'était découvert une véritable passion pour le jardinage et s'était lancée dans la culture des légumes et des fleurs. Aujourd'hui, ses autres activités physiques de prédilection, l'escalade, l'équitation et le tennis entre autres, étaient reléguées à l'arrière-plan.

Bob lui parlait d'amis communs, des gens qu'ils avaient connus à Berkeley (tous deux étaient allés à l'Université de Californie, bien qu'à sept ans d'intervalle), et particulièrement d'une femme appelée Maryanne.

— Tu l'as beaucoup déçue, dit-il avec emphase, beaucoup. Elle dit que tu étais pleine de talents, mais que tu as tout gâché en choisissant le métier de mère de famille, riche de surcroît. Jusqu'alors tu avais toujours été un modèle pour elle, et te voilà devenue une sorte d'icône négative.

— Moi ? Le modèle de quelqu'un ? — Catherine rit de bon cœur. — Peu importe qu'elle me considère comme une icône négative — c'est plutôt amusant —, mais Maryanne ne m'ayant jamais accordé la moindre attention, je ne vois pas comment j'aurais pu lui servir de modèle. De toute façon, le peu d'image positive que j'ai pu avoir s'est envolé. Je ne suis qu'un pâle reflet de Rick.

Elle semblait amusée par ce constat, nullement offensée. Bob Stein qui avait apparemment espéré provoquer en elle une réaction était quelque peu désappointé.

— Rick était une star, continua Catherine, une idole qu'on vénère. Moi, je n'étais que l'abjecte adoratrice sur qui il a jeté son dévolu. Personne ne m'avait jamais remarquée jusqu'à ce qu'il entre en scène. Absolument personne.

— Non, Catherine, tu te trompes. Tout le monde t'avait remarquée. De toutes les filles qui se trouvaient là, tu étais celle qui... hummm, disons qui inspirait le plus de désir. Mais il n'était pas question de t'approcher. Tout le monde savait que tu avais été choisie par le roi, que tu lui appartenais. Nous ne pouvions que nous effacer et le laisser s'emparer de toi.

Catherine sourit : d'une certaine façon la description était assez proche de la réalité. Le rose lui monta aux joues. Elle était incroyablement naïve (pensait-elle aujourd'hui) à l'époque où elle allait à l'université, innocente et relativement insaisissable, que ce soit du point de vue de ses origines (une enfance de banlieue somme toute assez banale avec des parents enseignants de collège) ou de son manque d'intelligence. C'est ainsi que la jeune fille aux yeux de biche qu'elle était, jolie et vulnérable, avait succombé au charme de son futur époux. Rick avait accompli un parcours universitaire irréprochable (également à Berkeley), et, à l'époque de leur rencontre, il était l'archétype du maître assistant charismatique. Chef de file des révoltes étudiantes des années soixante, il occupait un poste assez inhabituel au département de littérature comparée, sous les auspices duquel il donnait occasionnellement des cours magistraux tout en dirigeant un ciné-club qui connaissait un succès prodigieux au sein du campus. Catherine et ses amis, ainsi que presque tous les gens qu'ils connaissaient, avaient dû ruser pour se faire admettre à ce cours où régnait, elle s'en souvenait à présent, une atmosphère électrique digne des grandes heures de la Sorbonne. Avec son allure de guérillero des rues, son blouson de tweed rehaussé d'une écharpe chatoyante pour faire bonne mesure, Rick exerçait une fascination hors du commun sur son auditoire : il était tout à la fois l'érudit, le beau mâle, le brillant universitaire et le détracteur implicite de toute forme d'éducation conventionnelle.

— Rick était la star, reconnut Bob, sans aucun doute. Il n'est pourtant pas tombé dans le piège du culte de la personnalité — il était supérieur, voilà tout. Nous lui étions tous reconnaissants de condescendre à établir le contact avec nous. Et même là, on sentait qu'il faisait partie d'un monde plus vaste. On s'attendait toujours à le voir disparaître vers des sphères à jamais hors d'atteinte. N'empêche que tu as tort, Catherine, semonça-t-il, tu sous-estimes tes propres capacités. Le fait que Rick t'ait choisie ne fait que corroborer ce que nous pressentions à ton sujet. Et nous nous en sommes voulu de ne pas t'avoir reconnue plus tôt.

Les joues légèrement moins colorées, Catherine hocha la tête, et dit :

— Tu sais, Bob, c'est une bonne chose que tu sois un auteur de fiction. Je ne me reconnais jamais dans ce que tu dis de moi. C'est de la pure invention.

— Non, Catherine. Je ne fais que dire la vérité — rien que la vérité. Mais peut-être est-ce une vérité plus profonde que celle à laquelle tu es habituée...

Une demi-heure plus tard, elle réalisa qu'il lui fallait mettre le dîner en route et elle conduisit Bob à ses appartements. Ceux-ci se trouvaient au troisième étage. La vaste demeure à trois ailes en imposait avec son dédale de chambres à coucher et ses étranges couloirs curvilignes, ses épaisses murailles à demi lambrissées et sa profusion de fenêtres élégamment plombées. De son balcon orienté à l'ouest, Bob embrassait d'un seul coup d'œil la totalité du versant sud de la chaîne de montagnes de Santa Cruz, des hectares et des hectares de forêt apparemment intacte. Après s'être perdu dans une contemplation béate, il se dit à voix haute :

— Voilà donc la terre des Mansure... Ça doit être une ancienne concession coloniale ou quelque chose de ce genre. Elle est si vaste qu'il faudrait une journée entière pour la traverser à cheval, ou un mois peut-être ?

2

A un kilomètre environ de la maison se trouvait la carrière, un négoce qui marchait rondement. La propriété comptait en outre une pépinière de végétaux locaux en pleine expansion. C'était Gerda Mansure, la grand-tante de Rick, qui avait eu l'idée de créer la pépinière, de même que c'était elle qui avait remis la carrière en activité après des années d'abandon. En dehors de la carrière et de la pépinière, la propriété comprenait mille deux cents hectares de terrain en grande partie couverts de forêts côtières très denses. Sur les crêtes montagneuses poussait une espèce de chêne voisine du chêne-liège de Toscane ; à mi-pente, sapins de Douglas, madrones, chênes à tan et lauriers formaient un enchevêtrement inextricable ; au niveau le plus bas, le long des cours d'eau, poussaient d'immenses séquoias, jamais exploités pour la plupart. Catherine, qui avait exploré l'essentiel de la propriété soit à pied soit à cheval, n'en restait pas moins éblouie par la beauté du site. Elle avait le sentiment de n'en avoir pas encore pris totalement la mesure, d'ailleurs elle ne cessait de découvrir de nouveaux recoins, des cours d'eau secrets, des canyons mystérieux, des lacs qui ne figuraient pas sur les cartes d'état-major.

Un réseau de voies coupe-feu quadrillait l'ensemble de la propriété. Par décret, ces voies devaient être entretenues tout au long de l'année, et il incombait à Catherine de superviser cette tâche. Pour ce faire, elle embauchait généralement des hommes de Cuervo, la ville voisine, avec lesquels elle travaillait tout le printemps.

La grand-tante Gerda restait néanmoins la véritable maîtresse de Longfields. Octogénaire revêche et butée, elle demeurait étonnamment active et exerçait une autorité matriarcale sans partage dans tous les domaines, sauf le biologique : elle n'avait pas eu d'enfants en dépit de trois mariages successifs (quatre en réalité, si l'on comptait un « accident »). Elle avait survécu à tous ses ennemis, quand elle ne les avait pas tout simplement réduits à néant et, à son grand dam, elle se retrouvait aujourd'hui toute seule.

Son unique raison de vivre depuis cinquante ans était sa propriété — et elle insistait bien sur le fait qu'il s'agissait de son exploitation à elle, et non de celle de son deuxième mari, et encore moins de celle des fameux Mansure, ses parents par alliance. Ces « monstres » lui avaient intenté procès sur procès pendant des années en espérant que la précarité de sa situation financière finirait par jouer en leur faveur. « Ils n'ont qu'un seul but, répétait-elle inlassablement, c'est de me voler ma propriété. Et chamais che ne le tolérerai — non chamais. »

Mais, quand elle s'était retrouvée seule (elle avait perdu la trace des rares cousins qui lui restaient en Allemagne), elle avait repris contact avec Rick et sa petite famille. Elle les avait invités à venir passer une semaine avec elle un été, et ils n'étaient jamais repartis.

— Je me fiche pas mal de Rick, disait Gerda. Peut-être que la seule chose que j'aime en lui, c'est qu'il n'est pas aussi mauvais que son père. Mais je me fais du souci pour le petit Ben. Il y a quelque chose de si froid chez ce beau petit garçon. Il me fait penser à l'oncle Regis, le puîné. Trop cérébral.

— Et moi, Gerda, vous ne m'aimez pas non plus ? s'insurgeait Catherine. Je me demande bien pourquoi vous nous avez demandé de rester si aucun de nous ne trouve grâce à vos yeux ?

— Mais si, je t'aime bien, Catherine, tu le sais. Enfin, je le crois du moins.

— Comment pouvez-vous ne rien éprouver pour un gosse de sept ans ? Un gamin qui vous adore en plus !

17

Regardez les dessins qu'il fait de vous — vous êtes toujours la plus grande du groupe, vous dépassez même les séquoias. Quant à Rick et moi, c'est à peine si nous vous arrivons au genou.

— Oui, j'ai vu ses dessins, Catherine. Et je n'ai jamais dit que je n'aimais pas le petit. Le problème n'est pas là.

Ce genre de propos n'avait rien de surprenant venant de sa part. Elle exprimait ses sentiments ambivalents de façon crue et sans ménagement aucun. Il fallait un certain temps pour s'y habituer.

Au départ, Catherine était sûre qu'ils n'allaient pas rester. Elle se souvenait du manque d'enthousiasme de Rick : il considérait sa grand-tante avec une sorte de sévérité amusée, sa famille l'ayant persuadé depuis des années que la tante n'était qu'une usurpatrice obstinée et sans scrupules. Pour preuve, elle continuait à contester le testament de son mari, et en particulier les clauses stipulant la division de la propriété de Longfields. Elle la voulait toute à elle, jusqu'au dernier arpent, et s'était montrée étonnamment combative lorsqu'il s'était agi de parvenir à ses fins, aussi discutables soient-elles.

— Mais Gerda, lui dit Rick un jour — ce fut la seule fois où Catherine les entendit en discuter —, vous savez bien que vous étiez en tort, d'ailleurs vous avez perdu le procès. Tout le versant est de la propriété appartient aujourd'hui aux fils de Regis, comme l'avait souhaité l'oncle Willy Après tout, il l'avait stipulé dans son testament.

— Mon cher Rick, répondit Gerda sèchement, un jour viendra peut-être où tu finiras par comprendre. Mais j'en doute. Willy n'a jamais voulu qu'une chose : que sa grande, sa magnifique forêt demeure entière. Moi et mon pauvre avocat avons fait de notre mieux pour y parvenir, mais nous avons finalement été battus. Nous avons été trahis, en réalité. Les Mansure espéraient me chasser de ma maison, ce sont eux qui voulaient toute la forêt pour eux, et même cette vieille maison que j'ai conçue moi-même et bâtie de mes propres mains.

— C'est drôle, j'ai toujours entendu dire que c'était l'illustre architecte de San Francisco, Julia Morgan, qui avait conçu la maison.

— Absolument pas. Julia avait apporté ses plans ici pour que je les examine. Mais un seul coup d'œil m'a suffi pour voir qu'ils étaient parfaitement grotesques. C'est moi qui ai construit ma maison. Telle que tu la vois aujourd'hui.

Pour Catherine, cependant, le sujet était sans grand intérêt. Elle admirait les grandes propriétés, les demeures seigneuriales, et selon elle il n'y avait rien d'étonnant à voir des familles s'entre-déchirer autour de domaines comme celui-ci. Dans sa propre famille, en tout cas, il n'y avait jamais eu grand-chose à léguer (et donc à hériter) ; sa famille ne faisait pas partie des grands de ce monde.

Son père était un professeur de chimie du secondaire qui aurait pu devenir riche mais qui avait échoué, moins par manque de conviction que par entêtement. A l'âge de trente ans environ, il avait mis au point un nouveau procédé électrochimique au champ d'application très large (en particulier dans le domaine des engins électromécaniques). Il aurait pu se retrouver en possession des brevets et d'un joli petit pactole s'il avait pris les dispositions nécessaires. Mais c'est le laboratoire pour qui il travaillait qui finit par empocher tous les bénéfices. De toute façon, les parents de Catherine n'avaient jamais aspiré à faire fortune — ils n'avaient jamais aspiré à quoi que ce soit, hormis peut-être à la sécurité, à la normalité, et jusqu'à un certain point au plaisir des sens et de l'esprit. Ils avaient travaillé dur jusqu'à la retraite. Après quoi ils s'étaient mis à voyager de plus en plus loin, parcourant le monde entier, et à soixante ans passés ils étaient toujours prêts à s'envoler vers le Népal, les Caraïbes ou les pays d'Amérique latine.

Dans sa jeunesse, sa mère avait été ce qu'il était convenu d'appeler une beauté — c'est du moins ce que tout le monde disait. Cela ne l'avait pas empêchée d'épouser un obscur prof de chimie. Elle avait eu deux filles, à qui elle avait donné une bonne éducation, avant de devenir prof elle-même (de français et d'espagnol dans le secondaire). Aujourd'hui, c'était une joueuse passionnée de bridge, forte de six cents points à son actif. Depuis qu'elle prenait la vie avec plus de légèreté, elle avait commencé à s'envelopper un peu.

Tout se résumait à une question de patrimoine (c'est ce que Catherine en était venue à se dire récemment) : non pas de patrimoine au sens matériel, même si cela avait son importance, mais au sens génétique, celui qui détermine le caractère et l'inéluctable destinée des gens. Ceux de sa génération avaient d'une certaine façon échoué dans leur rêve de « révolution », censée les libérer de leurs vieux moules rigides. Conséquence de cet échec : les vieilles valeurs, les contraintes inflexibles et séculaires de la destinée, étaient revenues en force.

Rick était le type même de l'homme libéré qui entendait façonner un monde nouveau, un monde régi par de nouvelles règles (ou, si possible, par aucune). Or à sa grande surprise, il était devenu à bien des égards ce que ses oncles avaient toujours voulu qu'il soit, à savoir le gardien des intérêts de la famille, de son patrimoine complexe et varié. L'étudiant aux idées radicales, le romantique, le jeune prof en révolte permanente siégeait aujourd'hui au conseil d'administration d'une entreprise prospère.

— Je n'ai rien fait pour l'éviter, avait-il dit un jour à Catherine, et ça n'en est que plus pénible. Ça n'est pas comme quand on se réveille un beau matin en se fichant pas mal d'avoir l'air ridicule. L'ironie t'atteint toujours, tu le sais... On continue de voir les choses autour de soi, mais on peut à peine agir parce qu'on reste terriblement conscient de tout. Non pas que la conscience soit importante en soi. Mais c'est la croix que tu dois porter, et tu finis par te dire que même les plus bornés des piliers de l'ordre établi qui t'ont précédé étaient sans doute conscients, eux aussi.

Rick le journaliste de gauche, auteur de deux livres sur l'Amérique latine, qui se définissait lui-même comme un maoïste-debrayiste, et qui continuait de se considérer comme un socialiste, supervisait toute une branche de la Laurel Foundation, la compagnie dirigée par les Mansure. Chacun s'accordait à dire qu'il avait le sens des affaires et, d'après son oncle Regis, son supérieur immédiat dans la hiérarchie, la Laurel « lui devait une fière chandelle ».

Catherine en était venue à se demander si là n'était pas la véritable destinée de Rick. Ou pour dire les choses plus précisément : existait-il une raison de croire que ce n'était pas son destin (à défaut d'être son ambition), tant il semblait programmé, prédéterminé à faire exactement ce genre de travail ? « Bon sang ne saurait mentir », dit le proverbe ; ou pour reprendre la formule de Bob Stein : « On sentait qu'il appartenait à un monde plus vaste. »

3

Ce soir-là, à sept heures et demie, Rick n'était toujours pas de retour. Tous les autres avaient pris place autour du dîner, en laissant une place libre en bout de table. Gerda présidait à l'autre bout, et les plats qui arrivaient lui étaient présentés en premier. Son air pincé lorsqu'elle contempla d'un œil critique des blancs de poulet à la dijonnaise provoqua immanquablement chez Catherine une sorte d'irritation amusée.

— Je crois que je connais, déclara la vieille femme. Encore un de vos délicieux petits plats dix fois trop épicés.

— Non, tante Gerda, il n'est pas très relevé. Vous l'aviez aimé la dernière fois.

— Oui, j'en ai mangé toute la nuit, je me souviens.

Bob Stein avait pris une douche et ses joues rasées de près étaient d'un rose bleuté. Il avait insisté pour s'asseoir à côté du petit Ben, parce que « entre hommes on doit se serrer les coudes ». Ben avait accepté de répondre de sa voix haut perchée et monocorde à une série de questions sur le base-ball, le foot, l'équitation et ses matières préférées à l'école.

Chaque fois que le garçon parlait avec cette voix qui ressemblait étrangement à celle d'un microprocesseur, Bob roulait des yeux stupéfaits et regardait Catherine comme pour lui demander la permission d'éclater de rire.

— Mais si tu n'aimes pas le foot et que tu n'as pas de court de tennis ici, comment fais-tu pour t'amuser ? Tu aimes les jeux ?

— Oui. J'aime des tas de jeux... particulièrement les échecs, même si ça n'est pas vraiment un jeu. C'est plutôt un sport. Parce que c'est à la fois un exercice physique et mental.

— Ah, oui. Et qui donc t'a appris à jouer aux échecs ? Sais-tu réellement y jouer ?

— Mon père m'a enseigné les bases. Ensuite j'ai lu un livre qui s'appelle *La Logique des échecs*, par Irving Chernev. Il y a toutes les plus grandes parties d'échecs dedans. Il analyse tous les coups qui sont joués.

Bob regarda à nouveau Catherine. Apparemment il ne pouvait s'empêcher de rouler des yeux stupéfaits en hochant la tête.

— Tu as fait un joli dessin, aujourd'hui, dit une jeune femme. Je crois que c'est le plus beau de tous, Ben, parce que tu as utilisé des quantités de couleurs différentes.

La jeune femme, Karen Oldfield, était récemment arrivée à la propriété en qualité de gouvernante-chauffeur. Elle dînait habituellement dans son petit bungalow situé en contrebas de la maison, non loin des dépendances. Mais ce soir-là Catherine l'avait invitée à se joindre à eux, afin qu'ils fussent plus nombreux à table, en l'honneur de Bob.

— Il l'a exécuté en cinq minutes à peine, continua Karen, lorsque nous nous sommes arrêtés sur le sentier de la carrière. Il a trouvé le bleu-gris exact des pierres et le bleu-vert de la mare. Et les montagnes et le ciel aussi.

— J'aime bien la carrière, expliqua Ben. La poudre des rochers sent bon. Quand elle vous rentre dans la bouche, cela fait grincer des dents.

Bob Stein sourit avec un hochement de tête. Une fois encore il adressa à Catherine un regard plein d'un étonnement sincère devant l'intelligence aiguë de son fils.

Catherine s'était prise d'amitié pour la jeune gouvernante. C'était une fille des environs, tout juste sortie du lycée local, très jolie, pleine de fraîcheur, et au tempérament réservé. On ne lui connaissait pas de petit ami, mais son arrivée à la maison avait causé pas mal de tumulte parmi les ouvriers de la carrière et les jeunes gens qui l'avaient aperçue. Bien que née et élevée à Cuervo, comme la plupart des ouvriers de Catherine, elle était demeurée quasiment invisible, presque inconnue du reste de la sinistre petite ville de montagne. Les garçons qui avaient grandi avec elle, d'anciens camarades de classe pour certains, lui trouvaient tout à coup d'innombrables qualités, révélées comme par magie par son engagement à la propriété.

— Si j'avais vingt ans de moins, déclara Bob Stein, et si vous le vouliez bien, Karen, je vous emmènerais loin d'ici. Je vous emmènerais à Florence, en Italie, là où l'on admire tout spécialement votre type de beauté. Catherine, tu te souviens qui a peint cette Vénus à la chair épanouie, nonchalamment étendue sur un sofa ? Tu vois laquelle ? Celle qui a des reflets cuivrés dans les cheveux.

— Je ne vois pas, Bob. Je t'avoue qu'en matière de Vénus j'ai quelque peu oublié mes classiques. De qui veux-tu parler, de Raphaël ? Du Titien ?

— Oui, c'est cela, le Titien. Bravo, Catherine. Le Titien.

— Se tournant vers la jeune femme, il déclara : — Je vous assure que je n'ai pas l'habitude de dire ce genre de choses à la légère, ma chère, mais vous êtes réellement une beauté digne du Titien. Avez-vous jamais entendu parler du Titien ? Ou du Quattrocento ? C'est un vieux peintre italien, une sorte de relique. Non, il n'y a pas de raison pour que vous en ayez entendu parler. Toujours est-il qu'il avait un modèle préféré, une femme qu'il a peinte dans tous ses chefs-d'œuvre. Elle vous ressemble comme deux gouttes d'eau. Tu ne trouves pas, Catherine ? La ressemblance n'est-elle pas frappante, stupéfiante, même ?

— Oui, stupéfiante, en effet, c'est le mot, Bob.

— Ah, vous voyez... ? — Il se resservit du vin avant de poursuivre : — Je ne dirais pas ce genre de choses à n'importe qui, vous savez. Maintenant, si on vous demande un jour s'il vous est jamais arrivé d'être complimentée de façon éhontée, vous pourrez dire qu'un obscur écrivain du nom de Bob Stein, un soir qu'il était légèrement éméché, a reconnu en vous l'image d'une déesse, l'image même de la beauté classique, intemporelle. Et qu'il n'a rien exigé de plus que la permission de se prosterner à vos pieds, de vous vénérer à la mode d'antan.

La jeune femme resta un instant interdite. Mais elle ne

tarda pas à se ressaisir. Elle retrouva bientôt ce quant-à-soi inné, cette dignité pudique de jeune fille qui la distinguait plus encore que sa fraîcheur, et dit :

— Merci. Merci infiniment. C'est un grand compliment, oui, c'est vraiment très gentil. Et je ne l'oublierai jamais.

— Je suis sincère. On ne peut plus sincère.

Puis Bob lança un regard inquiet à Catherine : était-il possible qu'elle n'ait pas perçu la facétie subtile et parfaitement maîtrisée qui sous-tendait ses propos ? Jadis, elle ne serait jamais passée à côté d'une chose pareille, elle aurait su interpréter ses déclarations les plus exubérantes (en particulier à des jeunes femmes), mais voilà qu'à présent, pour le rassurer, elle lui adressait un sourire poli, tout en lui tendant un plat de légumes du jardin.

Deux heures plus tard, Rick rentra enfin. Ils l'entendirent pénétrer dans la maison silencieuse, accrocher son manteau et laisser tomber ses porte-documents à terre, avant d'entrer dans la salle à manger où Bob, Catherine et Gerda, somnolente, étaient encore assis autour de la table d'érable.

— Le voilà ! Le grand homme est enfin de retour, dit Bob en se levant aussitôt.

— Salut, Bob. Content de te voir. Désolé, je suis en retard mais je n'ai pas pu faire autrement.

Ils échangèrent une poignée de main vigoureuse, presque brutale. Rick embrassa Catherine sur la joue avant de s'asseoir en s'affalant presque sur une chaise, comme un homme qui rentre épuisé du travail. Un homme souple et élégant qui s'apprêtait à fêter ses quarante-cinq ans et qui donnait une impression de formidable énergie — momentanément ébranlée.

— Une journée de dingue au bureau, c'est ça, chef ? Sans parler des transports, dit Bob. C'est de pire en pire, pas vrai ? Quelle plaie.

Rick sourit.

— Ça te va bien de te fiche de la gueule des autres, Bob, de chercher à les enfoncer. Toi qui n'as jamais rien fichu de tes dix doigts ; toi qui n'as jamais mis les pieds dans un bureau.

— Rick, je te sers un verre de vin, ou un scotch ?

— Plutôt un scotch, Catherine. Bien tassé, s'il te plaît.

Rick avait dîné au bureau. Il s'excusa. Il n'avait rien mangé de la journée, si bien que vers cinq heures et demie il avait eu un coup de barre terrible et avait demandé à sa secrétaire de lui faire monter une salade.

— Autrement je crois bien que j'aurais tourné de l'œil. Je me suis senti bizarre toute la journée... Mais vous n'imaginez pas le cirque que c'était aujourd'hui. Une succession sans fin de réunions et de conférences et pour pas grand-chose au bout du compte. Je suis constamment dérangé par les uns, par les autres, pour une chose, pour une autre.

Rick était un fanatique de la course à pied. Il participait encore à des marathons de cinq ou de dix kilomètres, même si, il était bien obligé de le reconnaître, son heure de gloire était passée. Parfois, après une course, il était si pâle qu'on aurait dit un fantôme, et pourtant sa forme physique était excellente.

— Tu es venu seul, cette fois ? demanda Rick. Je me souviens encore de... comment s'appelait-elle déjà ? Tu la vois toujours ? Ou bien l'autre, la blonde qui avait des jambes superbes ?

— Cette bonne vieille machin-chose, Rick ? Tu veux parler de trucmuche ? Non, il me semble que j'ai cessé de la voir. Il arrive un moment où on ne se souvient plus de tout les gens qu'on connaît. C'est ce que tu voulais dire ?

Rick sourit. Catherine leur rappela le nom de la femme en question — Véronique —, une « bonne copine » que Bob avait amenée à Longfields une fois, en visite.

— Cela fait plus d'un an que je ne l'ai pas vue. Je crois qu'elle est rentrée chez elle, à Paris. Je ne sais plus si je te l'avais dit, c'était une femme mariée, mère de famille qui plus est. Mais je crois que nous n'en avons jamais parlé, toi et moi.

Bob avait vécu une relation passionnée avec cette Véronique. C'est du moins ce qu'il avait dit à Catherine à l'époque. Au début elle lui avait résisté, mais elle avait fini par succomber. Bob avait le chic pour se mettre dans ce genre de situation : il choisissait des partenaires qui dès le départ étaient hors d'atteinte.

— C'est vrai qu'elle m'en a fait voir de toutes les couleurs, Rick, ajouta-t-il. Mais on a eu de bons moments tout de même. Simplement, pour elle, ça n'était qu'un intermède. Il a fallu qu'elle retourne à ses obligations.

— Bah, glissa doucement Catherine, toi aussi tu as eu ton petit intermède, non ? Je n'arrive pas à croire que tu ne nous aies jamais dit qu'elle était mariée. Et qu'elle avait des enfants. Je n'arrive tout simplement pas à le croire.

— Non, je t'assure, nous n'en avons jamais parlé. Je ne me plains pas, il y a une sorte d'ironie dans cette histoire. Moi qui passe ma vie à me culpabiliser parce que j'ai le sentiment d'«utiliser» les femmes, de les exploiter d'une certaine façon, cette fois, c'est moi qui me suis fait utiliser. Tu me connais : je me suis toujours efforcé de satisfaire les femmes. D'abord il y a eu maman, puis mes sœurs, puis mes profs, à l'école. Si je suis devenu écrivain, c'est pour leur faire plaisir — elles trouvaient que c'était romantique. Je suis comme Picasso à cet égard, j'imagine. Il prétendait qu'il était devenu peintre uniquement parce que c'était plus facile pour draguer. Il avait remarqué que les jolies filles avaient un faible pour les artistes. Tu vois ce que je veux dire — les musiciens, les poètes.

Rick s'enquit de Ben, qu'on avait envoyé se coucher. Karen avait regagné son bungalow, au grand dam de Bob. La conversation prit un tour nouveau grâce aux questions de Bob, qui faisait semblant de s'intéresser au travail de Rick et à ses responsabilités au sein de la Laurel Foundation. Bob prétendait absolument tout ignorer du monde des affaires ; sa vie introspective d'écrivain le tenait aussi éloigné que possible (pour un Américain) de ce genre de problèmes.

— Dis-moi, que fais-tu au juste, Rick ? Je veux dire, là-haut, dans ta tour de cristal ? Que faisais-tu, disons, à trois heures aujourd'hui, par exemple ?

— A trois heures, Bob ? Tu veux savoir ce que je faisais à trois heures ? Bon. Je crois bien que j'étais au téléphone avec Los Angeles. Je rentrais à peine du gymnase. Nous en avons un, là-bas, avec piscine, tapis roulant, etc. Mais à trois heures et quart un type, Raab, un jeune Turc du service financier est venu me voir. C'est l'un des protégés

27

de l'oncle Willy. Il dit qu'il veut me parler immédiatement, que ça ne peut pas attendre...

« Il veut racheter des parts dans une petite société informatique obsolète spécialisée dans la création de logiciels d'application personnalisés pour les entreprises qui ne veulent pas travailler en réseau. La boîte n'arrive pas à lancer ses nouveaux produits sur le marché, me dit-il. Il me parle des avantages fiscaux, m'explique pourquoi il faut racheter tout de suite plutôt que dans six mois. Mais petit à petit, je commence à me demander pourquoi il est venu me trouver, moi, alors que ce sont mes supérieurs hiérarchiques qui prennent ce genre de décisions. S'il veut s'adresser au bon Dieu plutôt qu'à ses saints, pourquoi ne va-t-il pas trouver un de mes oncles directement ? Dois-je comprendre que j'ai le vent en poupe ? Ou qu'au contraire il est venu me trouver, moi, le plus petit et le plus insignifiant de la famille, afin d'obtenir une bénédiction toute symbolique, à la mesure d'une affaire somme toute négligeable ?

Rick prit une gorgée de scotch, et, se renversant contre le dossier de sa chaise, il adressa à Bob un regard d'« homme d'affaires », froid et déterminé. Puis il eut un changement d'expression quasi imperceptible, qui sous-entendait autre chose : il savait de quoi il avait l'air et que Bob ne se priverait pas d'aller le rapporter à leurs amis de Berkeley. « Vous n'imaginerez jamais à quel point Rick a pu changer, c'est une véritable bête de la finance aujourd'hui. Plus aucun humour, rien. Non pas qu'il en ait jamais eu lorsqu'il s'agit de lui-même, naturellement, mais... »

— Tu veux que je continue, Bob ?

— Oui, Rick. Je t'en prie. C'est absolument fascinant.

— Alors j'ai posé la question à Raab. De but en blanc. Il a eu l'air assez déconcerté par ma candeur, si tu vois ce que je veux dire. En temps normal il serait allé trouver un de mes oncles, m'a-t-il dit, mais Ferdius et Bill sont en déplacement à l'étranger, et comme il avait la certitude qu'il fallait agir vite, il a pensé à moi. Et le voilà qui repart dans des histoires d'abattement fiscal, quand tout à coup je m'aperçois que je n'ai pas pris toute la mesure de sa proposition : il ne s'agit pas de racheter quelques modestes parts dans la compagnie, mais de l'absorber dans sa totalité. Une OPA, en quelque sorte. Or ce genre d'opération comporte des risques que je ne suis pas capable d'évaluer, avec des incidences sur nos autres produits, nos différentes branches, et ainsi de suite. De plus, il faut tenir compte des autres membres de la famille, dont certains commencent à se faire vieux, comme ma tante Willow, par exemple, qui a en horreur toutes les innovations chimiques et technologiques des quarante dernières années. Si nous ne tenons pas compte de ses objections, elle risque de nous donner du fil à retordre par la suite, et même de pousser le Raab en question au suicide. J'en arrive donc à me dire qu'il est venu me trouver parce que je suis le plus rationnel de la famille. Ou alors qu'il cherche à me tester, pour voir s'il n'y aurait pas moyen de faire un gros coup avec moi...

Ces derniers mots s'étranglèrent dans sa gorge, il suffoqua, soudain livide. Une expression de complète surprise, d'innocence blessée, traversa son visage, tandis qu'il se levait de table précipitamment.

— Rick ? Rick ? Est-ce que tu te sens bien ?

Catherine et Bob Stein, qui un instant plus tôt avait réprimé un bâillement, échangèrent un regard consterné. Catherine se leva de table à son tour et, perplexe, elle suivit son mari à l'étage.

4

Catherine rejoignit Rick dans leur chambre à coucher. Après l'avoir convaincu de se mettre au lit, elle ouvrit grand les fenêtres car il avait l'impression de suffoquer. Mais l'air du soir n'eut aucun effet sur lui si ce n'est de le faire grelotter. Il était d'une pâleur mortelle. Il vomit trois fois de suite. Elle essuya la transpiration qui perlait à son front et alla chercher une couverture dans l'armoire, mais il continuait à grelotter.

— Tu crois que c'est la grippe, Rick ? Ou quelque chose que tu as mangé ?

— Je ne sais pas. Mais il y a plusieurs personnes malades au bureau, en tout cas.

Elle lui demanda s'il voulait qu'elle appelle un médecin, mais il pensait que cela ne serait pas nécessaire. Le médecin le plus proche se trouvait à une bonne cinquantaine de kilomètres, dans la plaine, à Palo Alto.

— Bon Dieu, c'est pas possible d'avoir aussi froid !

— Je vais te rajouter une couette. Ça devrait te tenir chaud.

Bientôt il cessa de grelotter. Il avait l'air complètement épuisé. Seule sa tête dépassait de cet amas de couvertures. Quand il était malade, il semblait fondre de moitié. Bien que relativement grand et bien charpenté, avec les épaules larges et osseuses, il n'avait jamais dépassé les quatre-vingt-dix kilos.

— Bob y verra sûrement un stratagème de ma part, il va penser que je me débine. Que j'ai peur de l'affronter.

— Que tu te débines ? Mais qu'est-ce que tu racontes, Rick ?

— Ce petit faux-cul me tape sur les nerfs, parfois, tu sais ça ? C'est un fouille-merde.

— Tu es malade, Rick, c'est tout. Calme-toi, je t'en prie.

Il gardait les yeux fermés, comme s'il n'avait plus la force de les ouvrir. Au bout d'un moment, Catherine, qui s'était assise à ses côtés, se sentit étrangement bouleversée. Des années auparavant, lorsqu'ils vivaient au Guatemala, il avait attrapé la fièvre tropicale. Elle l'avait soigné avec dévouement, sans relâche, tâche dont elle s'était acquittée avec un certain plaisir. Et lui s'en était totalement remis à elle, à elle et au destin aussi, attitude qui en temps normal lui était tout à fait étrangère.

— Je vais mieux, dit-il après quelques minutes. Tu peux redescendre maintenant. Allez, va rejoindre Bob.

— Non, je crois que je vais rester encore un peu. Tu veux que je t'apporte un seau ?

— Oui, il vaudrait mieux.

Lorsqu'elle revint, il se tourna vers elle et, d'un regard, lui témoigna sa reconnaissance. A mesure qu'il se dégarnissait, son front s'agrandissait, dominant de plus en plus son visage, un peu comme si sa personnalité se concentrait dans cette bosse lisse et finement modelée.

— Rick, Maryanne a appelé aujourd'hui. Comme ça, sur un coup de tête. En fait, lorsqu'elle a su que Bob venait passer quelques jours ici, ça lui a donné envie de venir aussi. Elle m'a demandé si elle pouvait se joindre à nous demain peut-être, ou dimanche.

— Maryanne ? — Rick resta un instant interdit. — Oh, non, au secours ! Pas la Maryanne que je connais ! Dis-lui non, je t'en conjure. Pas cette fois.

— Elle ne passerait qu'une journée avec nous, pas plus, Rick. Elle ne peut pas rester tout le week-end.

— Je t'en prie, dis-lui que je suis malade. Dis-lui, je ne sais pas moi, que c'est le choléra. Qu'une épidémie sévit dans le coin.

Maryanne, leur ancienne amie de Berkeley, avait appelé juste avant le dîner, à l'instant précis où ils s'apprêtaient à passer à table. Elle proposait de se retrouver pour une sorte de petite fête entre vieux copains. Cela faisait presque deux ans qu'elle n'avait pas vu Rick et Catherine, et elle n'était venue qu'une seule fois à Longfields.

— Tu sais, elle s'est pas mal calmée, Rick. C'est ce que dit Bob, en tout cas. Elle est plus facile à vivre, à ce qu'il paraît.

— Impossible ! Cette fille est un cas désespéré, Catherine, complètement désespéré... Où est passé ce putain de seau maintenant ?

Catherine retourna bientôt dans la salle à manger. Bob Stein était monté se coucher, de même que Gerda. Catherine veilla jusqu'à deux heures du matin, en buvant du thé et en lisant le manuscrit que Bob lui avait apporté.

Elle lisait ses manuscrits depuis toujours : il insistait chaque fois pour qu'elle lui rende ce service. Son avis comptait plus que tout autre pour lui, et il allait parfois jusqu'à incorporer certaines de ses suggestions au texte définitif. Cette intimité littéraire, réminiscence d'une intimité autrefois plus profonde, presque fusionnelle, en était à la fois le souvenir et le gage.

A l'époque de l'université, Bob, Catherine et Rick avaient été très proches, ils formaient une sorte de trio inséparable. Cette relation, ô combien romantique, avait connu son apogée vers la fin des années soixante-dix, alors que Catherine venait tout juste de terminer ses études. Bob, qui poursuivait les siennes, commençait à donner tous les signes du thésard chronique. Rick, pour sa part, était dégoûté de la fac jusqu'à la nausée ; il avait l'impression d'y être né et ressentait comme une imposture sa position d'enseignant, détenteur d'un prétendu savoir. Soucieux de trouver une issue pour Bob et pour lui-même, il accepta la proposition de l'un de ses oncles qui l'encourageait depuis toujours à quitter l'université. Il partirait au Guatemala, dans la forêt vierge de la côte ouest, afin d'aider à réorganiser une vaste plantation de bananes et d'avocats, vieille entreprise familiale en déficit chronique. Bob Stein pouvait venir, lui aussi, et rester aussi longtemps qu'il lui plairait, nourri et logé pour presque rien.

C'est au Guatemala que Catherine et Rick devinrent mari et femme — pour aucune des raisons ordinaires, et encore moins par élan romantique, mais dans une grande mesure pour ne pas offenser les autochtones. Ils vivaient parmi des Guatémaltèques, profondément catholiques et respectueux des traditions, qui n'avaient jamais entendu parler des mœurs libérales alors en vogue dans des endroits comme Berkeley, en Californie. Plus tard, cependant, lorsque Rick et Catherine rentrèrent aux États-Unis, ils eurent un peu honte de cette concession aux traditions et pendant des années ils parlèrent de leur mariage comme d'une sorte de farce, un acte qu'ils n'avaient jamais réellement pris au sérieux.

C'est aussi au Guatemala que Catherine avait pris pleinement la mesure de ce que signifiait être un Mansure : Rick était le rejeton d'une famille illustre et richissime. La plantation où on l'avait envoyé, nommée Escambeche, leur sembla au départ presque aussi grande que la province à laquelle elle appartenait. Elle englobait toute une chaîne de montagnes, des forêts, des rivières, ainsi que trois villages indiens. Lorsque Rick se présenta aux habitants, ils le saluèrent comme le fils longtemps espéré de quelque lointain souverain. Rick fulmina contre les vestiges de ces absurdes traditions féodales ; il n'était pas question que des hommes s'inclinent devant lui. Personne ne ramperait devant Rick Mansure, non. Il ne tarda pas, cependant, à constater l'impact négatif d'une telle attitude sur les résultats financiers de l'entreprise et, fidèle à lui-même, Rick s'attela à la tâche avec âpreté, déterminé à redresser la situation.

— Je ne comprends pas, disait-il à Catherine, comment des gens peuvent vivre ainsi, comment des générations entières peuvent lier leur destinée à une entreprise vouée à l'échec de façon aussi patente. La comptabilité fantaisiste, la confusion dans la hiérarchie, le mode de gestion absurde font que cette entreprise est pourrie jusqu'à l'os. Mais je ne la laisserai pas crever. Plus tard, nous pourrons la faire basculer dans un autre système si nous le voulons, lui faire subir une petite révolution au sens économique du terme.

L'Armée de la Guérilla du Peuple, appelée l'AGP, était

très active dans la région. Rick la connaissait bien, en fait il était d'accord avec la plupart de ses revendications, y compris la rétrocession des entreprises étrangères. Mais pour le moment, il était contraint de jouer un rôle dont l'ironie ne manquait pas de le frapper : lui, l'universitaire marxiste, le défenseur des mouvements progressistes, se devait d'agir comme un latifundiste, comme un propriétaire terrien avant tout préoccupé par son profit personnel.

Catherine se retrouva, elle aussi, à jouer un rôle inhabituel : elle était *la doña del Jefe*, la belle châtelaine, la généreuse lady en blue-jeans. Aucun effort ne lui était demandé, et elle aurait très bien pu passer ses journées à fôlatrer comme l'avaient fait les épouses des gérants qui l'avaient précédée. Se débrouillant assez bien en espagnol pour l'avoir étudié pendant plusieurs années, elle était capable de communiquer avec les gens, les femmes en particulier. Les métisses et les créoles étaient absolument folles d'elle et cherchèrent aussitôt à s'en faire une amie. Elles l'encourageaient dans la voie qu'elles auraient elles-mêmes suivie si elles avaient été à sa place — celle de la famille, du confort, des divertissements —, s'étonnant à chaque instant de voir qu'à l'âge avancé de vingt-deux ans la femme d'un si bel homme n'avait toujours pas d'enfants. Mais c'était les Indiennes au sang pur, dont les maris exécutaient les basses besognes de la plantation, qui fascinaient Catherine. Elles portaient leurs bébés sur le dos, emmaillotés dans de superbes châles tissés à la main ; elles menaient une vie rude et simple avec une fierté qui semblait trouver son essence dans l'acceptation résignée de la tragique impuissance du genre humain (une impuissance doublée, cependant, d'une force meurtrière). Ces femmes-là ne recherchaient nullement sa compagnie — en fait, elles semblaient ne pas la voir. Mais leur indifférence l'attirait. D'une certaine façon elle avait honte de sa bonne nature, chaleureuse et ouverte. Ne voulant pas donner l'image de la *norteamericana* typique qui parodiait les indigènes dans son accoutrement et ses manières, elle s'efforçait de garder un certain quant-à-soi tout en rusant afin d'en apprendre le plus possible sur leur mode de vie.

Rick l'encourageait dans cette direction. Il était content

de voir qu'elle s'était fait beaucoup d'amies et qu'elle ne ménageait pas ses efforts pour « améliorer leur quotidien ». Les deux petites écoles de fortune du coin manquaient cruellement de livres et autres fournitures. Il y avait aussi un dispensaire dont le stock de médicaments était quasiment inexistant. Cinq jours par mois, un étudiant en médecine venait de Guatemala City afin d'apporter un peu de réconfort aux habitants et de parfaire son apprentissage. Catherine lui donnait un coup de main. Bientôt elle sut faire les piqûres, ausculter et traiter les maladies infantiles les plus courantes. Puis elle se lança dans un projet nettement plus ambitieux : elle entreprit de construire un nouveau système d'adduction d'eau et de remplacer par la même occasion le tout-à-l'égout rudimentaire de Panjeb, le plus éloigné de tous les villages, celui où les enfants souffraient de diarrhée chronique. Rick se moquait d'elle : « Elle s'imagine qu'elle est au service du Peace Corps — à cette différence près que son mari possède tout le pays. »

— Je me moque d'avoir l'air ridicule, répondait-elle. Parce que je suis ridicule, n'est-ce pas ? Si tu laisses les gens t'appeler Don Ricardo, je ne vois pas pourquoi je ne pourrais pas faire creuser un ou deux égouts. Tu sais bien que je n'ai jamais vraiment su adopter une « ligne politique cohérente », c'est toi-même qui me l'as dit. Je ne suis qu'une béni-oui-oui. Une faiseuse de BA.

— Non, vas-y, chérie. Fais-le si ça te fait plaisir.

Enfin Bob Stein arriva à Escambeche. Il ne resta pas très longtemps, un mois environ. Il remarqua d'emblée le changement qui s'était opéré chez ses amis et, de retour en Californie, il écrivit aussitôt un roman clairement inspiré de ce séjour de quatre semaines. C'était un long récit plein d'humour, un des préférés de Catherine parmi tous ceux qu'il avait écrits. Il y était question de deux jeunes Américains, tous deux très à gauche politiquement, qui partent en Amérique centrale où ils vivront une série de mésaventures héroïco-comiques. L'homme, fils d'une richissime famille californienne, sombre dans la dépression nerveuse à mesure que son idéologie rigide et théorique se voit confrontée à la réalité complexe de Cualtenango.

La femme — c'est avec un amusement mêlé d'irritation

que Catherine avait découvert son portrait — s'efforce maladroitement de venir en aide à des *campesinos* que son inexpérience laisse profondément perplexes. Bien que totalement inefficace, elle se fait rapidement des amis, et parvient à tisser des liens avec les Indiens au point que ceux-ci en viennent presque à la vénérer comme une déesse. Dans le dernier tiers du livre, l'héroïne connaît un éveil des sens qui la conduira à une liaison illicite avec un écrivain de Cualtenango, un indigène intellectuel et révolutionnaire.

— Mais c'est toi, l'écrivain, Bob, protesta Catherine plus tard. Il te ressemble comme deux gouttes d'eau. C'est l'amant des romans de D.H. Lawrence — on a toujours l'impression qu'il s'agit de l'auteur lui-même. Mais dis-moi, est-ce que cela veut dire que tu as le béguin pour moi depuis des années ?

— Toi et moi connaissons la réponse, Cath. Pas vrai ?

Tous deux éclatèrent de rire, même si Catherine était un peu mal à l'aise. Elle ajouta :

— Mais, et ce pauvre Rick ? Regarde ce que tu en as fait. Il y a de quoi se vexer, tu avoueras. C'est une trahison, Bob. Pas une haute trahison, certes, mais une trahison tout de même.

— Rick t'en a parlé ? T'a-t-il dit : « Ce qu'a fait Bob Stein est impardonnable, c'est un coup de poignard dans le dos, je le hais, cela m'a fait très mal ? »

— Non, mais tu connais Rick, répondit Catherine. C'est justement parce que ça lui a fait mal qu'il ne veut pas en parler.

Rick eut sa revanche, cependant. Deux ans plus tard, il écrivit son propre petit récit qu'il intitula *Escambeche*. Ce dernier se vendit environ quarante fois plus que le roman de Bob. Il ne s'agissait pas d'un roman mais plutôt d'un journal avec, en appendice, une analyse politique relatant ses efforts pour moderniser la plantation familiale qui, sous sa plume talentueuse, n'était plus seulement une vaste propriété appartenant à ses oncles, mais un monde magique hanté par le souvenir douloureux de ses parents disparus. (Rick avait perdu ses parents lorsqu'il avait six ans, dans un accident de voiture à Juan-les-Pins, dans le sud de la France. C'est en grande partie son oncle Gower et sa femme Anna-Louise qui l'avaient élevé.) Catherine découvrit à sa grande surprise — Rick n'avait jamais soufflé mot de cet épisode — que les parents de Rick étaient venus passer leur lune de miel à Escambeche en 1937-1938. Dans son récit, Rick avait introduit quelques témoignages de vieillards qui se rappelaient encore la visite de ce jeune et beau couple d'Américains. Ils avaient apporté « des sacs et des sacs de clubs de golf, Señor, bien que, comme vous pouvez le constater, nous n'ayons pas de terrain de golf ici, à Escambeche ». Le contraste entre le couple d'oisifs fortunés des années trente et celui formé par Rick et Catherine — laborieux et politisés, décidés à refaire le monde — était exposé avec beaucoup d'habileté, à tel point que Catherine s'était demandé si elle connaîtrait jamais vraiment son mari.

— Mais pourquoi faut-il que je découvre ces choses dans un livre, Rick ? Pourquoi ne m'en as-tu jamais parlé alors que tu n'arrêtais pas d'y penser ?

— Mais non, Catherine, absolument pas. Je n'y ai pour ainsi dire jamais pensé lorsque nous étions là-bas. Elles n'ont pris de l'importance qu'à partir du moment où je me suis mis à écrire... Ça se passe comme ça parfois, tu le sais bien, on a besoin d'un prétexte. Avant leur mort, ils me laissaient toujours à la maison, ils étaient toujours en voyage. Mon père s'intéressait de très près aux lignes maritimes de la famille. Et ma mère, qui était à moitié espagnole, aimait rendre visite à sa famille. Je crois qu'ils habitaient à Séville.

— Mais, Rick, ne t'arrive-t-il pas de rêver d'eux ? N'as-tu pas le sentiment que tu les portes en toi, au plus profond de ton âme ? N'as-tu pas envie de tout connaître sur eux ?

— Pas du tout. En fait, j'ai plutôt le sentiment de trop bien les connaître. Beaucoup trop.

Le livre de Rick remporta un franc succès. Dès la première année il y eut deux éditions de poche et le livre fut traduit en six langues différentes, suscitant la controverse dans certains cercles de gauche. Le pauvre Bob Stein, dont le roman périclita très vite — on l'avait essentiellement lu dans le cercle des étudiants politisés de Berkeley — ne le lui pardonna jamais.

5

Le lendemain matin, samedi, Catherine se leva avant l'aube, comme à son habitude. Encore à demi endormie, elle s'habilla machinalement et partit en direction des jardins qu'elle cultivait dans une prairie vallonnée au sud-ouest de la maison. Elle brancha tous les tuyaux puis procéda à l'arrosage. L'hiver et le printemps avaient été très secs, et quand arriva la fin mai, ses cultures en terrasses lui apparurent comme un caprice de jardinier amateur trop ambitieux et trop bien équipé, indifférent aux conditions climatiques locales, pour qui la sécheresse n'existe pas. Des terrasses d'un vert profond qui s'étendaient à perte de vue se dégageait une impression de santé presque indécente, comme une robe de cocktail dans une penderie de soutanes.

Le soleil n'était pas encore apparu derrière la colline. A sept heures, Bob Stein arriva tranquillement de la maison encore endormie, et resta un long moment accroupi en silence à l'extérieur du jardin, à la regarder travailler. Il se mit à siffler *Old MacDonald had a Farm*, puis s'arrêta.

— Que se passe-t-il, Bob ? A quoi penses-tu ?

— A rien, Catherine. Absolument à rien. Et c'est très bien ainsi. J'aime te regarder travailler, voilà tout. Surtout avec tes bottes en caoutchouc.

— Et mon pantalon tout crotté ? Et mes gants ? Tu veux dire que ma tenue vestimentaire te convient, Bob ?

Plus tard, lorsqu'ils se retrouvèrent tous autour du petit déjeuner, Bob déclara à Rick :

— Ta femme est merveilleuse ! C'est un être hors du commun, Rick. Tout ce qu'elle fait est bien fait, je dirais même que ça atteint la perfection. Lorsque nous étions dans son jardin, j'ai brusquement réalisé que c'était un sanctuaire, un symbole du paradis terrestre. Tous les esprits sont réunis là-bas, je le sens, attirés par sa passion, son pouvoir de concentration. Chacun de ses gestes est plein de séduction, de naturel, de plénitude émouvante. C'est profondément beau, plus que cela même...

Rick se contenait de boire son café, sans approuver ni contredire. Il était habitué à entendre Bob parler ainsi. Lorsqu'il se lançait dans ses envolées lyriques, Bob affirmait les choses les plus extravagantes et les plus embarrassantes, à peine teintées d'une pointe d'ironie ; il n'y avait rien d'autre à faire qu'à le laisser dire.

— Si j'avais seulement le quart de son énergie... je serais heureux. La moindre courgette, le moindre brin de lavande de son jardin sont plus convaincants que tous les mots que je pourrais produire en un mois — ou une décennie, même. Lorsqu'elle a décidé de faire quelque chose, l'énergie lui vient naturellement et revêt instantanément la forme requise. Moi, au contraire, je suis obligé de manier et de remanier sans cesse mon texte pour donner une impression de réalité. Ensuite je prends mes distances, je m'efface afin de montrer à quel point je suis lucide, conscient de mes misérables artifices.

N'étant pas absolument sûre de comprendre ce qu'il voulait dire, Catherine lui fit remarquer que le jardinage et l'écriture étaient deux occupations différentes. Si elle lui paraissait naturelle ou efficace dans ce qu'elle entreprenait, c'était simplement parce qu'elle ne faisait pas grand-chose ; elle avait toujours manqué d'ambition, comme ils le savaient tous, de même qu'elle n'avait jamais eu de véritable talent.

— Non, Catherine, insista Bob. Non, non, absolument pas. Certaines personnes sont nées avec des mains capables de créer, des cœurs capables de comprendre. La vie à leurs côtés est tout de suite plus intéressante. J'ai toujours pensé que tu faisais partie de ces gens-là. C'est une chose qui m'a toujours étonné. Tu sembles savoir d'instinct quoi dire ou quoi faire, quelle que soit la situation. Les gens sont moins névrosés lorsqu'ils sont à tes côtés...

Rick, qui commençait à s'impatienter, se racla la gorge. Il était légèrement verdâtre ce matin, après avoir été dérangé toute la nuit. Ayant aperçu le nouveau manuscrit de Bob, laissé par Catherine sur la table de nuit, il demanda s'il s'agissait de la cinquième « petite comédie » de Bob — ou de la sixième ?

— Ce n'est que la quatrième, je dois l'avouer. Après tant d'acharnement, je devrais en avoir écrit au moins vingt... mais non. Tant pis. J'ai toujours rêvé d'être prolifique, d'avoir la plume audacieuse et facile comme toi, au fond.

— Facile ? Tu le penses vraiment, Bob, facile, rien de plus ? Bob, je ne vais pas me vexer parce que cela ne compte plus pour moi. Je n'ai plus aucune fierté d'auteur. Elle a disparu, avec mon troisième bouquin..

— Mais ton troisième bouquin était très bon, Rick, vraiment. Un peu ténu, peut-être, mais impeccable. En trois coups de cuillère à pot tu as maîtrisé la forme du journal. Tu as triomphé de la matière.

Après un moment de réflexion, Rick eut un petit sourire en coin. Son troisième roman avait été malmené par la critique et, pire, la plupart des amis politiquement proches autrefois l'avaient jugé répétitif et dépassé. Ils y avaient même décelé une certaine « dérive néo-conservatrice ». Après avoir publié trois ouvrages en moins de deux ans (le dernier étant paru en 1983), il avait cessé d'écrire.

Sur un ton qui se voulait désabusé, il dit :

— Tu t'es sans doute rendu compte que je n'avais guère plus que deux ou trois idées, deux ou trois choses à dire, Bob. Mais je n'ai découvert cette triste réalité qu'en les écrivant et les réécrivant. Maintenant je laisse la place aux véritables écrivains.

— Rick, ton troisième roman m'a beaucoup plu. Il m'arrive même de m'en servir dans mon cours sur le journal intime, celui que je donne à l'Annexe. Les mères de famille qui s'essayent à l'écriture en raffolent.

— J'en suis très honoré, Bob, et heureux de l'apprendre.

Le jeune Ben, suivi de sa gouvernante, pénétra dans la cuisine. Ils avaient déjà pris leur petit déjeuner, dit Karen à

Catherine. Ben demanda s'il pouvait utiliser l'ordinateur de Rick pour jouer avec ses jeux vidéo. Rick ne répondit pas, mais Catherine dit qu'ils feraient peut-être une promenade à cheval ce matin (Ben avait ses poneys). Il ne semblait ni content ni déçu ; il se tenait debout, immobile, les lèvres pincées et clignant des yeux, un bras passé négligemment autour des épaules de sa mère.

6

Lorsque Maryanne arriva (en dépit des réserves de Rick, qui s'étaient estompées quand il s'était senti mieux), Catherine avait lu le manuscrit de Bob. Mais elle lui dit qu'elle ne l'avait pas terminé. En réalité, elle était perplexe et cherchait à gagner du temps.

— Ah, ça commence à te barber ? s'inquiéta-t-il. Tu n'arrives pas à le finir ?

— Mais non, Bob, ça se lit très bien. J'ai simplement besoin de quelques jours encore. Ça t'ennuierait si je te le renvoyais par la poste, avec mes commentaires ?

— Mais non, Catherine. C'est comme tu voudras.

Elle sentait bien qu'il était terriblement déçu. Il mourait d'envie de connaître son point de vue. Entre autres illusions la concernant, il la considérait comme une lectrice « véritablement objective » (si cela avait un sens).

— Je compte sur toi pour me donner le point de vue du lecteur moyen. Tu fais ça admirablement bien.

Le dimanche, il lui dit :

— Je sais que c'est injuste de te demander cela, Catherine, et je ne le demanderais à personne d'autre, crois-moi. Mais tu es une des rares personnes en qui j'ai encore confiance. Aussi étrange que cela puisse paraître, j'ai une confiance aveugle en ton intégrité.

— Tu devrais avoir davantage confiance en toi, Bob. Tout ce que tu m'as donné à lire était excellent.

— C'est parce que j'opère un tri minutieux. L'essentiel

de ce que j'écris est tout juste bon à mettre à la poubelle. C'est de la merde.

Maryanne, avec qui Rick s'était brouillé quelques années auparavant, arriva en pestant contre son emploi du temps surchargé. Elle était allée au bureau le matin même et lorsqu'elle était repassée chez elle, elle avait trouvé une demi-douzaine de messages sur son répondeur téléphonique, tous en rapport avec le travail.

Elle avait entrepris des études de droit à l'âge tardif de trente-quatre ans après avoir été tour à tour prof dans une école privée, assistante sociale, et psychologue (diplômée d'État). Elle et Rick s'étaient brouillés à l'époque où elle avait découvert le féminisme. La brutalité de sa prise de conscience avait fait d'elle une militante pure et dure assez difficile à supporter. Il était pour le moins surprenant de la retrouver aujourd'hui à la tête d'un cabinet d'avocats prospère, spécialisé dans le divorce, et dont la clientèle était presque exclusivement masculine.

— Je fais du meilleur travail lorsque je défends un homme, disait-elle. C'est comme un écrivain de sexe masculin qui écrit sur les femmes, Bob. Il y a un côté artificiel tout à fait salutaire. Si je devais représenter des femmes, je m'investirais trop, je serais trop sensible à leurs problèmes. En défendant des hommes, je fais du bon travail, propre et efficace, rien de plus. Et même là, il m'arrive de m'apitoyer sur ces pauvres diables... certains d'entre eux se retrouvent dans un pétrin effroyable alors qu'ils ne le méritent pas.

— Mais Maryanne, lui rappela Bob, ce sont des *mâles*. Des *oppresseurs* que tu défends. Pourquoi devraient-ils gagner un procès, après tout ?

— Personne ne gagne jamais vraiment au tribunal, Bob. Et puis là n'est pas le problème. Le divorce est un gâchis, c'est une manière de foutre sa vie en l'air. Il arrive que l'une des parties se comporte de façon monstrueuse, peut-être justifiée — je dis bien : peut-être. Mais dans soixante ou soixante-dix pour cent des cas que je défends, l'horreur et l'humiliation n'ont pas de véritable raison d'être. Ces couples pourraient parfaitement se raccommoder s'ils y mettaient de la bonne volonté.

Maryanne se préoccupait davantage de son apparence

ces dernières années, rien dans son allure ne rappelait la féministe radicale des années soixante-dix. Elle était encore plus grande que Catherine, mince, avec de petits seins et un côté fragile. Ses grands yeux gris en amande lui donnaient un air rêveur. Autrefois, elle cachait ce regard tendre et émouvant derrière une paire de lunettes. Catherine la trouvait très belle.

Elle ne s'était jamais mariée, mais elle vivait depuis quelques années avec un homme. L'amour de sa vie, aussi étrange que cela puisse paraître à Catherine, avait probablement été Rick Mansure. A l'époque où Rick était l'étoile montante du campus, elle avait éprouvé pour lui un attachement non réciproque, intense et tenace. Maryanne, jamais d'accord, toujours prête à polémiquer, exaspérante avec sa dialectique infatigable, avait fini par se rendre indispensable en devenant une sorte de conscience pour Rick. Il lui avait souri — bonheur inespéré — tout comme il avait souri à Bob, qui, contre toute attente, avait réussi à attirer son attention.

— Où est Rick, au fait ?, demanda Maryanne à Catherine.

— Il est en haut, il travaille sur son ordinateur. Il ne se sent pas très bien. Il a été malade par intermittence pendant toute la nuit.

— Ah, je vois.

Maryanne n'était pas vexée. En tout cas, si elle l'était, elle ne le montra pas. Elle s'était depuis longtemps faite à l'idée que Rick avait cessé de s'intéresser à elle.

— Il cherche peut-être à m'éviter, mais c'est sans importance. J'aimerais beaucoup faire une balade, explorer les environs. Prenons tes chevaux et partons faire un tour dans la grande forêt — là où elle est vraiment sauvage, sur le versant de la montagne.

— Nous y sommes allés hier, Maryanne. Je crois que Bob ne sera pas capable de remonter à cheval. Il a les fesses à vif.

— Allons-y à pied, dans ce cas. Je me souviens encore de ce coin. Il est magnifique.

Bob, chargé d'un sac à dos, ouvrait la marche. Il portait un short en dépit des mises en garde de Catherine concernant les chênes vénéneux. Ses jambes hirsutes, blanches et mal assurées lui donnaient un air comique de jouet mécanique. Maryanne et Catherine marchaient quelques mètres en arrière en parlant de leurs amis communs mais aussi de la vie amoureuse de Maryanne et de sa frustration de ne pas arriver à avoir d'enfants maintenant qu'elle en désirait. Dans la chaleur vibrante de ce matin de mai, elles finirent par trouver une cadence confortable qui ne gênait pas leur conversation.

— Je ne comprends pas comment tu peux vivre ici, Cath, je crois que je deviendrais folle. Tout est trop parfait. Je ne pourrais pas vivre tous les jours au milieu d'une telle beauté. Cela ne correspond pas à mon paysage intérieur.

— Rick est tourmenté en ce moment, dit Catherine en sautant du coq à l'âne. Il est dans une de ses phases de crispation, de fermeture au monde. Même son corps devient dur comme du bois...

— Il a toujours eu un côté comme cela. Son jardin secret, dit Maryanne, est un endroit où personne ne peut pénétrer, sauf toi peut-être, je ne sais pas. Mais qu'est-ce qui fait que nous, les femmes, sommes attirées par ce genre d'hommes ? Une tare génétique ? Je parle en général, bien sûr... je ne connais plus vraiment Rick. Qu'ai-je donc fait pour qu'il ne puisse plus me supporter ? Sur ma vie, je te jure que je ne m'en souviens pas. J'ai dû franchir des limites, m'approcher trop près peut-être.

Catherine répondit, compatissante :

— Rick est bizarre. Il n'a pas vraiment de relations amicales. Je sais que c'est horrible, mais il lui arrive de voir les choses avec une logique implacable, il devient aussi glacial que distant et déclare que la situation est bloquée. Puis il se ferme. Dieu, que ça me fait peur, d'autant que j'ai l'impression que Ben est comme lui... Ils ont la même manie d'analyser les sentiments, et de porter des jugements sans appel. Gerda l'appelle le petit professeur. Elle dit qu'il est froid. Ce n'est pas de la froideur pourtant, c'est autre chose. Je ne sais pas quoi.

Maryanne dit qu'il n'y avait rien de bizarre chez Ben, elle le trouvait au contraire merveilleux, étonnant. Elle-même avait enseigné à des enfants de sept ans, et elle avait déjà vu des petits garçons qui, comme lui, passaient par des phases un peu dures.

— Ils ont parfois des capacités intellectuelles étonnantes à cet âge. Ils commencent par apprendre à manier la logique, et le reste vient après. C'est une manière d'avoir accès au savoir. Ils ont l'impression de pouvoir tout maîtriser. Il arrive même qu'ils se sentent dépassés par leurs propres capacités intellectuelles. Tu as tort de t'en faire, vraiment. Réjouis-toi au contraire.

Peu à peu les sous-bois se faisaient plus denses, la végétation plus touffue, les arbres plus imposants. D'après Gerda, il existait une zone de la forêt, un millier d'hectares environ, qui n'avait jamais été exploitée et, selon toute vraisemblance, c'est là qu'ils se trouvaient à présent. Les essences des arbres formaient un étrange mélange. Le pin de Douglas prédominait, mais le madrone, le chêne, le laurier, le buckeye, l'arbre à tan, l'érable et l'aune poussaient aussi. Cela ne ressemblait pas à une de ces forêts cathédrales entretenues comme des parcs, mais à quelque chose de plus sauvage, de plus farouche.

Les ronces envahissaient tout. Les coins les plus denses, là où le chêne vénéneux et le chaparral poussaient côte à côte, avaient un attrait particulier pour Catherine qui, avec le reste de la troupe, devait se frayer un chemin à coups de hachette.

Bob atteignit, par hasard, un promontoire. Tout en attendant les femmes, il se mit à respirer à pleins poumons, un peu comme un montagnard exultant dans la fraîcheur alpestre.

— Quelle est cette odeur ? demanda-t-il soudain. On dirait de l'eau, ou de la pluie. Le vieux trappeur sent l'eau à des kilomètres. Comme la mule.

Très loin au fond de la vallée se trouvait un lac. Catherine le leur montra. Il avait l'air tout petit vu d'ici, d'un vert intense dans son écrin végétal gris-bleu et brun-rouge.

— Le vieux trappeur a trouvé un étang, en effet, reconnut-elle. Mais pourra-t-il nous y conduire sans que nous nous brisions le cou ?

— Catherine, est-il possible que tout ceci t'appartienne ? demanda Maryanne, qu'une telle idée stupéfiait, terrorisait presque.

— Pas à moi, Maryanne. Mais à la grand-tante de Rick... Toute la partie qui s'étend de ce côté-là. Et de ce côté-ci aussi, je crois.

— N'empêche, on a du mal à l'imaginer...

Catherine connaissait un chemin qui menait au lac. Quelques dizaines de mètres plus loin, elle en retrouva la trace, et ils commencèrent à descendre la pente abrupte, en suivant la sente tortueuse tracée par les cerfs et d'autres bêtes sauvages. Ils prirent la direction du lac mais, à mi-chemin, ils le perdirent de vue et il leur fallut quarante-cinq minutes de marche à travers la broussaille pour le retrouver.

— Oh, Catherine, quelle merveille ! Quelle beauté ! s'exclama Maryanne.

— On se baigne ? L'eau n'est pas très froide.

— Je ne sais pas, dit Maryanne. Il n'y a pas de tortues d'eau douce ou de trucs comme ça, au moins ?

L'étang était d'un vert bleuté qui tirait sur le noir là où l'eau était profonde. Il était entouré de broussaille, mais sur la rive ouest la végétation était un peu moins dense. Un sentier fangeux et étroit les y conduisit.

Une fois sur le rivage, ils étendirent un drap de bain et Catherine commença à sortir les vivres du sac de Bob. Cependant, avant de déjeuner, ils restèrent un instant étendus au soleil. L'envie de Catherine de se jeter à l'eau commençait à s'estomper.

— En réalité, je ne me souviens pas si elle est froide ou pas, dit-elle. En revanche, je suis sûre qu'il n'y a pas de tortues.

— Je n'aime pas l'eau froide, protesta Bob Stein. Vous les femmes, vous disposez d'une couche de graisse supplémentaire — un machin sous-cutané ou je ne sais quoi qui vous sert d'isolant.

— Moi, je n'ai pas de couche sous-cutanée, répondit Maryanne en dévoilant son manque de rondeurs. Mais je ne suis pas une poule mouillée, moi, monsieur le vieux trappeur.

— Ah, parce que je suis une poule mouillée ?

— Oui. Et même pire que cela en temps normal.

Pourtant ce fut Bob qui, quelques minutes plus tard, se

déshabilla le premier. Catherine faisait mine de ne pas le regarder mais il se trouvait directement dans son champ de vision. Il y avait quelque chose de délicieusement maladroit dans sa façon d'ôter soigneusement, subrepticement, chacun de ses vêtements et de les plier aussitôt pour faire deux piles bien nettes, chacune couronnée d'une chaussette.

Quelque chose d'animal émanait de lui : il était solidement bâti, bien musclé, et couvert de la nuque aux chevilles d'une toison noire et veloutée. Il resta un moment au bord du lac, où l'eau était peu profonde, en leur tournant le dos. Maryanne et Catherine l'observaient ouvertement à présent, Catherine avec gravité, comme si la vision de sa nudité animale avait pour elle quelque chose d'incompréhensible ; Maryanne avec un certain amusement.

— Bob, je crois que tu as oublié de te brosser le dos, ce matin. Et les cuisses aussi.

— On me l'a déjà faite, celle-là, Maryanne. J'entends tout ce que tu dis, et même tout ce que tu penses.

Lorsqu'il plongea ou plutôt qu'il se jeta à l'eau en faisant un plat, Maryanne éclata de rire.

— Dieu, c'est terrible comme nous nous trahissons nous-mêmes, tu ne trouves pas ? dit-elle peu après.

— Que veux-tu dire ?

— Oh, je ne sais pas. Regarde Bob. On dirait un pur esprit par moment, un cerveau déchaîné. Mais quand tu vois sur quoi repose sa tête, ce corps de bête, cette absurde enveloppe sensuelle... J'aimerais bien me mettre à l'eau et le noyer, peut-être.

Mais avant d'y aller il lui fallait se déshabiller. C'était étrange de voir son côté bravache, la lueur goguenarde de ses yeux s'évanouir à mesure qu'elle se débattait avec son blue-jean, puis avec son sweat-shirt. Elle s'efforçait de cacher le devant de son long torse blanc crémeux à la vue de Catherine, qui le connaissait pourtant bien, qui connaissait sa vie dans les moindres détails, et qui l'acceptait.

Puis, refoulant ce réflexe instinctif, sans doute ancestral, de pudeur, elle partit comme une flèche et en quelques enjambées longues et souples elle atteignit le bord de l'eau ; la vue de son dos blanc et étroit, où seules ses fesses évoquaient la douceur de la chair, rappelait les nymphes gambadant dans les airs. Maryanne partit à la nage en direction de Bob, prête à passer à l'attaque. Mais au dernier moment elle fit volte-face, se mit sur le dos et commença à tourner nonchalamment autour de lui. Bob l'éclaboussa, et elle lui cracha de l'eau à la figure, puis ils se rapprochèrent l'un de l'autre et commencèrent à se battre. Le bruit de leur lutte arrivait atténué jusqu'à Catherine, comme s'ils avaient été très loin : la forêt alentour et la falaise escarpée, couverte de végétation, étouffaient tous les bruits.

Vingt minutes plus tard, quand Catherine se leva, nue et rose, pour aller faire pipi derrière les buissons, elle eut la frayeur de sa vie. Un étranger se tenait là, un homme à la peau blanche, en vêtements de travail poussiéreux. Le souffle coupé, elle cacha sa poitrine derrière ses bras repliés, moins par pudeur, que pour se protéger.

— Oh ! Oh ! s'écria-t-elle d'une manière plutôt grotesque.

— Je suis désolé. Je suis vraiment désolé.

Mais l'homme continuait de la regarder, incapable de la quitter des yeux. Puis il secoua la tête. Un instant plus tard — le face à face n'avait duré que quelques secondes — Catherine partit précipitamment, tandis que les pas de l'homme s'éloignaient dans les fourrés.

Pieds nus, affolée, les jambes tout égratignées par les ronces, elle rejoignit Bob et Maryanne, étendus tranquillement au soleil, côte à côte sur le drap de bain, et elle éclata en sanglots.

7

— C'est un type du village, rien d'autre, dit Rick, désabusé.

— Mais qu'en sais-tu ?

— Catherine, crois-tu sincèrement que cette forêt nous appartient ? Que nous pouvons la contrôler ? Il y a tout le temps des gens qui s'y promènent. Des braconniers, des passionnés d'ornithologie. Des gosses des environs qui viennent jouer.

— Ce n'était pas un gosse. Ce type était en train de nous épier. J'en suis sûre. C'était une sorte d'ouvrier. Ses vêtements étaient sales, comme ceux d'un maçon.

Rick n'était guère patient ces derniers temps, sauf dans son travail. Il ne pouvait et ne voulait pas comprendre que Catherine puisse être bouleversée à ce point parce qu'elle s'était retrouvée nez à nez avec un rôdeur dans un coin reculé de leurs terres.

— Dis à Bob que je voudrais lui parler, s'il te plaît. Il est déjà reparti ?

— Non. Maryanne est là aussi. Tu ne veux vraiment pas la saluer ?

— Non.

Il n'en était pas question. Cela lui était tout simplement impossible ; il fallait que Catherine le comprenne. Il lui fit signe de quitter la chambre, sa patience était à bout. Catherine descendit seule et chercha une excuse.

— Maryanne, je crois qu'il est trop malade, voilà tout. Il a une grippe intestinale, ou je ne sais quoi. Bob, ça t'ennuierait de lui monter cette bouteille d'eau? J'ai complètement oublié.

— Bien sûr.

— Pourquoi ne puis-je pas y aller, moi aussi? demanda Maryanne, rouge d'être restée au soleil.

— Parce qu'il est d'une humeur de chien et qu'on ne peut pas le prendre avec des pincettes, voilà pourquoi. Une humeur de chien qui peut durer des mois.

Ce soir-là, allongée aux côtés de son mari, Catherine eut envie de faire l'amour. La journée passée à marcher dans la forêt luxuriante avait éveillé sa sensualité et quand elle s'était baignée, la sensation de l'eau fraîche sur ses seins et sur ses cuisses l'avait plus troublée encore. Elle avait imaginé que des monstres tapis au fond de l'étang pouvaient s'emparer d'elle, nue et vulnérable. Finalement, elle trouvait assez comique qu'une telle journée d'exercice provoque en elle l'envie de faire l'amour plutôt que celle de se plonger dans un bon livre ou d'écrire à sa mère...

Quoi qu'il en soit, elle passa doucement la main sur la poitrine de Rick. Bien qu'ayant immédiatement saisi les intentions de sa femme, ce dernier demeura totalement inerte. Elle laissa courir sa main sur son ventre mais elle sentit ses muscles se crisper sous ses doigts. Rick avait le ventre ferme, il s'entraînait régulièrement, jusqu'à cinq fois par semaine. Les hommes dans la quarantaine, elle l'avait remarqué, avaient tendance à se laisser aller, à prendre du ventre. Ce n'était pas le cas de Rick. Elle appréciait cet effort à sa juste valeur, mais parfois elle se sentait gagnée par un sentiment de désespoir, comme si les centaines d'exercices abdominaux qu'il s'imposait ne servaient qu'à l'endurcir davantage.

— Rick, tu ne veux pas, c'est cela?

— Non, Catherine, je ne veux pas. Je n'ai pas envie. Je... je suis contrarié, je crois.

— Contrarié? A quel sujet?

Elle s'éloigna, légèrement déçue. Dernièrement, c'était toujours elle qui faisait le premier pas. Elle allait vers lui avec un sentiment de frustration intense. Et le plus souvent cela se passait comme maintenant : Rick se crispait, mal dans sa peau, et ne répondait pas à son attente, ce qui mettait Catherine dans l'obligation de lui demander ce qui n'allait pas.

— Tu es contrarié à cause de moi, Rick ? J'ai fait quelque chose qui...

— Non, Catherine. Je ne suis pas dans mon assiette, voilà tout. Physiquement, s'entend. Je crois que je suis encore patraque. Et ça me contrarie.

— Mais pourquoi, Rick ? Tout le monde tombe malade à un moment ou à un autre. Tu ne peux pas être en pleine forme à chaque minute de ton existence. Que cherches-tu à prouver au juste ?

— Je ne veux rien prouver du tout, Catherine. S'il te plaît, épargne-moi tes leçons sur « comment se relaxer » : laisse-toi porter par les événements, ne cherche pas à aller à contre-courant et tout le bordel.

Pourtant, au bout d'un moment, il se tourna vers elle. Puis il effleura sa hanche, caressa son flanc, l'étoffe de sa chemise de nuit prise entre ses doigts. Elle le sentait absent dans ses caresses — son esprit vagabondait ailleurs, Dieu sait-où.

— C'est très agréable, dit-il, d'une voix qui semblait venir de très loin. J'aime tes seins, Catherine. Ils sentent bon, comme de jeunes fruits.

— Vraiment ? Du moment qu'ils n'ont pas l'air de vieux fruits...

Comme pour répondre à un défi, il la caressa avec plus de tendresse. Ils firent l'amour un certain temps, la fatigue physique de l'un, et le sentiment de solitude de l'autre devenant soudain le prétexte, la raison d'être de leur étreinte. Plus tard, lorsqu'ils remontèrent les couvertures sur eux, la maison tomba dans un profond silence. Catherine avait l'impression d'entendre la nuit sans lune de ce mois de mai, comme un léger voile d'obscurité qui n'en finirait pas de tomber.

8

Catherine écrivit à Bob Stein :

« Comme tu l'as sans doute remarqué, ton manuscrit m'a mise très mal à l'aise. Dans tes livres, chaque fois que je découvrais un personnage qui me ressemblait un peu, j'étais à la fois flattée et irritée, mais cela ne m'empêchait pas de faire la part des choses et de te donner un avis relativement objectif. Dieu merci, je crois pouvoir être en mesure de le faire aujourd'hui encore, Bob. Cela dit, tu es allé un peu loin cette fois.

» Te connaissant comme je te connais, je crois savoir que tu te sers de moi comme d'un aiguillon, c'est-à-dire que l'idée d'écrire un livre dans lequel je figure, puis de me le donner à lire afin de me mettre mal à l'aise, t'excite. Je ne prétends pas juger cet étrange procédé, mais je ne peux m'empêcher de faire le rapprochement avec les vieux satyres qui montrent leurs parties intimes aux petites filles qu'ils rencontrent dans le métro. Dans ton cas, il n'y a qu'une seule (grande) fille à qui tu fais le coup livre après livre. Naturellement, je sais que tu en es parfaitement conscient. Tu éprouves le besoin de te moquer de toi-même, de te trahir, c'est l'autre versant de ta capacité à exploiter le ridicule. Tu aimes bien t'humilier — pas trop — aux yeux des autres.

» Au risque d'avoir l'air bégueule, je te rappelle que je suis une femme mariée, Bob. Comment crois-tu que Rick va réagir le jour où il tombera sur ton dernier-né et qu'il découvrira qu'une dénommée Katherine regrette en secret les longues années de mariage passées sous la tutelle d'un mari cruel et égocentrique qui ne l'a jamais véritablement comprise ? Que la femme en question est une « déesse primitive de la fécondité » (je te retrouve bien là, Bob, toujours à mythifier) qui attend inconsciemment qu'un vrai mâle vienne enfin briser les chaînes tragiques de sa soumission ? Je dois reconnaître que j'ai lu le début de ton livre avec intérêt. Les féministes qui ont mauvaise conscience sont facilement fascinées par le thème de la princesse sexuellement endormie qui rêve — qui se languit — d'être prise d'assaut par un beau brun ténébreux, le fameux rédempteur sexuel. Tes scènes de sexe sont franchement crues mais elles ne manquent pas de punch, si je peux les décrire ainsi. Lorsque je dis que j'ai été assez déçue — disons je n'ai pas été aussi émue que je l'espérais —, ce ne sont pas tes capacités techniques d'écrivain qui sont en cause. L'histoire de Kathy et de son amant se construit de façon organique, en somme, et le dénouement en est prévisible, mais leur passion me paraît plus théorique qu'autre chose. C'est un peu comme si tu avais réuni des personnages, préparé le lit, et qu'au dernier moment tu devais les obliger à coucher ensemble.

» Un mot au sujet de ta Kathy, Bob. S'il te plaît, cesse d'idéaliser les femmes. Cesse de nous prêter des pouvoirs mystérieux, des sensibilités et des faiblesses exquises, des trésors qui n'appartiennent qu'à notre sexe. Je sais, nous en avons déjà discuté, mais je continue à m'étonner de la lucidité dont tu fais preuve dans les autres domaines et de ton incapacité à renverser le cours d'une inspiration qui s'obstine dans cette voie. Tes femmes manquent de vérité, on ne croit pas une seconde qu'elles aiment le sexe, par exemple. Une femme comme Kathy ne peut être que vénérée, jamais aimée ; les hommes qui la vénèrent ainsi sont fondamentalement inintéressants, voire inertes. Ils maintiennent une distance respectueuse entre elle et eux, ils l'admirent, et chacun de leurs gestes semble témoigner de l'immense supériorité de la femme. Est-il besoin de dire qu'un tel comportement tue toute sensualité... autre que perverse, qu'il n'éveille aucun sentiment, ni dans la tête ni dans le cœur ? Les femmes veulent être reconnues pour ce qu'elles sont, vois-tu, c'est un besoin instinctif, chez elles ; et elles veulent l'être par un être humain aussi confus, aussi fluide et blessé qu'elles-mêmes. C'est ça le secret d'une rencontre. »

Elle continua dans cette veine, couvrant nerveusement douze pages d'une écriture serrée.

Elle ne pouvait pas lui dire la vérité, naturellement ; elle ne pouvait que lui suggérer la « honte » qu'il aurait dû éprouver. La deuxième moitié du roman était le récit détaillé et ennuyeux du passage à l'acte de Reinhardt, le héros, avec l'estimable héroïne. Katherine ressemblait tant à Catherine, à la fois physiquement et mentalement, dans sa tournure d'esprit et sa façon de parler, que celle qui avait servi de modèle à ce personnage se hérissait à chaque instant. C'était un peu comme voir des fantasmes masturbatoires sur une bande vidéo et se reconnaître dans le rôle principal, objet central et obsessionnel d'une scène avilissante et répétitive. Elle imaginait le visage du narrateur (c'était le même qui revenait chaque fois qu'elle lisait un roman écrit à la troisième personne du masculin), un visage qu'elle avait vu dans d'ennuyeux films français, tel celui où Jean-Pierre Léaud détaille interminablement ses obsessions devant la caméra. Sans doute Bob se justifierait-il en disant qu'il ne faisait que « se laisser porter » par sa voix intérieure, qu'il refusait de se censurer. Étrangement, cet acte d'honnêteté manifeste, cet exercice de courage littéraire, lui avait permis de produire ce qui serait certainement son premier succès commercial : son livre était de la même veine que les romans dépourvus d'émotion mais saturés de sexe qui s'étaient le mieux vendus ces dernières années.

Une semaine plus tard, début juin, Rick interrogea Catherine d'un air détaché :

— Au fait, le bouquin de Bob, est-ce qu'il t'a plu ?

— Disons qu'il est à la fois bien écrit et détestable. Extrêmement embarrassant en ce qui me concerne.

— Dois-je comprendre que nous y figurons, toi et moi, une fois de plus ?

— D'une certaine façon. Le personnage principal s'appelle Katherine, tu imagines ? Elle vit avec son riche mari dans une immense propriété, en Californie du nord, je crois.

— Et qu'arrive-t-il au mari, cette fois ? Il tombe gravement malade ? Il se fait renverser par une voiture ?

— Non, il disparaît, rien de plus. En fait, c'est un personnage de second plan. Il disparaît au second chapitre.

Rick hocha la tête d'un air morne.

— Tu sais, c'est un des rares sujets que Bob et moi n'avons jamais abordés. Dans toute l'histoire de la littérature, je ne connais pas un seul auteur qui ait entretenu des rapports d'amitié aussi durables et apparemment aussi chaleureux avec les individus qui servent de modèles à ses personnages... Ça défie l'entendement. Il ne s'agit même plus de *romans à clef*[1], ici, mais d'une appropriation continuelle et éhontée de nos vies, ou de ce qu'il croit être nos vies.

Catherine était d'accord, mais elle n'avait pas envie d'en parler maintenant. Elle n'osait pas imaginer la réaction de Rick à la lecture de ce nouveau roman.

— Comment te sens-tu aujourd'hui, Rick ? demanda-t-elle.

Rick avait continué à souffrir de malaises, à tel point qu'il s'était décidé à consulter son médecin, le Dr Goldfisch.

— Il va me faire faire d'autres analyses, dit-il. Je crois qu'il ne sait pas vraiment ce que j'ai.

— Et comment va ta main ?

— Elle est toujours un peu ankylosée. Et maintenant c'est l'autre côté qui s'y met.

Un matin, environ un mois plus tard, Rick annonça à Catherine :

— Je sais ce que j'ai. J'en suis parfaitement sûr à présent, j'en suis même certain. Goldfisch ne veut pas encore se prononcer, le neurologue pense à une tumeur, mais je crois que j'ai trouvé.

— Qu'est-ce que c'est, alors ? Il y a du nouveau ?

Rick était un peu embarrassé : il n'avait jamais révélé à sa

---

1. En français dans le texte. (*N.d.T.*)

femme cet autre secret de son passé, secret qui avait gâché une partie de son enfance — il avait eu la polio, oui, la polio. Il avait passé trois mois à l'hôpital, en 1954, quand il avait neuf ans et demi. A sa sortie, les médecins avaient estimé qu'il était complètement guéri.

— Estimé? Mais comment pouvaient-ils en douter? Tu n'es pas paralysé, tes deux jambes sont de la même taille, c'est évident que tu es guéri.

— Si ce n'est que la polio peut réapparaître, même très tard, vers l'âge de trente ou quarante ans.

Il l'avait compris depuis plusieurs semaines, déjà. Il avait éprouvé de drôles de sensations qui l'avaient d'abord dérouté. Et puis soudain il avait compris : c'était exactement les mêmes que celles qu'il avait éprouvées étant enfant. Lorsqu'il était étendu, immobile sur son lit d'hôpital, parfois pendant plusieurs semaines d'affilée (s'il bougeait les contractures risquaient de s'installer de manière irréversible dans les articulations), il avait éprouvé des sensations bizarres dans son corps, des sensations terrifiantes. Et voilà qu'aujourd'hui il les reconnaissait parfaitement. Pour décrire les choses simplement, il sentait l'influx nerveux se déplacer d'un point à un autre de son corps, jusqu'au bout des membres. En temps normal l'influx nerveux se déplace en un éclair, et on ne le sent pas. Mais avec cette maladie, on le sent se déplacer centimètre par centimètre.

— Est-ce simplement une intuition, Rick? Ou bien est-ce que les analyses l'ont confirmé?

— Je suis en train de faire d'autres examens, Catherine. Une nouvelle culture de cellules demain, et lundi, une ponction lombaire. Ensuite, Dieu sait quoi. Mais je sais ce qu'ils vont trouver.

Le mardi suivant il rentra à la maison l'air triomphant. Il avait raison : c'était bien la polio. Techniquement parlant, il s'agissait d'une récurrence de l'infection contractée au cours de son enfance. Aucun des spécialistes qu'il avait consultés, en dépit de leurs moyens d'investigation sophistiqués, n'avait songé à cette possibilité pourtant évidente, jusqu'à ce que lui, le patient, mette le doigt dessus.

— Newsome, le neurologue, m'a carrément fait des

excuses. Je n'en revenais pas. Je n'avais encore jamais vu un spécialiste reconnaître qu'il s'était trompé ; c'est incroyable.

— Comment te sens-tu à présent ? Que vont-ils te faire ?

— A dire vrai, je me sens un peu flagada. Mais mis à part la migraine due à la ponction lombaire — qui n'a servi à rien en fin de compte —, je ne me sens pas trop mal. Il faut que je me repose le plus possible, voilà tout.

— Oh, Rick... mon pauvre Rick ! Je vais te dorloter. Tu vas voir, tout ira bien. J'en suis certaine.

Elle l'entoura de ses bras et l'attira contre elle. Elle le sentit raide comme un bout de bois, étrangement distant. Les mauvaises nouvelles et les rares échecs qu'il avait essuyés dans sa vie l'avaient toujours durci.

— Je me réjouis tout de même que ce ne soit pas plus grave. C'est plutôt rassurant, non ?

— Ç'aurait pu être plus grave, en effet. Et puis je vais m'en sortir, il n'y a pas de doute. Je ne suis pas vraiment inquiet.

Le pronostic était excellent, comme disent les médecins. La paralysie définitive était peu probable (cela arrivait rarement en cas de récurrence), d'autant qu'on disposait aujourd'hui de tout un arsenal médical, des agents antiviraux puissants, certains mis au point par des chercheurs du sida. Bien sûr, Rick devrait modifier son mode de vie ; il lui faudrait suspendre son entraînement physique, par exemple, mais Goldfisch pensait que d'ici à six semaines, peut-être moins, il serait guéri.

— On se sent un peu faible, voilà tout — c'est le symptôme principal paraît-il. Je suis en train de m'y habituer. Ils m'ont dit que je pouvais travailler à condition de ne pas me tuer à la tâche. Je n'irai plus au bureau que trois fois par semaine. Et puis on verra bien.

Cette euphorie, liée à la découverte de sa maladie, ne fut que passagère et la satisfaction d'avoir fait le diagnostic avant les médecins s'évanouit bientôt. Fin juillet, Rick ne pouvait plus se rendre au bureau ; il passait ses journées au lit, incapable de se lever. Catherine et Gerda s'occupaient de lui, avec l'aide des domestiques qui travaillaient à la maison. Peu à peu, Catherine réalisa que sa guérison risquait de prendre beaucoup plus de temps que prévu, des semaines, peut-être des mois.

9

A l'automne, Ben retourna à l'école. Catherine, qui récoltait les fruits de ses jardins, se rendait fréquemment à Cuervo, où elle vendait le surplus de sa production à un magasin de diététique. Ben était à présent au cours élémentaire. Catherine avait dû lutter pour convaincre Rick d'envoyer Ben à l'école communale plutôt que dans une école privée réputée de Palo Alto. Elle-même était un pur produit de l'école communale, et à partir du moment où son fils était heureux et qu'il apprenait quelque chose, elle ne voyait aucune raison de le soustraire à la vie locale, à l'univers quelque peu turbulent des gosses du canyon.

— D'accord, mais l'année prochaine, il ira à l'Académie Winston, insista Rick. Tu l'as promis.

— Non, je n'ai rien promis du tout, Rick. J'ai simplement dit que s'il n'apprenait rien à l'école ou s'il s'y ennuyait, je reconsidérerais la question. Nous verrons à la fin de l'année.

— J'espère que tu ne le regretteras pas, Catherine, le jour où tu découvriras qu'il n'a même pas acquis les bases d'instruction élémentaires.

Cela dit, Rick ne s'intéressait que de loin à l'éducation de son fils. C'est Catherine qui avait opté pour l'école communale, elle faisait partie de l'association des parents d'élèves et s'était donné la peine de rencontrer les professeurs. Rick semblait attendre le jour où son fils deviendrait enfin un interlocuteur valable. En attendant, cette période intermédiaire où son développement intellectuel, parfois spectaculaire, prenait le pas sur un développement émotionnel lent et somme toute normal ne représentait rien de plus qu'un passage obligé.

— Il est très intelligent, Catherine, tu dois le reconnaître. Tous ses professeurs sont d'accord. Ils suggèrent que nous lui fassions sauter une classe, voire deux.

— Moi, je n'ai pas entendu cela, Rick. Ils ont dit que l'année prochaine il serait dans une classe à deux niveaux et qu'il pourrait étudier les maths à un niveau plus avancé s'il le souhaitait. Mais rien de plus.

— Est-ce que tu te rends compte de ce qu'on leur apprend là-bas ? Ils n'ont même pas d'ordinateurs, je parie.

— Ils ont deux Tandy. De toute façon il passe bien assez de temps devant l'ordinateur. Trop même.

Catherine avait un peu maigri quand Muriel, sa sœur, leur rendit visite en octobre. Elles parlèrent beaucoup de sa santé, des bouleversements psycho-affectifs qui pouvaient être à l'origine de ce changement. Muriel déclara que c'était Catherine qui aurait dû être au lit, et non Rick. Elle s'insurgeait contre le fait que lui et lui seul ait droit à des égards. Cela dit, Muriel n'avait jamais vraiment porté Rick dans son cœur. Elle le trouvait admirable, intelligent, séduisant, mais il n'était pas l'homme qu'elle aurait souhaité pour sa sœur.

Muriel, aujourd'hui âgée de trente-neuf ans, divorcée, était professeur à l'université Tecumseh à Portland dans l'Oregon. Elle était en congé sabbatique et avait presque terminé sa quatrième publication, une étude qui portait sur les jumeaux séparés peu de temps après la naissance.

— Vers la fin des années 1870, expliqua-t-elle à Catherine, quatre mille enfants furent envoyés dans des familles d'adoption sur la côte nord-ouest du Pacifique. La plupart étaient orphelins, et parmi eux se trouvaient cent quarante jumeaux, dont quatre-vingts jumeaux véritables. Mon étude porte sur les vingt-quatre paires qui ont été séparées avant l'âge de trois ans. On a constaté que certains jumeaux qui ne se connaissaient pas ont eu une descendance analogue. Il existe des correspondances, des similitudes familiales qui perdurent jusqu'à la quatrième, voire la cinquième génération, et même au-delà.

Catherine avait lu tous les livres de sa sœur et elle lirait celui-là aussi. Comme pour les autres, elle percevait nettement le point de départ du projet — en l'occurrence, la fascination de Muriel pour la gémellité monozygote. Mais, l'ouvrage terminé, Catherine était toujours déconcertée par la propension de sa sœur à noyer l'humanité du thème dans des démonstrations théoriques et autres analyses statistiques.

— Catherine, t'arrive-t-il de sortir d'ici de temps en temps ? Tu vas parfois à San Francisco ou à Berkeley voir tes anciens amis ? Autrefois tu étais entourée d'un tas de gens intéressants. Or aujourd'hui tu as l'air complètement isolée.

— Vraiment ? C'est l'impression que je donne ? Mais j'ai Rick, il me semble. Et Ben. Et Gerda aussi. Dès qu'il s'agit de moi, il faut que tu noircisses le tableau. Je suis dans une période de latence, voilà tout. Dès que Rick ira mieux, nous recommencerons à voyager. Nous avons déjà des projets. Il est en train d'y réfléchir, il ne sait pas encore quelle direction il souhaite donner à sa vie.

— A t'entendre, on se croirait dans les années cinquante, Catherine. Tu es sa femme, sa loyale compagne, et point final. Réfléchis un peu. Tu as trente-cinq ans...

— Trente-six.

— D'accord, trente-six. Tu n'as jamais travaillé. Tu ne t'es jamais demandé ce que tu voulais faire dans la vie. Si mère avait été femme au foyer, ou si nous étions issues d'un milieu comme celui de Rick, je pourrais le comprendre. Mais j'ai toujours considéré qu'un métier était une chose capitale dans la vie. Surtout quand on est une femme. L'oisiveté et la dépendance appartiennent au passé.

Catherine lui fit remarquer qu'elle n'arrêtait pas une seconde : elle cultivait son jardin, vendait ses récoltes, donnait un cours chaque printemps sur la préparation des cultures (organisé par La Charrue étoilée, le magasin de diététique) ; elle faisait marcher la maison, dirigeait entièrement la propriété, et assumait son rôle d'épouse et de mère.

D'accord, elle était rétrograde — la honte de son sexe, puisque honte il y avait. Mais de façon générale elle avait le sentiment de se réaliser pleinement dans cette vie de routine domestique.

— Moi, je n'ai pas du tout l'impression que tu te réalises. Laisse-moi finir, Catherine, laisse-moi finir... Tu deviens de plus en plus inconsistante, de plus en plus passive. Comme repliée sur toi-même. Ça n'a rien à voir avec ce que tu fais ou ce que tu ne fais pas, simplement tu as l'air diminuée. Où est donc passée l'incroyable force vitale qui t'habitait autrefois ? Qu'as-tu fait de ton énergie débordante ?

— Une énergie débordante, moi ? C'est drôle... j'ai toujours eu l'impression d'arriver péniblement à me maintenir à la surface. Je faisais semblant. Semblant de savoir qui j'étais, ce que je voulais, quel était le sens de la vie, si tant est qu'elle ait un sens...

Avec sa perspicacité d'universitaire, Muriel avait fait quelques recherches concernant la maladie de Rick. L'homme à demi invalide ne souffrait pas d'une récurrence de la polio, non, car il était impossible d'être infecté deux fois par le virus. Rick était atteint d'une dégénérescence progressive de ses fonctions neuromusculaires, conséquence de la première infection. Muriel s'en ouvrit à Catherine, un soir où elles sirotaient des margaritas sur la véranda.

— C'est un syndrome parfaitement identifié. On l'appelle le RMPP ou le MRPP, je ne sais plus très bien. En tout cas, c'est cela.

— En fait, rectifia Rick, en rejoignant les deux sœurs, il s'agit de l'AMPP. Qui signifie Atrophie musculaire progressive post-poliomyélite. C'est assez rare. Il semblerait qu'il se passe la chose suivante : les neurones moteurs se retrouvent exagérément sollicités pour la reproduction des fibres musculaires, si bien qu'au bout de quelques années ils se désintègrent. Cela se passe généralement quand le patient atteint les trente, quarante ans. Il n'existe pas de traitement. Pas de vrai traitement.

Appuyé sur deux cannes, Rick resta debout, car depuis quelque temps il avait du mal à se relever quand il était assis.

— Mais Rick, pourquoi ne me l'as-tu pas dit ? Si tu le savais, pourquoi ? demanda Catherine, effondrée par la nouvelle. N'ai-je pas le droit de savoir ?

— Si, Catherine. Tu as le droit, tu as tous les droits. Mon droit à moi consiste à me faire ronger par la maladie ; le tien, à tout savoir à son sujet. Si possible avant moi.

Serawan Goldfisch, le médecin de Rick, apparaissait comme de plus en plus incompétent. Il n'avait réellement compris ce qui se passait que deux semaines plus tôt. Le formidable, le terrifiant traitement anti-viral qu'avait pris Rick s'avérait en fin de compte totalement inutile.

— Goldfisch a une chaire à l'UC Medecine Center, nom d'un chien ! C'est un distingué professeur. Et aussi incroyable que cela puisse paraître, il n'avait jamais entendu parler de cette maladie. Il m'a dit qu'il l'avait découverte par hasard, dans une revue médicale. Probablement dans la salle d'attente de son dentiste.

— Nous avons sans doute lu le même article, ajouta Muriel. Dès que j'ai appris que tu étais malade, je me suis précipitée sur ma banque de données. J'ai consulté tout ce qui concerne la polio. Il m'a fallu quatre minutes environ pour comprendre ce que tu avais.

— Muriel, à partir de maintenant, je te confie mon dossier médical. Tu es conventionnée, j'espère ?

— Tu ne veux pas une margarita, Rick ? demanda-t-elle. C'est moi qui les ai préparées. C'est une recette spéciale.

— J'ai gardé un excellent souvenir de tes margaritas, Muriel. Excellent. Malheureusement, je n'ai pas le droit de boire. Quand les toubibs ne savent pas ce vous avez, ils vous rendent la vie impossible sous prétexte de faire avancer le traitement.

Rick s'était un peu enveloppé ces derniers temps ; depuis la fin de son traitement anti-viral, il avait pris huit kilos. Les médecins disaient que c'était bon signe. Mis à part son atrophie musculaire, qui était dans une phase aiguë et plutôt éprouvante, il avait l'air en pleine forme. Cet aspect de bonne santé venait sans doute de ce qu'il passait le plus clair de son temps au lit, dans l'univers calme du foyer, loin du stress des affaires. Rick mettait cela en partie aussi sur le compte de son régime alimentaire, et de certaines plantes médicinales qu'il avait commencé à prendre.

— Allons, Catherine, lança-t-il. Ne me jette pas cet œil noir. Calme-toi. Tu sais bien que je te l'aurais dit, tôt ou tard. Je ne pensais pas que c'était important, voilà tout.

— Oh, je sais ! C'est précisément ce qui me met hors de moi. Je ne suis que ta femme, au fond, peu importe que je sois tenue au courant. Eh bien, garde tes secrets pour toi, puisque tu y tiens tant ! Tu me rends folle avec ta fierté mal placée, ton besoin de souffrir en silence. Ce n'est que de la frime, au fond. Tu te rejettes toi-même et tu rejettes tout le monde autour de toi.

Rick se contenta de lui sourire, sans prendre cette scène au sérieux. Muriel, mal à l'aise, se tortillait sur sa chaise longue. Elle avait rarement vu sa sœur et son beau-frère se disputer, et encore moins sur ce ton.

— Je vais bien me conduire, dorénavant, promit-il. Je prendrai même mes médicaments, si tu insistes. Et j'irai me coucher sans faire d'histoires.

— Fais ce que tu veux, Rick. Fais ce que tu veux.

Ben, qui était en train de jouer dans le jardin, arriva un instant plus tard. Quelques pas derrière lui apparut sa gouvernante, un marteau et un sac de clous à la main. Ben marchait comme une poupée de chiffon, à la fois raide et dégingandé ; il s'était mis à marcher ainsi depuis quelque temps, cela l'amusait. Tout en gravissant la colline, il cria des choses incohérentes en direction des arbres pendant que Karen faisait bonjour de la main à la compagnie réunie sur la véranda. Elle portait une petite robe de cotonnade verte et très fraîche, et à son visage on devinait qu'elle avait de bonnes nouvelles à leur annoncer. Rick tourna nonchalamment les yeux vers les nouveaux venus, un sourire absent et vaguement indulgent sur le visage, avant de pivoter maladroitement sur ses cannes.

10

Ce soir-là, Catherine se rendit en voiture à Cuervo. Elle avait des gens à voir à la boutique de diététique, et elle était encore furieuse contre Rick, qui était remonté se coucher aussitôt après le dîner. Au dernier moment, Muriel décida d'accompagner sa sœur en ville. Après la visite au magasin, les deux femmes remontèrent à pied la grand-rue silencieuse de Cuervo sans trop savoir où aller par ce froid de canard.

— Il y a un bar un peu plus loin, dit Catherine. Que dirais-tu d'une margarita ou autre chose ?

— Je ne sais pas trop. Et toi ?

Elles continuèrent leur chemin et s'approchèrent de l'établissement d'aspect peu recommandable qui se dressait sur le bord de la route. Une demi-douzaine de voitures et de camionnettes étaient garées devant, et d'autres véhicules arrivaient, formant une sorte de file indienne. En s'engageant sur le terre-plein situé devant le bar, une des voitures freina brusquement, soulevant deux nuages de poussière symétriques ; la voiture et la camionnette qui se trouvaient juste derrière saluèrent l'exploit en klaxonnant.

— Ça doit être une fête, dit Muriel. Ils ont de la chance.

— Oh, n'y allons pas, dit Catherine, soudain réticente. Il y a souvent des bagarres. Ce bar est absolument sinistre. J'y suis déjà allée.

Cependant, elles restèrent devant le bar à regarder les clients entrer bruyamment. La fraîcheur humide de la nuit les enveloppait, étrangement dense et silencieuse, et comme aucune voiture ne passait, elles se turent, envoûtées par le mystère de la nuit. Mais au bout de quelques minutes, Muriel émit un petit grognement d'impatience. Catherine la poussa de la main dans l'obscurité.

— Tais-toi, j'attends, chuchota-t-elle.

— Tu attends quoi ?

— Je te le dirai quand je le saurai.

Elle n'attendait rien de précis, mais tout en prononçant cette phrase sibylline elle se mit à espérer quelque chose. Elle eu la vague réminiscence d'un instant qui remontait vraisemblablement à leur enfance. Peut-être se tenaient-elles ainsi, dans l'obscurité d'une nuit froide et morne, exactement comme celle-ci, dans des attitudes semblables ? Peut-être avaient-elles attendu, ce soir-là aussi, une chose qui ne s'était jamais produite. Une voiture qui roulait un peu trop vite s'engagea dans le virage et, comme si cela avait été convenu à l'avance, les deux sœurs se mirent en marche. Les pneus de la voiture crissèrent. Leurs pas les menèrent jusqu'à l'entrée du bar.

— Je crois qu'il faut que nous entrions à présent. C'est dans l'ordre des choses.

— Juste une minute alors, dit Catherine.

Elle n'était venue qu'une seule fois auparavant. Elle se souvenait bien de l'atmosphère enfumée du *Brauch's Town'n' Country Tavern*, et elle se souvenait de la froideur des clients, qui les avaient dévisagés avec une hostilité non dissimulée, elle et Rick. Mais à l'époque, il y avait plus de quatre ans de cela, Rick et elle n'étaient pas connus dans le village, et les clients les avaient certainement pris pour des gens d'« outre-monts », des ennemis en quelque sorte. La salle était lambrissée de pin, et au-dessus du bar étaient accrochés des panneaux publicitaires pour Corona Beer, Budweiser, Coors Light et autres. A ce moment précis, la salle était vide, il n'y avait même pas de barman.

Catherine se demandait où étaient passés les clients quand elle entendit un lointain grincement de chaise. Puis un rire suivi d'une suite d'accords de guitare arrivèrent d'une autre pièce.

Le barman revint bientôt. C'était un homme jeune aux

cheveux mouillés et brillants retenus par une queue de cheval. Il se mit à essuyer le comptoir avec un gros torchon. Catherine ressentit soudain tout l'artifice de cette scène, son côté exagérément typique (ce qui pour elle revenait au même) : cette salle ressemblait en tous points à un bar, avec son juke-box rutilant, ses tabourets en simili cuir, son miroir astiqué et bordé de néons de couleur, et puis ce jeune homme souriant et indifférent, le torchon du barman à la main. «Il joue au patron de bar», pensa-t-elle. Au même moment, les clients commencèrent à arriver des pièces adjacentes, tous parfaits dans leur rôle de piliers de bar : les hommes de Cuervo à l'air rude, qui ressemblaient à des bûcherons avec leur barbe, leur chemise à carreaux et leur régulière, des femmes aussi rudes qu'eux, les fesses moulées dans des jeans, certaines en talons hauts, d'autres en boots.

Chacun retourna tranquillement à sa place, qui à un tabouret, qui à une table. Le mouvement de cette petite foule allant et venant entre les tables semblait à la fois anarchique et étrangement préréglé, comme un ballet provoquant.

— Que puis-je vous servir, mesdames ? demanda le barman avec une pointe d'ironie qui n'avait pas lieu d'être.

— Deux bières, s'il vous plaît, dit Catherine sans relever le défi.

Les conversations reprirent. Un des malabars à l'allure de bûcheron rejeta la tête en arrière et partit d'un énorme éclat de rire de bande dessinée : « Ha, ha, ha ! »

Assises dans un coin, Catherine et Muriel observaient la scène en silence. Muriel semblait particulièrement attentive, comme si la scientifique qu'elle était venait de découvrir quelque groupe culturel secondaire dont les rites spécifiques offraient un intérêt capital. La lumière jaune et éblouissante avait quelque chose de théâtral. Au bout d'un moment, la raison de cette étrange atmosphère s'éclaircit : trois musiciens bizarrement vêtus pénétrèrent dans la salle.

Catherine ne les avait jamais vus, mais elle comprit aussitôt qu'il s'agissait de héros locaux. Il fallait voir les gens s'effacer sur leur passage en les dévisageant avec un respect amusé. Le chef était un homme de quarante ans, grand et maigre, à l'aspect sévère ; il portait deux guitares. Vêtu d'un vieux costume de lainage aux épaules rembourrées, il avançait d'un pas décidé et comique, suivi d'un homme beaucoup plus jeune à la barbiche en pointe qui portait une contrebasse. Puis arriva un joueur de banjo râblé à la mine renfrognée. Il portait un vieux costume chiffonné en polyester, datant vraisemblablement des années soixante. Puis, sous les sifflements de l'assistance, ces trois singuliers personnages installèrent des chaises dans un coin de la salle et commencèrent à jouer.

Ils jouaient bien. Catherine prit du plaisir à entendre les cordes résonner joyeusement sous leurs doigts. Le joueur de banjo jouait aussi de la mandoline, et le chef jouait en alternance sur une guitare métallique et sur une six-cordes de laquelle il arrivait à tirer une mélopée à la fois lascive et insolente qui faisait frissonner Catherine. Cet homme étrangement laid — mais elle cessa aussitôt de s'apitoyer sur lui, car il jouait avec une très grande assurance — avait un visage jaunâtre taillé à la serpe, et le coin de sa bouche figé en un rictus donnait l'impression qu'il suçait une dent creuse.

— *Bimbo on a Bamboo Isle*, annonça-t-il avec un sourire entendu, et la foule applaudit frénétiquement avant même qu'il commence à jouer.

Sa voix était amère, chargée de ressentiment ; Catherine se mit à le haïr, ou tout moins à haïr son attitude. Cependant, elle admirait son jeu et éprouva une étrange déception lorsqu'il s'arrêta de jouer. Ses admirateurs réclamèrent aussitôt des chansons aux mélodies entraînantes, et il finit par leur jouer quelques classiques de jazz, *Pig Meat Muffle*, *Three Little Words* et *Grass Shack Interlude*. Sur un air intitulé *Billets Doux* il improvisa des paroles en faux français ; dans un charabia plutôt convaincant, il se moquait des Français eux-mêmes, de leurs chansons d'amour, de la musique en général, et de ses propres solos sur sa guitare six-cordes. Lorsque l'assistance, augmentée d'une douzaine de personnes, se mit à reprendre gaiement les paroles en chœur, il se tut instantanément. Il ne jouerait plus que des parties instrumentales, inutile de lui réclamer d'autres chansons.

— Je ne sais pas au juste ce que cela veut dire, murmura Muriel, mais c'est très sophistiqué, très élaboré. Tu ne trouves pas ?

— Sophistiqué ? Tu crois que c'est pour cela que je n'arrête pas de grincer des dents ?

Un quart d'heure plus tard, le public était si nombreux que tout le monde se dirigea vers une salle située à l'arrière, qui contenait une piste de danse et une petite estrade. Catherine voulait rester encore un peu, et elle réussit à convaincre Muriel. Jusque-là elles étaient demeurées dans leur coin, mais dans l'autre salle elles se retrouvèrent mêlées à la foule sur la petite piste de danse encombrée de tables. Un homme qui portait des bretelles rouges se précipita vers Muriel et, réussissant à lui attraper la main, se mit à se trémousser au rythme de la musique, l'obligeant à en faire autant. Au même moment, Catherine fut entraînée à l'autre bout de la piste. Elle se retrouva au milieu d'un groupe de sept ou huit hommes et femmes qui tenaient tous une bouteille de bière à la main.

— Yeah ! s'exclama un gros rougeaud qui se tenait à côté d'elle. Yeah ! répétait-il encore et encore, en projetant en avant son gros cou brûlé par le soleil.

Le son était plus fort à présent, et la musique, d'un style différent, moins personnel, moins cru. En même temps elle gagnait en couleur et en fluidité, et un des airs que les trois musiciens exécutèrent, appelé *Tico Tico*, était si délicieusement chargé de *sabor*[1] latine que Catherine se dit qu'ils n'avaient pas perdu au change. Puis un violoniste vint se joindre à eux. Tournant à moitié le dos à l'assistance, il se tenait tout à fait à droite de la scène. Quand la voix râpeuse et vibrante de son violon se mit à résonner — râpeuse comme la langue d'un chat, songea Catherine —, elle sentit immédiatement une sorte de joie douloureuse étreindre sa poitrine. De cette voix presque nasillarde, produite à l'aide de subtils mouvements de l'épaule et du bras, émanait une série d'effets étonnants, ni grinçants ni durs : des fulgurances de lumière musicale, des visions sonores qui, de temps à autre, provoquaient des pincements de cœur, éveillaient des ardeurs insoupçonnées.

---

1. Saveur. En espagnol dans le texte. (*N.d.T.*)

La douleur que Catherine éprouvait contenait la promesse d'une révélation radieuse, comme si le violon lui indiquait la route menant à la délivrance, au ravissement.

Muriel, qui avait réussi à se débarrasser de son partenaire, arriva derrière elle et lui saisit la main sans rien dire. Catherine éprouva un véritable élan de tendresse pour sa sœur, comme si elle voyait son visage, si doux, si étrangement beau, pour la première fois. Une vague lumière rose éclairait le front pâle de Muriel, conférant à son visage naturellement sérieux et légèrement perplexe une expression étrange, profondément touchante. L'histoire de sa vie entière semblait contenue dans cette expression contemplative.

— Il est excellent, n'est-ce pas? demanda Muriel, inconsciente de sa transfiguration, lorsque le violoniste eut fini de jouer.

— Oh, oui, dit Catherine. Excellent. Elle aurait voulu en dire plus, mais pour une raison qui lui échappait elle ne se sentait pas capable de communiquer ce qu'elle éprouvait.

Vingt minutes plus tard, Catherine se fraya un passage à travers la foule et elle réussit à voir le violoniste de près. Sous l'emprise de la musique — *Them There Eyes,* suivi de *Satin Doll* puis d'un air irlandais —, elle trouva de la beauté à son profil bien net. Son trait dominant était une phénoménale capacité de concentration qui lui permettait d'enchaîner les morceaux comme s'il disait à la foule : « Prenez ça. Et puis ça ! » Mais en même temps il semblait détendu, vaguement amusé, ironique. Lorsqu'il joua *Farewell to Erin*, l'air irlandais, son interprétation d'une beauté à vous arracher des larmes était à la limite de la caricature. Catherine eut un pincement au cœur lorsqu'elle décela chez lui de la timidité, de la vulnérabilité même. Il ne se tournait jamais complètement face au public, ni même face aux autres musiciens.

— Je crois que si je savais jouer comme lui, dit Muriel une heure plus tard, tandis qu'elles rentraient à la maison, je serais heureuse. Je ne demanderais rien de plus à la vie.

— Ne me dis pas que tu pourrais, toi, passer ta vie à gratter un violon ! répondit Catherine en riant. Elle éprouvait le besoin de plaisanter, d'ironiser, mais au fond d'elle-même, elle comprenait sa sœur et ressentait une sorte de joie suave, comme si elle revenait d'une fête improvisée et délicieuse.

11

Quelques jours plus tard elle revit le violoniste, sans son instrument cette fois. L'image romantique qu'elle avait gardée de lui, liée au charme de sa musique, s'était en grande partie estompée. Ce matin-là, après avoir déposé son fils à l'école, Catherine était en train de discuter avec la directrice adjointe, Mme Breitenbach, lorsqu'il entra accompagné d'une fillette. La petite, âgée d'environ huit ans, était rouge de colère. Elle trépignait et refusait absolument de franchir le portail de l'école.

— Je ne veux pas y aller, et je n'irai pas ! criait-elle avec rage.

C'était une jolie petite fille. Elle portait une robe propre repassée à la hâte, et ses cheveux brillants étaient retenus par des barrettes en plastique. Catherine, qui croyait connaître tous les gosses de l'école, ne l'avait jamais vue.

— Très bien, puisque c'est ce que tu veux, répondit l'homme calmement, avec une certaine froideur.

Il entra seul dans le bureau du directeur. La petite se réfugia dans le hall d'entrée, trop timide pour regarder Catherine ou qui que ce soit d'autre.

Une minute plus tard, l'homme reparut suivi du vieux M. Dodds, le directeur pointilleux et toujours pressé, au sempiternel cardigan rouge copieusement taché. Impassible et décidé, le père attendait tandis que Dodds, avec une gentillesse étudiée de pédagogue, parlait à la petite fille. Plus tard, en disant au revoir à la fillette, l'homme posa la main sur son épaule, mais celle-ci se dégagea, l'air dégoûté.

Catherine prit congé de Mme Breitenbach au même moment et elle emboîta le pas du violoniste qui sortait de l'école.

A aucun moment il n'avait regardé de son côté, mais soudain il lui demanda le plus naturellement du monde si elle se rendait en ville. Sa camionnette était au garage, expliqua-t-il. Il était venu à pied, ce matin, presque deux kilomètres, avec sa fille qui n'avait pas arrêté de geindre pendant tout le trajet. Elle n'était revenue vivre avec lui que depuis peu — l'année dernière, elle habitait chez sa mère.

— Elle n'a pas encore trouvé ses marques, expliqua-t-il. Et moi non plus.

Catherine avait des courses à faire en ville de toute façon. L'homme l'attendit à côté de la voiture, et lorsqu'elle ressortit du magasin il lui prit les provisions des mains.

— Je m'appelle Henry Bascomb, dit-il. J'aurais dû me présenter avant.

Il habitait sur la route de Cuervo. Sa maison se trouvait à quatre kilomètres en contrebas de la falaise, le point culminant du canyon. Pour rentrer chez elle, Catherine devait emprunter la route de la falaise, puis prendre au sud un petit sentier, sur six kilomètres environ.

Tandis qu'elle conduisait, Bascomb, assis tout au bord de la banquette, semblait mal à l'aise avec ses grandes mains carrées posées sur ses genoux. Ils ne parlaient ni l'un ni l'autre. Elle aurait voulu lui dire qu'elle l'avait entendu jouer et qu'elle avait aimé sa musique, mais il avait l'air tellement absorbé qu'elle préféra s'abstenir. Elle lui jeta un petit coup d'œil à la dérobée. Son visage avait une expression amusée, un peu bête, comme s'il était en train de penser à une blague, ou à quelque chose de délicieusement croustillant.

Quelques kilomètres plus loin, elle dit soudain :

— Votre fille a huit ans environ ? Elle entre en cours élémentaire, c'est cela ?

Au bout d'un moment il répondit :

— C'est cela, je crois.

— Mon fils entre en cours élémentaire deuxième année. Mme Bowers, l'institutrice du cours élémentaire, est excellente.

— En fait, je crois qu'elle entre en cours moyen, reprit-il. Je ne sais plus exactement.

Tout ceci avait l'air de lui sembler vague et ennuyeux. Était-il possible qu'il ne sache pas dans quelle classe entrait sa fille ? Catherine se tut, agacée. Mais lorsqu'elle le regarda à nouveau, elle comprit que l'expression de son visage ne trahissait que l'embarras, rien d'autre ; et elle se sentit soudain gagnée par la sympathie.

— Je vis sur la falaise, dit-elle enfin. Nous avons une ferme là-bas. Je conduis mon fils à l'école tous les matins, ou bien quelqu'un d'autre y va à ma place. Nous pouvons passer prendre votre fille, si cela vous arrange.

— Oh, merci, c'est très gentil à vous, répondit-il aussitôt. Mais je vais bientôt récupérer ma camionnette. Je pourrai l'emmener moi-même.

Il se tortillait sur la banquette, mal à l'aise. Ils traversaient à présent un bois de séquoias, une zone du canyon particulièrement obscure et isolée, calme et silencieuse. Il y avait souvent des accidents à cet endroit car la route était mal balisée, et les voitures tombaient dans le vide.

— C'est très gentil à vous. Vraiment, répéta-t-il.

Elle sentit pourtant quelque chose d'étrange dans sa voix, un mélange de gratitude, ou tout au moins de politesse, et une sorte de suspicion ironique.

— Au fait, mon nom est Mansure. Catherine Mansure.

— Oui, je sais qui vous êtes, répondit-il, légèrement énigmatique.

Il retomba dans le silence et continua de regarder le paysage. Elle eut soudain le sentiment qu'il y avait quelque chose de honteux, d'indécent à être ce qu'elle était.

— Euh, finit-il par dire, nous nous sommes déjà rencontrés. Chez vous, sur vos terres. Vous recrutiez des gens pour entretenir les sentiers coupe-feu. C'était au printemps, je crois, il y a trois ou quatre ans.

— Vraiment ? Je ne me souviens pas.

— Je n'ai jamais travaillé pour vous, cela dit. On m'a proposé autre chose entre-temps, si bien que j'ai envoyé mon cousin à ma place.

Il mentionna un nom, celui de son cousin sans doute. Chaque année, elle embauchait des ouvriers, il était donc tout à fait possible qu'ils se soient rencontrés. Cependant elle ne s'en souvenait pas. Même le nom du cousin ne lui disait rien.

Catherine se sentait quelque peu contrariée par ce qu'il lui avait dit. En fait, elle était vexée. Les mains de l'homme restaient immobiles sur ses genoux. Elle sentait la gêne qu'elle provoquait en lui. Cependant il y avait aussi de la fierté dans sa timidité, comme s'il était décidé à ne faire aucun effort pour la vaincre, quoi qu'il arrive. C'était un de ces hommes comme on en rencontre à Cuervo, se dit-elle, renfermés, passifs, qui ne cherchent pas à plaire. La plupart d'entre eux vivaient dans les bois, gagnant tant bien que mal leur vie en coupant du bois ou en faisant des chantiers. Certains buvaient et avaient des relations houleuses avec leur femme. En Amérique, il existait encore ce genre d'hommes fiers et archaïques qui s'entêtaient à mener une vie stupide et chaotique.

Juste au moment où il s'apprêtait à descendre de voiture, elle se souvint qu'il était capable de faire autre chose avec ses grosses mains carrées et inexpressives. De la route, sa maison était invisible, cachée par la végétation. Lorsqu'ils eurent atteint un croisement totalement désert, il lui demanda de s'arrêter. On distinguait à peine l'allée qui menait chez lui à travers les arbres.

— Nous y sommes. C'est là-bas, un peu plus haut.

— Oh, au fait, je vous ai entendu jouer, l'autre soir. C'était formidable. Je n'en revenais pas.

— Ah bon ? Vous y étiez ?

— Oui. Je vous ai trouvés excellents, vous et votre drôle de petit orchestre.

Le ton de Catherine sembla l'étonner. Il la regarda droit dans les yeux, l'air surpris. Peut-être n'avait-elle pas su trouver les mots qui convenaient ?

— A dire vrai, rectifia-t-elle, vous étiez sensationnel. Absolument sensationnel. J'ai été très heureuse de vous entendre jouer. Nous étions entrées par hasard, ma sœur et moi, nous n'avions rien à faire ce soir-là. J'ai trouvé qu'il y avait une drôle d'atmosphère dans le bar, une ambiance particulière. La salle entière avait l'air embrasée — je ne sais pas comment dire, les gens avaient l'air électrisés. Et cela a duré tout le temps que vous jouiez.

— Vraiment, une ambiance particulière ? — Il ouvrit la portière du côté passager, mais au lieu de descendre il resta assis, un pied posé à terre. — Alors comme ça, vous y étiez, dit-il, l'air vague. — L'idée semblait lui plaire. — Je suis bien content. J'ai senti quelque chose de spécial, moi aussi, ce soir-là. Mais j'aurais préféré savoir que vous étiez là. J'aurais joué quelque chose spécialement pour vous.

— Vraiment ? Mais vous avez joué pour moi... des tas de choses, de très belles choses. Pour moi et pour tous les autres. Je crois que chacun avait l'impression que vous ne jouiez que pour lui.

Elle avait honte d'exprimer ses sentiments de façon aussi banale. L'homme lui adressa un sourire étrange, mais chaleureux. Peut-être trouvait-il sa remarque amusante, ou peut-être savourait-il une autre de ses pensées secrètes ? Puis avec un vague salut de la main, il descendit de voiture.

Lorsque Catherine regagna la route, elle jeta un œil dans le rétroviseur : l'homme avait déjà disparu, englouti par l'épaisse forêt.

12

Deux semaines après Halloween [1], la santé de Rick se détériora soudain. Jusque-là son état avait été stationnaire, comme il disait, il n'allait ni mieux ni moins bien, même s'il continuait à avoir bonne mine et à donner une impression de robustesse. Cependant, un matin, il se sentit si faible qu'il fut incapable de mettre le pied par terre pour se rendre aux toilettes. Il appela Catherine, mais celle-ci était partie emmener Ben à l'école, et ce fut Rachel, une des filles qui travaillaient à la cuisine, qui arriva en courant. Elle le trouva dans son lit, trempé, en train de se tourner furieusement d'un côté et de l'autre. Lorsqu'elle eut réussi à l'apaiser, il lui fit comprendre d'une voix à peine audible qu'il avait du mal à respirer. Elle appela aussitôt du secours à Palo Alto, et quand les urgences médicales arrivèrent enfin (entre-temps Catherine était rentrée), il était en nage et au bord du délire.

On lui administra de l'oxygène et il commença à se détendre. Sa respiration redevint bientôt normale.

Le médecin qui arriva peu après, un certain docteur Weiner, prit Catherine à part et lui posa une série de questions. Il connaissait le médecin traitant de Rick de réputation. Goldfisch était un éminent spécialiste, parfaitement compétent, selon lui.

— Les facteurs psychologiques ne sont pas négligeables,

---

1. Fête de la veille de la Toussaint (*N.d.T.*).

dit-il à Catherine. Votre mari aurait besoin d'un soutien psychologique. Est-il suivi par un psychologue ?

— Non, pas à ma connaissance.

— Il ne l'a jamais été dans le passé ?

— Je ne crois pas. C'est presque une question d'honneur pour lui de ne pas s'en remettre à un psychologue.

Le médecin hocha la tête, d'un air entendu.

— Je peux vous recommander quelqu'un, dit-il, à moins que vous ne préfériez appeler nos services. Ils pourront certainement vous indiquer un praticien sur Stanford. Par ailleurs, je crois que vous devriez engager une infirmière. Quelqu'un qui soit là en permanence, vingt-quatre heures sur vingt-quatre.

— Je suis presque toujours à la maison en temps normal. Il se trouve que j'étais sortie ce matin, mais sa grand-tante habite également ici. Et il y a les filles qui travaillent à la cuisine.

— C'est un problème de soutien psychologique, insista le médecin, il a besoin d'une présence médicalement rassurante. Il est terrorisé parce qu'il a l'impression de perdre le contrôle de la situation. Réfléchissez : vous découvrez soudain que vous êtes incapable de vous lever pour aller aux toilettes, que se passe-t-il dans votre tête ? Vous vous dites : un beau matin je vais me réveiller et je serai incapable de respirer. Ou de déglutir. Vous vous mettez à penser à tout cela, et c'est alors que vous paniquez.

— Bien, je lui ferai part de vos suggestions, docteur. Mais je pense que cela aurait plus d'effet si vous le lui disiez vous-même.

Comme il fallait s'y attendre, Rick déclara que le Dr Weiner était complètement « à côté de ses pompes ». Cependant, il admit que l'idée d'engager une infirmière était raisonnable. Il était angoissé lorsque Catherine n'était pas à la maison et il aurait été plus rassuré s'il avait pu compter sur Rachel ou sur Karen. Rachel travaillait à la cuisine à mi-temps. Les liens qui s'étaient déjà tissés entre eux ressemblaient à ceux d'une infirmière avec son patient. Elle croyait dur comme fer aux tisanes curatives, à la médecine douce, au shiatsu, etc., et, peu à peu, elle avait réussi à imposer son point de vue. Elle avait eu une conduite héroïque au cours de sa dernière crise. Catherine l'avait félicitée d'avoir eu la présence d'esprit d'appeler les urgences ; et c'est ainsi que, sans trop d'atermoiements, il fut décidé qu'elle travaillerait à plein temps dans la maison.

Pour ce qui était de la psychothérapie, Rick considérait qu'il en connaissait un rayon. Ses réticences en la matière ne s'appliquaient qu'à lui car il estimait que pour la plupart des gens elle s'avérait bien souvent utile, sinon absolument nécessaire. Lorsque Bob Stein, par exemple, avait pris la décision de voir un psychanalyste quelques années plus tôt (et quel psychanalyste ! Une vraie ruine, un freudien pur et dur, quatre séances par semaine !), Rick l'avait fortement encouragé. Mais dans son cas à lui, il mettait un point d'honneur à n'avoir jamais eu recours à un soutien psychologique. La suggestion de Weiner eut cependant un effet paradoxal tout à fait inattendu. En dépit de son refus catégorique, Rick émettait çà et là de vagues commentaires concernant la dimension psychologique du mal qui l'affectait. Il était pleinement conscient de son importance. Ainsi, par exemple, pour un homme comme lui, habitué à tout maîtriser avec une parfaite aisance, le fait de ne pouvoir contrôler sa vessie avait quelque chose de cruellement ironique. De même qu'il lui était facile de voir qu'en tombant malade il avait inconsciemment retrouvé l'état de fragilité et de dépendance de son enfance, état auquel il s'était efforcé d'échapper toute sa vie durant.

— Non seulement cela, mais j'y suis retombé par la même maladie, ou presque. En tout cas le résultat est le même : faiblesse musculaire, alitement prolongé pendant des mois... Une véritable aubaine pour un psychanalyste. Mais comme disait Dick Ferguson — Dick Ferguson, un psychologue de ses amis, était souvent cité en pareilles circonstances —, « il n'y a qu'une seule bonne raison d'aller chez le psy : échapper à la folie imminente. Tout le reste c'est de l'auto-indulgence, de l'argent foutu en l'air ».

— Tu veux dire qu'il faut être au bord de la folie pour avoir recours à la psychanalyse ? C'est absurde, répliqua Catherine. Il y a des quantités de raisons de se faire aider. Quand on est mal dans sa peau, par exemple. Quand on est paumé.

— Catherine, je ne me laisserai pas embobiner. Je ne vais pas, à mon âge, me lancer dans l'exploration des traumatismes de mon enfance parce qu'au bout du compte on finit toujours par découvrir que papa ne vous a pas donné suffisamment d'affection et que maman vous en a trop donné, tant et si bien que tout ce qui vous arrive par la suite est de leur faute. Si tu commences à entrer dans cette logique, alors, effectivement, tu es foutu.

— Reconnais tout de même que tu as passé un sale quart d'heure, l'autre jour, Rick. Le Dr Weiner dit que c'est une crise de panique caractérisée. Il y a des choses qui te perturbent, tu es tourmenté par des émotions trop fortes. Tu le sais, tu es même capable d'en parler avec une certaine clairvoyance, mais cela ne veut pas dire que tu peux t'en sortir tout seul.

— Au fond, tu ne serais pas mécontente si tu pouvais m'humilier encore un peu plus, Catherine. Me faire renoncer à mes convictions les plus intimes. Mais il n'en est pas question. Absolument pas question.

— Qu'est-ce que tu racontes, Rick ? Je cherche à t'humilier, moi ? Qu'est-ce qui te prend ?

Ce n'était pas la première fois que Rick lui tenait ce genre de propos, à savoir qu'elle prenait plaisir à le voir souffrir, qu'elle se réjouissait en secret de sa déchéance. Elle protesta violemment, comme toujours, et il ne tarda pas à lui faire des excuses, disant qu'il était si frustré, si désespéré, qu'il ne savait plus ce qu'il disait.

— Je suis désolé, vraiment désolé. J'ai été injuste... mais je ne me sens tout simplement pas capable d'aller trouver un psy, Catherine, pas dans l'immédiat. Essaie de comprendre que si je ne peux pas garder le contrôle de ma propre maladie, il ne me reste plus rien. Restons-en là, si tu le veux bien.

Une semaine environ après la crise de Rick, Catherine reçut un coup de fil de Henry Bascomb. Il avait un service à lui demander. Pouvait-elle conduire sa fille à l'école ce matin-là ? Il était tombé dans les bois, et souffrait du dos. Il était incapable de conduire.

C'était au tour de Karen, la gouvernante, d'emmener Ben à l'école, mais Catherine y alla elle-même. Elle se souvenait vaguement de la route pour aller chez Bascomb. Assis à côté d'elle, Ben contemplait en silence l'épais feuillage qui s'écartait comme un rideau de théâtre à mesure que la voiture se frayait un chemin à travers la végétation. Le sentier pénétrait au cœur de la forêt avant de remonter à pic sur une bonne centaine de mètres. La maison, comme la plupart des maisons du canyon, avait un aspect décrépit et sinistre. «Elle a l'air inhabitée», pensa Catherine.

Ben se pencha en avant, retenu par sa ceinture de sécurité. Il cligna des yeux plusieurs fois, incrédule.

— On dirait la *Maison des sorcières*, dit-il, tu sais la maison où elles habitent toutes ensemble, les gentilles et les méchantes.

— Bon, tu veux aller la chercher, Ben ?

— Non, je ne veux pas.

Catherine sortit de la voiture au moment où Bascomb et sa fille apparaissaient sur le pas de la porte. La fillette vint à sa rencontre d'un pas assuré, la gamelle de son déjeuner et son cartable à la main ; venant d'un tel endroit, sa fraîcheur avait quelque chose d'étrange. Bascomb se tenait dans l'embrasure de la porte, une main sur chaque montant. Il ne dit rien à sa fille, son attention était probablement focalisée sur son mal de dos.

— Je vous la ramènerai cet après-midi, lui cria-t-elle.

— Ce n'est pas la peine. Quelqu'un d'autre passera la prendre.

— Vous avez l'air de souffrir. Vous devriez consulter un médecin. Voulez-vous que je vous y amène ?

Il ne répondit pas, et elle crut tout d'abord qu'il ne l'avait pas entendue. Mais un léger changement dans son attitude lui indiqua qu'il n'en était rien et que, de surcroît, sa proposition le mettait mal à l'aise.

— Je vous remercie, dit-il lentement, mais ce ne sera pas nécessaire — ça n'est pas trop grave. Allez, Mary Elizabeth, monte dans la voiture.

Sa fille s'arrêta lorsqu'elle eut atteint la portière. A l'intérieur, Ben, qui n'avait pas défait sa ceinture de sécurité, regardait droit devant lui sous l'œil intrigué de la fillette.

Catherine apprit plus tard qu'elle s'en était pris à lui, un jour, dans la cour de récréation, et qu'elle l'avait frappé. Il la détestait. Sur le chemin de l'école, elle parla de sa mère, qui s'appelait Terry. Elle vivait elle aussi dans le canyon, mais elle voulait retourner à Lake Tahoe l'été prochain. Elle emmènerait Mary Elizabeth avec elle.

— Nous avons une grande maison là-bas. C'est la maison de Jerry, le fiancé de maman. On a un bateau, et il y a un portail fermé à clé. Tahoe, c'est bien l'été, mais l'hiver il y a trop de neige. Vraiment trop.

— Pas si on aime le ski, dit Catherine d'une voix enjouée, en se tournant vers Ben. N'est-ce pas, chéri ?

Son fils ne répondit pas. Il ne fit pas un geste, rien.

— Et toi, Mary Elizabeth ? Tu aimes le ski ?

— Pas tellement. Mais je me débrouille bien pour mon âge.

Ben regardait toujours droit devant lui. Les yeux de la fillette se posèrent sur sa nuque, attirés à la fois par son étrange silence et par son immobilité ; elle le scruta un instant de ses yeux bruns, avec une curiosité d'oiseau, puis soudain elle regarda ailleurs.

Lorsque Ben rentra de l'école ce soir-là, il raconta à Catherine ce qui s'était passé avec Mary Elizabeth : tous les enfants la détestaient car elle avait jeté une pierre à l'un d'eux et lui avait cassé une dent de devant. Plus personne ne voulait jouer avec elle à la récréation, alors elle jouait avec les plus petits, et les malmenait. L'incident de la pierre s'était produit le premier jour d'école.

— Sans doute était-elle énervée, dit Catherine. C'était tout nouveau pour elle. Souviens-toi comment tu étais la première fois, Ben, tu étais dans tous tes états, toi aussi.

— Oui, maman, j'avais peur. Mais je n'ai frappé personne.

Les quatre ou cinq jours suivants, Catherine emmena la petite à l'école. Bascomb l'accompagnait jusqu'à la route afin de simplifier la vie de Catherine. Il avait toujours mal au dos. Il s'obligeait à marcher et pour se tenir bien droit, il s'aidait d'une canne de fortune. Un soir, il l'appela chez elle pour lui dire qu'il allait beaucoup mieux et qu'il conduirait lui-même sa fille à l'école le lendemain.

— Mais je vous remercie tout de même, ne manqua-t-il pas de dire. C'était très gentil à vous, et je vous en suis reconnaissant.

— Oh, ce n'était rien. Si cela peut vous dépanner, n'hésitez pas, surtout.

Ils parlèrent ensuite du bus de ramassage scolaire. La commune, à l'instar des autres communes voisines, était censée mettre un car de ramassage à la disposition des familles du canyon qui vivaient à plusieurs kilomètres de l'école. Mais la crise financière avait conduit les autorités locales à supprimer ce service. Il y avait eu quelques protestations sur les panneaux d'affichage de la commune mais, conscientes des réalités, les familles concernées n'avaient fait aucune démarche officielle.

— Les habitants du canyon sont les laissés-pour-compte du canton, fit remarquer Bascomb. Ça ne date pas d'hier, c'est vieux comme le monde.

— Ah, parce que vous êtes originaire de Cuervo ? demanda-t-elle. Vous avez été élevé ici ?

Leur conversation se poursuivit quelques minutes encore. Catherine sentit qu'il avait envie de lui parler de lui, peut-être pour se faire mieux connaître d'elle. Manifestement, il prenait plaisir à cet échange, il y avait dans le ton de sa voix une sorte d'ironie sous-jacente, pas du tout déplaisante. Il ne se moquait que de lui-même, c'est ce qu'elle finit par comprendre. Lorsqu'ils eurent épuisé tous les sujets de conversation ordinaires, ils n'eurent d'autre choix que de raccrocher.

— Catherine ! entendit-elle en reposant le combiné, qui était-ce ?

— Personne, Rick, cria-t-elle en direction du premier étage. Un parent d'élève.

— Tu peux monter, s'il te plaît ? J'ai besoin de toi.

— J'arrive.

13

La fin novembre arriva. L'année semblait ne jamais devoir finir. La saison des pluies aurait dû commencer, mais le temps sec se prolongeait en une sorte d'été moribond, interminable. Dans les bois tout avait l'air malade, sans couleur et sans vie. L'air même semblait sale, chargé d'une poussière jaune et irritante.

Un jour, Catherine se rendit à la mare. Elle ressentait le manque de pluie à chaque pas. Impossible de s'empêcher de penser au feu — le risque d'incendie hantait tout le pays.

Depuis le belvédère, la vue était oppressante. Plus loin, en contrebas, la mare avait rétréci et perdu ses reflets vert vif. L'air était comme figé. Elle se sentit soudain découragée : à quoi bon continuer à lutter, si la nature qu'elle aimait tant et dont la pureté lui avait semblée inépuisable se dégradait à son tour. Elle s'assit au bord de la falaise couverte de broussaille, jambes pendantes.

« J'ai l'impression d'être aussi desséchée que cette forêt, se dit-elle. Et il y a longtemps que je me sens ainsi. Un temps infini. Je ressemble à Rick, de ce point de vue — je ne suis pas mieux que lui. »

Mais non, elle n'était pas comme Rick. Rick ne s'acceptait pas, il pensait que nier ses propres sentiments ferait de lui un être exemplaire, un être d'exception. Alors qu'elle, elle empruntait toutes sortes de voies détournées pour contourner les difficultés, mais d'une certaine façon elle acceptait tout ce qu'il y avait en elle, absolument tout.

Résultat : elle avait le sentiment que sa propre existence lui échappait.

Il y avait un secret dans sa vie avec Rick : leur entente n'était qu'apparente, en réalité ils étaient en désaccord profond sur tous les sujets importants. Elle refusait de transiger car elle en était tout simplement incapable ; quant à lui, il n'envisageait même pas cette possibilité. En dehors d'eux, personne ne connaissait la vérité, personne ne savait qu'elle lui résistait de toutes ses forces, de toute sa volonté, quel qu'en soit le prix à payer. Leur vie commune n'était rien d'autre qu'un affrontement permanent de leurs deux volontés, affrontement qui ne trouvait jamais d'issue satisfaisante.

Elle se leva, décidée à poursuivre sa marche, mais la vision de la mare l'oppressait. Le brun, le noir et le gris de l'eau, ponctués ici et là d'une touche de vert venimeux, la renvoyaient aux couleurs fanées, voire flétries, de sa propre existence. Elle avait là, sous les yeux, la trame de sa vie intérieure.

« Je suis foutue, se dit-elle d'une voix tragique. Ma vie est un mensonge, une supercherie. Je n'ai plus envie de rien. Qui voudrait d'une existence aussi vide, aussi maladive et solitaire ? Ai-je toujours été ainsi ? Pourtant il me semble que j'aimais vivre autrefois. »

Paradoxalement, le ton absolument désespéré de ses ruminations la réconforta. Une vision des choses aussi noire était nécessairement fausse, pensait-elle : « Te voilà tout en haut d'une falaise, dans la force de l'âge, tu as sous les yeux une forêt magnifique, et tu essayes de te convaincre que ta vie est un désastre. » Il y avait quelque chose de dérisoire, pour ne pas dire d'infantile, dans cette attitude, et cette idée lui fit du bien.

« Peut-être suis-je tout simplement au bout du rouleau à cause de la maladie de Rick ? Peut-être ai-je atteint un tournant de ma vie — reste à savoir lequel. Dieu merci je ne suis pas totalement dénuée de ressources et cette mélancolie ne veut pas durer éternellement. Mais, bon sang, ce lac est tellement sinistre ! »

Elle reprit sa marche. Elle en avait besoin, pour se sentir elle-même à nouveau. Bientôt, elle retrouva le petit sentier abrupt qui menait au pied de la falaise. Une demi-heure plus tard, elle atteignait la cuvette, là où la broussaille était le plus dense. Elle ne reconnut aucun de ses repères habituels tant ils étaient desséchés, en particulier les arbres et les buissons lui semblaient étrangers. Lorsqu'elle marchait droit devant elle, en se fiant à son sens de l'orientation, tout allait bien ; mais il suffisait qu'elle s'arrête un instant pour se sentir narguée par cette végétation cassante, presque hostile.

Finalement, elle trouva une brèche dans le mur de feuillage, à travers laquelle elle aperçut la mare, à deux cents mètres à peine. Elle continua d'avancer.

A l'endroit le plus encaissé de la cuvette, l'air était froid et humide. Une lumière glauque arrivait par le sud, conférant au lieu un aspect crépusculaire, désolé. De l'autre côté de la mare, Catherine crut distinguer une silhouette qui traversait tranquillement la clairière. Tout d'abord, elle se demanda si elle n'avait pas rêvé. Mais non, il y avait bien quelqu'un, un homme, un de ces intrus qui n'avaient rien à faire là. Au bout d'un moment, l'homme disparut dans les taillis.

Elle repensa à l'étranger qu'elle avait vu au printemps. Lui aussi portait des vêtements de travail, et vaquait à ses occupations. Cette silhouette lui rappela de pénibles souvenirs, et elle réalisa soudain qu'elle en était encore ébranlée.

L'homme réémergea des taillis avec la même insouciance, comme pour bien affirmer sa présence. Il se dirigea prestement vers le bord du lac, posa son vieux chapeau à terre puis, remontant une de ses manches, il s'agenouilla au bord de l'eau et y plongea le bras jusqu'à l'épaule. Quelques secondes plus tard, il s'enfonçait à nouveau dans les fourrés.

Catherine s'approcha lentement, déterminée à le chasser. Il lui fallait châtier cette intrusion, en effacer le souvenir. Mais soudain, elle se rendit compte qu'elle s'apprêtait à s'attaquer à un inconnu au milieu des bois, à des kilomètres de toute habitation. S'il ripostait, l'homme aurait aisément le dessus. Pourtant elle continuait d'avancer. Arrivée à la mare, elle ne vit plus trace de lui, si ce n'est une vague empreinte à l'endroit où il s'était accroupi. La mare, telle une complice qui refuse de parler, lui renvoyait une image placide, lisse et silencieuse.

Elle attendit. Elle l'imaginait en train de l'épier à travers les fourrés, bien à l'abri dans sa cachette. Au bout d'un moment, elle lança d'une voix claire et relativement calme :

— Vous feriez mieux de sortir... Je sais que vous êtes là. Je vous ai vu. Il est inutile de vous cacher, sortez.

Pas de réponse. L'absence de brise et l'immobilité du lac semblaient renforcer ce silence de mort.

— Je ne vais pas vous pourchasser à travers les bois, si c'est ce que vous vous imaginez... mais sachez que ceci est une propriété privée et qu'on n'y entre pas comme dans un moulin. Vous n'êtes pas chez vous ici.

Une voix répondit alors :

— Je n'entre pas ici comme dans un moulin.

Et puis plus rien. C'était comme si le lac lui-même avait prononcé ces mots, ou bien le mur de joncs qui inclinait mollement ses têtes cassées vers elle.

— Nous nous sommes déjà vus, ici, pas vrai ? continua-t-elle. Je suis sûre que c'est vous qui nous observiez au printemps dernier. Mais ce lac est une propriété privée. Il appartient à mon mari, à sa famille et à moi.

Silence total.

— S'il appartient à votre mari, dit la voix au bout d'un long moment, je ferais mieux de me rendre. J'arrive.

Les roseaux s'écartèrent lentement. Elle reconnut Bascomb, le violoniste, le père intérimaire, l'homme des bois. Elle resta interdite une longue minute, puis elle recouvra ses esprits. Sa silhouette se découpait étrangement sur le feuillage vert sombre. Tous les détails de sa personne étaient étonnamment vivaces, presque trop pour les appréhender d'un seul coup d'œil.

— Oui, c'est moi, dit-il sèchement. Vous m'avez pris en flagrant délit, cette fois... La partie de cache-cache est terminée.

La lumière jaune teintait ses cheveux de reflets roux. Comment se faisait-il qu'elle n'ait jamais remarqué la densité de sa chevelure ? Depuis leur dernière rencontre, il s'était laissé pousser la barbe. On aurait dit un loup. Cependant son regard était sans malice — simple comme un regard d'enfant. En l'observant plus attentivement, elle fut surprise de le trouver plutôt bel homme. Elle le connaissait depuis un certain temps déjà, plusieurs semaines au moins, mais cette idée ne l'avait jamais effleurée.

— Qu'allons-nous faire à présent ? demanda-t-il. Appeler la police ? Le shérif ? Si ça ne vous ennuie pas, je voudrais manger d'abord. Je m'apprêtais à déjeuner. J'ai faim.

Il lui proposa de partager son déjeuner. Mais, encore désorientée, Catherine refusa. Cependant, elle fit un petit bout de chemin avec lui dans les fourrés. Ils s'engagèrent sur un sentier qui descendait à travers l'épais feuillage, et au bout de quelque mètres, ils atteignirent une petite clairière presque circulaire. Là, les fourrés faisaient place au chaparral. Au-dessus de leur tête, les arbres formaient un dais très épais, conférant à l'endroit une atmosphère intime de nid.

Sur le sol se trouvait une sacoche, une paire de gants et des pinces, ainsi que des outils de jardinage.

— Que faites-vous pousser ici ? demanda-t-elle. Des mûres ? Non, attendez... ah, je vois. C'est de la marijuana. Ça y est, je comprends tout maintenant : vous êtes un dangereux hors-la-loi !

Il ne dit rien ; il ne confirma pas, ne nia pas. Il se contenta de s'installer confortablement pour déjeuner. La sacoche contenait plusieurs mètres de tuyau en plastique, un pull marron qu'il étendit sur le sol, du fromage, un morceau de pain, deux poires tachées et une grande barre de chocolat. Il tendit du pain et du fromage à Catherine.

— Non, merci, je n'ai pas faim. Je suis encore sous le choc, c'est tout.

Mais il insista tant pour qu'elle mange quelque chose qu'elle finit par mordre dans une poire.

— C'est pour cela que le niveau de la mare est si bas, dit-elle au bout d'un moment. Vous vous en servez pour arroser vos plantations, n'est-ce pas ?

— A dire vrai... le niveau de la mare est toujours bas à cette époque de l'année. Surtout quand il ne pleut pas.

Il dévora une demi-livre de fromage. Puis le morceau de pain, la poire qui restait, et une partie du chocolat. Ses mains étaient calleuses et enflées — il ne mettait pas de gants pour travailler dans les ronces.

Il la regardait manger sa poire blette, l'air amusé. Il ne disait rien, mais l'aspect comique de la situation ne lui échappait pas. Il avait cédé le pull marron à Catherine et s'était installé à proximité, jambes allongées. Une fois encore, il l'étonnait, elle se sentait submergée par sa présence physique. La petite clairière en forme de nid était le lieu idéal pour prendre la mesure de cet homme — avec ses vêtements de travail, ses mains maltraitées et son regard mystérieux. Il lui faisait penser à une créature de la forêt, un animal dans son terrier qui, par la force de l'habitude, par sa présence coutumière, brouille les pistes et les impressions.

— Si je devais faire pousser quelque chose, dit-il, l'air rêveur, je ne le ferais pas ici mais un peu plus bas, dans la prairie. C'est beaucoup plus discret, et il y a plus de soleil. Et puis il y aurait moyen de se servir de la mare pour irriguer, avec une petite tranchée... pour quelqu'un qui voudrait le faire, naturellement.

— Je vois, je vois, dit-elle.

— Ce serait parfait pour une ou deux plantations. Avec une barrière pour les protéger des rats et des biches. Oh, quelque chose de modeste, juste assez pour survivre. Il y aurait certainement moyen de gagner sa vie comme cela — oui, certainement.

Elle hocha la tête.

— Ça paraît raisonnable en effet.

En fait, elle aimait bien qu'il en parle ainsi, sans s'excuser. C'était mieux que de nier, de toute façon. Et puis il y avait quelque chose d'intime dans sa confession. Il s'en remettait à elle sans trop réfléchir, apparemment.

— Ça ne me dérange pas, dit-elle. Ce n'est pas vraiment grave au fond, du moment que la plantation reste discrète. On peut bien faire pousser ce qu'on veut ici.

— Oui, c'est très discret.

Il prit un morceau de chocolat.

Ils retombèrent dans le silence. Elle se sentait légèrement mal à l'aise, et il se mit à sourire pour lui-même, comme cela lui arrivait parfois. Son attitude réservée de ces dernières semaines, la gêne que lui inspirait la présence de Catherine, s'expliquaient à présent. Il squattait leurs terres, après tout. Peut-être ce petit jeu durait-il depuis des années, peut-être en tirait-il de la fierté. Exploiter des propriétaires à leur insu donne forcément un sentiment de supériorité.

Mais son sourire ne semblait pas exclure Catherine et lorsque leurs yeux se rencontrèrent, son visage se fit plus doux, presque grave. Quelque chose en lui l'émouvait. Quand elle s'en rendit compte, son cœur se mit à battre, elle éprouva une sensation venue de très loin, vertigineuse, étonnante, comme un oiseau qui s'élance dans les airs.

— C'est moi qui étais là au printemps, avoua-t-il, avec cette étrange expression sur le visage. C'est vrai que je vous observais, vous et vos amis en train de vous baigner dans le lac. C'était une vision irrésistible.

Que pouvait-elle répondre à cela ? Elle avait la gorge serrée à présent, et sa poitrine palpitait d'une sorte d'espoir. Elle secoua la tête, et tendit la main instinctivement. Et lui, se méprenant sur son geste, tendit la main à son tour. Il l'aurait touchée si elle n'avait vivement retiré la sienne.

— Avez-vous repensé à ce jour ? Moi, oui. Cela faisait des années que je pensais à vous. Depuis que je vous ai vue la première fois. J'espérais que quelque chose comme cela arriverait un jour. J'en rêvais, en me disant qu'il n'y avait aucune chance... Mais quand je vous ai vue venir par ici, dans les fourrés, j'ai su que le moment était venu. Je voulais que vous me découvriez, je crois.

Elle secoua la tête.

— Je ne suis pas sûre de comprendre. Que voulez-vous dire ?

Il lui frôla la main et elle le regarda. Il continuait de la fixer intensément, comme pour se rapprocher d'elle, avec chaleur et curiosité. C'est alors qu'elle passa le dos de sa main sur la sienne, juste un instant. Puis elle se releva. Elle dit qu'elle devait partir. Qu'elle devait retourner à la mare.

Il la regarda se hâter le long du sentier bordé de ronces. Quelques minutes plus tard, il la rejoignit derrière les fourrés, tout près de l'eau. Il lui trouva l'air triste.

— Pas ici, dit-il. Pas maintenant. Mais bientôt. Bientôt.

— Non, je ne crois pas, répondit-elle en secouant la tête.

Il la toucha. Elle ne se débattit pas lorsqu'il la fit pivoter vers lui pour l'embrasser. Quelque chose dans son haleine — le goût prononcé et inattendu de son baiser — la poussa vers lui et, tandis qu'elle s'abandonnait, il la prit délicatement dans ses bras. Mais bientôt elle se dégagea avec raideur. Elle lui jeta un regard presque courroucé.

— Non ! Je ne veux pas, dit-elle.

Ils restèrent un long moment ainsi, sans se toucher. Puis, se radoucissant, avec un soupir qui ressemblait à une douce imprécation, elle l'attira contre elle.

Mais ils se séparèrent bientôt. Elle lui dit qu'elle devait rentrer chez elle. Il lui demanda s'il pouvait l'accompagner un bout de chemin dans la forêt. Elle dit non. Elle semblait décidée et elle disparut sans un mot dans les feuillages.

14

Rick avait envie de partir. Il avait suggéré le Mexique — ils pourraient laisser Ben à la maison, sous la garde de Karen et de Gerda. Il refusait de tenir compte de sa condition physique. Rick l'indomptable tentait ainsi, pour la dernière fois, de reconquérir son autonomie.

Catherine, qui avait compris l'enjeu de ce voyage, ne dit rien. Elle se préparait à partir comme à ne pas partir. Il y avait des jours où il ne pouvait pour ainsi dire pas marcher, et puis soudain, vers la mi-décembre, il se sentit beaucoup mieux, presque comme avant. Il décida de partir coûte que coûte. Ils prendraient l'avion jusqu'à Mexico, où l'oncle Gower avait un appartement, avant de continuer sur Oaxaca, ou ailleurs.

— Il n'y a qu'une seule grande métropole au monde, Mexico, déclara soudain Rick. New York à côté, c'est un bled. Pour qui y a vécu, il n'existe pas d'autre ville au monde, même si elle a bien changé depuis les années cinquante, à l'époque où j'y étais. Mon vieux copain d'école Hernan Goldmann écrit encore pour *El Diario*, je crois bien. Nous pourrions passer le voir, ainsi que tous mes anciens copains.

— D'accord, Rick, mais nous ne partirons pas avant Noël, répondit Catherine.

— Pourquoi ? A cause de Ben ? Pour une fois qu'il passera Noël sans ses parents, il ne va pas en mourir. Franchement.

— Je sais bien, Rick. Mais c'est mon Noël à moi qui serait gâché.

Rick réfléchit un instant avant de céder.

— Bon, c'est d'accord, après Noël. Je te préviens, je veux faire un vrai voyage qui dure des mois, où on passe d'un endroit à l'autre. Un voyage sans toubibs. Je ne veux plus entendre parler de maladie.

Quelques temps auparavant, Rick avait brusquement décidé de consulter un psychologue, celui que lui avait recommandé le Dr Weiner. Il reconnaissait même que ce praticien, qui exerçait et enseignait à Stanford, l'avait «pas mal aidé» jusqu'ici. Ils se voyaient deux fois par semaine, sur le campus de Stanford.

— Il a à peu près mon âge, avait raconté Rick à Catherine. Il a fait ses études à UCLA. Il ne s'est jamais marié, c'est un fana de plongée sous-marine, il parcourt le monde entier pour explorer les récifs de corail. Nous avons certaines choses en commun, lui et moi, et j'ai tout de suite pigé son stratagème : il joue les vieux copains, les compagnons de route dans ce voyage vers la lucidité. Bon, c'est vrai que ce petit jeu ne me déplaît pas non plus. Vendredi dernier nous avons passé cinquante minutes à parler du Bélize, le ranch qu'oncle Régis possède sur la côte atlantique. Sa propriété se trouve à quinze minutes de la deuxième plus grande barrière de corail du monde.

» Bill dit que nous devrions y aller ensemble. Il veut que je l'appelle Bill, au fait. Plus tard, sur le chemin du retour, je repensais à la séance quand j'ai réalisé que j'avais payé cent quarante dollars pour qu'il me parle de plongée sous-marine. Mais le plus drôle, c'est qu'après cette discussion je me suis senti beaucoup mieux, plus détendu que je ne l'avais été depuis des mois. Je commence à comprendre toute la subtilité de sa démarche : en évoquant la possibilité d'un voyage, il m'a redonné espoir, comme si l'idée même de liberté vous donnait l'énergie nécessaire pour partir. Dans un sens, il contourne habilement le problème de l'impuissance médicale. Dans la mesure où personne ne sait vraiment quelle est la part du physique et quelle est la part du mental dans la maladie, autant faire comme s'il était en votre pouvoir de tout arranger. Il suffit de trouver la bonne attitude, rien d'autre.

— Voilà qui est typiquement californien, tu ne trouves pas ? dit Catherine. Croire qu'un individu est capable de tout arranger, de surmonter n'importe quel obstacle s'il le veut vraiment.

— Oh, ne sois pas cynique, Catherine, je t'en prie. On voit que ce n'est pas toi qui marches avec des béquilles. Je suis prêt à tout, moi, même à me convertir à la méthode Coué. Je suis en train de découvrir que je n'ai pas beaucoup de fierté, je suis prêt à essayer n'importe quoi du moment que ça marche. C'est facile de se montrer cartésien quand on a l'usage de ses jambes, mais nous en reparlerons quand ton corps commencera à donner des signes de faiblesse. Quand tu seras obligée de pisser dans une poche en plastique.

Rick n'en était pas encore là, mais il ne s'était jamais vraiment remis de l'épisode du mois de novembre, le jour où il n'avait pas pu sortir du lit. Apparemment son état continuait à s'aggraver. Le Dr Weiner, qui avait remplacé Goldfisch à bien des égards, l'avait dirigé sur une nouvelle équipe de neurologues, dont deux étaient d'éminents chercheurs de l'école de médecine de Stanford. Ces médecins étaient en train de mettre au point un nouveau traitement pour Rick. En outre, celui-ci voyait un kiné deux fois par semaine et faisait des séances de kiné respiratoire quand cela était nécessaire.

— Il y a le monde de la médecine, dit Rick, et il y a le monde de l'espoir. Il est très rare qu'ils se rencontrent. Lorsque j'ai affaire à des spécialistes, je deviens désespérément passif ; tout m'est indifférent. Mais dès que je m'éloigne d'eux, je sors de ma léthargie et j'entr'aperçois une lueur d'espoir.

— Rick, quoi que tu fasses, je serai toujours à tes côtés, dit Catherine pour le rassurer. Je ne voulais pas être cynique. Simplement, je pense qu'il faut donner leur chance aux médecins. Peut-être savent-ils quelque chose.

— Rien, absolument rien. Ce sont les plus éminents spécialistes du monde et ils n'ont pas de solution. C'est leur approche de la maladie qui est mauvaise. Leurs traitements de cheval, leurs examens interminables, tout l'arsenal absurde, cruel et inhumain de la médecine occidentale,

94

ne donnent strictement aucun résultat si ce n'est de préci-
piter le patient abasourdi dans sa chute...

Furieux contre les médecins, Rick profita d'une brève
rémission pour hâter leur départ pour le Mexique. Mais à
peine trois jours plus tard, il eut une rechute, et fut hospitalisé à Mexico. Il fallut le rapatrier. Catherine s'efforça
d'avoir l'air enjoué sur le chemin du retour, mais elle était
aussi déprimée que lui. C'était comme si cet incident avait
mis un point final à son espoir de guérir un jour.

Courant février, à la suite d'une prise massive de cal-
mants mélangés à d'autres médicaments, il tomba dans un
coma qui dura dix-huit heures. Il prétendit ensuite n'avoir
pas cherché à mettre fin à ses jours mais simplement à
passer une bonne nuit, à oublier sa détresse pendant quelques heures.

Rick était totalement invalide à présent. Il ne sortait que
rarement de la maison, se déplaçait en fauteuil roulant à
l'occasion, et ne cessait de perdre du poids. Il consacrait
deux jours par semaine à ses différentes visites médicales, le
mercredi et le vendredi. Catherine l'escortait généralement
dans ces pèlerinages, mais une fois elle tomba malade et ce
fut Rachel qui l'accompagna. Depuis ce jour, la cuisinière-
infirmière demandait à chaque fois si elle pouvait
l'accompagner, et Catherine acceptait le plus souvent.

La maladie de Rick avait transfiguré Rachel. Elle avait
gagné en assurance et perdu en servilité. Catherine acceptait plus volontiers son aide, même si parfois elle eût préféré
qu'elle fût moins obséquieuse.

— J'ai toujours rêvé d'être infirmière, lui confia un jour
la jeune fille. Ça m'a pris quand je suis allée rendre visite à
ma mère à l'hôpital, elle s'était fait opérer de la vésicule
biliaire, je crois bien. J'avais dix ans. A l'époque où je
prenais de la drogue, je sentais que j'aurais pu faire autre
chose et m'en sortir. J'ai passé quelques temps dans l'Ashram Meadow. Baba m'a reconnue, il m'a dit que j'étais un
« sein guérisseur ». C'est lui qui m'a transmis les techniques
de l'*ajurveda*.

— Rick dit que vos tisanes lui font du bien. Mais qui est
ce Baba ? Un gourou indien ?

— Oui, il vient de Bombay. Il a fait vœu de silence en 1976, et il communique à l'aide d'une ardoise et d'une craie. Il est beau, c'est le plus bel homme que j'aie jamais vu. C'est un *sadhu*, un être illuminé. Mais il adore jouer. Il connaît plein de trucs. Je suis tombée amoureuse de lui. J'étais sa *sanyasin* — son élève, en quelque sorte...

Catherine apprit que l'Ashram Meadow se trouvait sur un immense domaine boisé au nord-est de Santa Cruz. Ce Baba comptait environ trente disciples, et il avait récemment fêté ses soixante-huit ans. Rachel espérait retourner là-bas un jour.

— Mais j'aimerais bien faire une école d'infirmière aussi. Lorsque j'ai rencontré Mme Gerda, j'ai tout de suite senti qu'elle était un maître, un esprit supérieur, quelqu'un qui pouvait me transmettre quelque chose. J'étais destinée à la trouver sur ma route. Le fait qu'elle me rudoie ne me dérange pas.

— Elle vous rudoie souvent ?

— Elle dit simplement qu'elle ne m'aime pas, que je l'exaspère parce que je n'arrête pas de lui dire que je l'aime. Je dois honorer sa perfection et sa beauté. Elle m'appelle « l'idiote » et dit qu'elle peut lire dans mes pensées. Mais c'est ce que je veux justement, qu'elle lise dans mes pensées.

Gerda avait engagé Rachel un an auparavant. Au fil des années avait défilé toute une ribambelle de jeunes qui, comme elle, aspiraient au titre de fille de la maison. Si elles avaient échoué sur ce plan, elles s'étaient attachées à la vieille femme. Gerda les employait à la pépinière pour un salaire de misère, les maltraitait délibérément, et prétendait que leurs débordements affectifs, qu'elle n'encourageait nullement, l'insupportaient. Mais elle avait une certaine vanité cependant et eût été déçue si personne ne l'avait adulée.

— Quand vous dites qu'elle est parfaite, demanda Catherine, vous entendez spirituellement parfaite ? Ou bien c'est parce qu'elle possède la maîtrise de quelque chose... des plantes, par exemple ?

— Les plantes ne sont que des symboles. Elle manipule les choses, en exprime le sens, voilà tout. Tout ce qu'elle fait, elle le fait à la perfection. Elle ne supporte pas l'erreur. C'est cela que j'aime en elle. Les Allemands sont un très beau peuple, je trouve. J'ai du sang allemand, moi aussi, du côté de mon père.

Catherine décida d'augmenter Rachel. Elle gagnait aujourd'hui trois fois ce qu'elle avait gagné jusqu'alors, en grande partie grâce au réconfort qu'elle apportait à Rick.

15

Catherine ne s'était jamais sentie aussi vide auparavant, aussi inutile et incapable. Seul son amour pour son fils lui donnait le sens des réalités ; mais bientôt ce sentiment de nullité en vint à déteindre sur cet aspect-là de sa vie, et elle prit peur. Elle travaillait d'arrache-pied, avait repris ses cours de jardinage d'hiver, s'occupait de Rick, mais cette activité incessante la renvoyait toujours à son vide intérieur. Elle se mit à attendre le dénouement tragique de cette situation, conséquence inévitable de son incapacité à vivre.

Quand elle repensait à l'homme qui faisait pousser de la marijuana, Bascomb, elle se sentait vaguement honteuse. Dans la présente situation, elle aurait pu faire absolument n'importe quoi pour avoir l'impression d'exister. Il n'avait pas cherché à la revoir depuis leur rencontre dans les bois, et elle s'en félicitait. Lorsqu'elle pensait à lui, elle se demandait pourquoi les choses étaient allées si vite entre eux — c'était encore une preuve qu'elle allait mal, qu'elle n'était pas bien dans sa peau.

Quand sa mère avait son âge, elle avait fait une dépression nerveuse. Catherine commençait à se demander s'il ne s'agissait pas là d'une prédisposition héréditaire, même si les circonstances actuelles, la maladie de Rick, étaient déprimantes en soi. Pourtant la maladie de Rick l'affectait de moins en moins. Elle avait un sens aigu mais distant de ses souffrances. La paralysie de Rick était étrangère à son corps à elle, et elle se disait qu'il finirait par s'en sortir, par s'accommoder de son handicap. Après tout, il était dans sa nature de surmonter les obstacles, de relever les défis et d'en sortir vainqueur.

Sa tentative de suicide — car il s'agissait bien d'une tentative de suicide — ne l'avait pas vraiment ébranlée. Lorsqu'il était tombé dans le coma et que le Dr Weiner lui avait dit qu'il ne s'agissait pas d'un état comateux profond, même si cela pouvait le devenir, c'est tout juste si elle avait cillé. Elle en était arrivée à un tel point d'insensibilité qu'elle était prête à affronter la plus noire des tragédies, le pire des dénouements.

Quand Rick commença à revenir à lui, elle n'éprouva qu'un vague soulagement. Par ailleurs, il s'était mépris sur les intentions de son psychologue. Ce dernier ne cherchait nullement à s'en faire un copain, au contraire, il l'encourageait à faire une analyse plus rigoureuse et conventionnelle de ses origines familiales, à s'interroger sur la « négation de sa sensibilité et de son côté féminin ». Cette suggestion qui, quelques mois plus tôt l'aurait amusé, et qu'il aurait refusée pour des raisons malheureusement évidentes, lui semblait à présent plus acceptable, voire utile, compte tenu de sa triste condition. Il était même devenu presque bavard quand il s'agissait d'analyser ses sentiments les plus profonds.

— Lorsque j'ai écrit sur ma mère, dans *Escambeche*, dit-il un jour, je n'étais pas en contact avec ma colère. Les enfants ressentent la mort d'un parent comme un abandon, tu sais, et ils culpabilisent. Mais j'étais si austère, si sérieux, à l'époque où j'ai écrit ce bouquin absurde... Tout ce que les critiques lui ont trouvé d'intéressant est du mensonge. Le vrai livre que j'aurais dû écrire n'a jamais été écrit, jamais.

Ou comme cette autre fois :

— C'est l'oncle Gower qui m'a élevé, mais il n'était pas un vrai père pour moi. Mon vrai père était un passionné, un panier percé qui est tombé amoureux d'une belle Espagnole et qui a passé le reste de sa vie au lit avec elle. Leur vie commune n'a été qu'un long après-midi d'ivresse, un refus total des responsabilités. La seule chose qui a empêché leur relation de virer au sordide, c'est l'argent.

Catherine savait que Rick allait mieux lorsqu'il parlait

ainsi. Le processus était engagé, il tenait le bon bout. Bientôt il mettrait tous ces événements en perspective, et parviendrait à une compréhension totale, profonde, des choses. Malheureusement, elle était tout aussi insensible à cette nouvelle franchise qu'elle l'avait été à son suicide, ou au spectacle de son corps paralysé. Il ne se passait rien en elle — et encore moins dans son cœur. C'était étrange d'entendre Rick parler de la « négation de sa sensibilité » alors qu'elle-même se sentait presque exsangue, sans âme. Lorsqu'elle allait très mal, le monde autour d'elle lui semblait irréel ; et comme si elle voulait se punir, se mortifier davantage, elle laissait les choses dégénérer sans rien faire pour les changer.

Bob Stein n'avait pas donné signe de vie depuis six mois. Il n'avait jamais répondu à la critique qu'elle avait faite de son manuscrit, qui était sur le point d'être publié. Elle avait besoin de parler à quelqu'un, mais Bob n'était pas la personne adéquate pour des tas de raisons. Quant à Maryanne, elle était à New York, au chevet de son beau-père mourant. Restait Rick. Il fallait qu'elle lui parle.

— Je suis extrêmement déprimée, ces temps-ci, Rick... J'ai l'impression que rien ne va plus. Dès que j'ouvre un œil je suis angoissée, et je n'arrive à tenir qu'en me défonçant au travail. Je crois que je suis en train de devenir folle.

— Oui, je sais, Catherine, je sais.

— Vraiment ? Mais qu'est-ce qui m'arrive ? Qu'est-ce qui m'arrive ?

— Tu as un coup de déprime, Catherine. Comment veux-tu ne pas déprimer ? Tu passes ta vie aux côtés d'un paralytique et ça te révulse. Tu as pitié de moi, je te répugne et ça te fiche en l'air. Tu te dis que tu vas finir ta vie à mes côtés et ça te fait peur. Mais rien ne t'y oblige, Catherine. Tu es libre, complètement libre. Je n'ai plus besoin de toi pour me tenir la main. J'ai mes propres ressources. La question est de savoir si tu en as, toi aussi.

Elle ne s'y attendait pas. Cette déclaration glaciale semblait avoir été ruminée depuis des semaines, comme s'il s'était préparé à prononcer une sentence définitive. Son regard était froid, sans profondeur, sans expression, et pourtant il avait l'air de trouver cela comique. Elle l'imaginait en train de se dire : « Voilà, je lui ai balancé le pire, j'ai dit l'indicible. Et regardez, ça ne l'atteint même pas. La vie continue. »

— Rick, je crois que tu ne m'as pas comprise, répondit-elle. Je ne songe pas à te quitter — je n'y ai jamais songé. Il y a quelque chose qui ne tourne pas rond chez moi, voilà tout. Je me sens vide, usée, inutile. Ça a commencé cet automne. Ça m'est tombé dessus brusquement, ou alors je ne m'en suis pas rendu compte avant. Mais il faut que je fasse quelque chose, Rick. Je ne sais pas quoi.

— Catherine, c'est une conséquence de ma maladie, rien d'autre. Weiner en a parlé une fois. Il y a souvent des difficultés dans les familles des malades chroniques. Il arrive que le partenaire ou même les enfants se mettent à somatiser eux aussi. Tu es trop proche de moi. Il faut que tu coupes le cordon, que tu apprennes à voler de tes propres ailes. Tu as toujours été dépendante de moi psychologiquement. Apprends à gérer ta vie toute seule et très vite tu te sentiras beaucoup mieux.

Le Dr Klepper, le psychologue de Rick, l'avait interrogé au sujet de Catherine. Dans une certaine mesure il avait prévu les problèmes qu'elle rencontrerait, dit Rick. Maintenant que Rick avait abandonné sa « carapace d'insensibilité », il fallait s'attendre à ce que Catherine l'endosse à son tour. Leur couple — comme tous les couples — formait une entité dynamique, créée à partir d'éléments disparates. Il avait ses points forts et ses faiblesses. L'objectif commun était de présenter une image d'unité que le monde extérieur reconnaissait comme telle. Mais dans leur couple c'est Catherine qui, pendant des années, avait joué le rôle de l'élément sensible, tandis que la tendance de Rick à l'autocensure s'était exagérément développée, au point de devenir dangereuse.

— Il faut que j'apprenne à sentir mes émotions à nouveau, dit-il simplement. Car si je ne le fais pas, je vais étouffer. Je suis déjà à demi paralysé, comme tu peux le voir. En gros, l'anxiété est un désordre du diaphragme, un manque d'élasticité des muscles du thorax. Lorsque nous empêchons nos sentiments de s'exprimer, nous nous raidissons aussi bien physiquement qu'émotionnellement. J'étouffe littéralement sous le poids de cette carapace... Je n'arrive plus à respirer.

— A t'entendre, Rick, je t'ai fait beaucoup de mal. Ce serait moi la fautive, en fin de compte. T'ai-je jamais demandé d'être fort ? Je ne m'en souviens pas. Je ne suis pas la seule à avoir des sentiments — tu en as, toi aussi, des quantités, mais il s'agit surtout de colère et de ressentiment. Et quelle est donc cette « image » que nous aurions essayé de donner aux autres ? C'est à une image que se résumerait notre mariage ?

— Ne sois pas triviale, Catherine, dit-il glacial. Ça n'est pas drôle. Je ne prends pas tout ce que dit Klepper pour argent comptant, mais il y a un fond de vérité. Regarde-moi, regarde-moi bien. On ne devient pas paralysé par hasard... et dans la fleur de l'âge, qui plus est, quand on a tous les atouts dans la vie. Regarde-moi bien, veux-tu.

Catherine demanda au Dr Klepper, par l'intermédiaire de Rick, s'il estimait qu'elle devrait le consulter, elle aussi. Klepper lui répondit par un petit mot étonnamment formel et catégorique : il était le thérapeute de Rick, et de Rick seul ; l'analyse qu'ils avaient entreprise en était la preuve. Si Catherine voulait voir un psychanalyste, il pouvait lui recommander plusieurs confrères excellents, ce qu'il ferait très volontiers.

16

Catherine n'allait plus que très rarement se promener dans les bois, et jamais du côté de la mare. Il n'avait plu ni en novembre ni durant les mois qui suivirent. Février, généralement le mois le plus humide de l'année, n'avait pas vu une seule goutte de pluie, et la forêt paraissait à l'agonie. En janvier, Catherine avait préparé les semis pour son deuxième jardin d'hiver. Mais deux semaines plus tard, lorsque les pousses avaient commencé à sortir, elle avait eu scrupule à arroser et elle avait fini par offrir ses plants à des amis.

En temps normal, de décembre à mars il tombait des trombes d'eau en Californie, or cela faisait huit ou neuf ans qu'ils n'avaient pas eu un hiver normal. Gerda avait souvenance de périodes de sécheresse prolongées par le passé mais, tout comme Catherine, elle trouvait quelque chose de profondément anormal à la situation présente. Pagini, un vieil ami à elle qui cultivait autrefois l'artichaut, soutenait que la carte climatique s'était radicalement modifiée : après quatorze années de sécheresse sur dix-huit, il les avait comptées, les cours d'eau étaient à sec, les sources disparaissaient. Le puits que son grand-père Nicolo avait creusé vers le milieu du siècle dernier était aujourd'hui complètement tari. Le climat changeait, c'était indéniable.

— Pagini est un râleur, dit Gerda. Il voit toujours tout en noir. Mais peut-être a-t-il raison ? Je l'ai vu, son fameux puits du relais de poste. Complètement à sec.

— Je m'attends au pire, moi aussi, dit Catherine, qui pensait à des tas de choses. Il y a une odeur tellement étrange, cette année. Les arbres ont commencé à fleurir de bonne heure. Cette précocité ne me dit rien qui vaille. C'est comme si les plantes savaient qu'elles allaient mourir, alors elles se dépêchent de fleurir. C'est absurde. Les acacias ont une odeur particulièrement désagréable. Ça vous prend à la gorge, c'est presque suffocant.

— Pagini s'imagine qu'il sait tout, continua Gerda. Pas étonnant que sa femme et ses enfants l'aient quitté. Il est comme moi, seul au monde. Enfin presque. Mais tu as l'air triste, Catherine... tu ne te sens pas bien ? Rick te fait endosser sa maladie, il se repose sur toi. Je le vois bien. Je crois que tu devrais partir un petit peu.

— Oui, peut-être. En attendant, aujourd'hui je vais rendre visite à votre vieil ami Pagini. Il faut que je lui achète du paillis.

Catherine emprunta la camionnette de Gerda, dans l'intention de se rendre sur la côte. Elle longea la crête montagneuse au nord, puis prit à l'ouest par la forêt de séquoias, le long de Cuervo Creek. Cela faisait plus de trois mois que Bascomb n'avait pas donné signe de vie ; elle l'avait presque oublié, si bien qu'elle se sentit autorisée à passer chez lui, juste pour lui dire un petit bonjour. Mais elle changea brusquement d'avis, par principe.

Cependant, tout en suivant la route — elle n'était ni particulièrement enthousiaste ni particulièrement réticente —, elle revint sur sa décision. Arrivée à la hauteur de l'allée qui menait chez lui, elle quitta la route principale.

« Ce n'est pas comme si je rendais visite à mon amant, se dit-elle. Ce n'est pas du tout ce que je ressens. Dommage. »

Elle traversa sans réfléchir l'épais rideau de feuillage et gara la camionnette dans le bosquet.

Tandis qu'elle remontait l'allée, elle entendit des coups de marteau, ou de hache, au-dessus de sa tête. A part cela, le silence était total. Les séquoias cachaient la route, formant un mur opaque. Les coups de hache arrivaient à intervalles irréguliers, comme si après chaque coup la personne s'arrêtait pour contempler l'effet produit avant de recommencer. Le temps de cette courte pause, le vallon retombait dans le silence, comme inondé d'une eau lumineuse.

Après avoir gravi une pente abrupte et quitté la forêt de séquoias, elle aperçut le toit de la vieille masure au milieu d'une petite clairière ensoleillée. Non, elle se trompait sûrement. Qui aurait pu vivre dans ce taudis misérable ? La cabane n'avait aucun style, ne correspondait à aucune époque ; elle avait été construite avec des matériaux de mauvaise qualité qui résistaient mal aux intempéries. Mais elle avait un certain charme, comme les épaves en ont parfois. Devant la maison s'étirait un jardin qui avait peut-être été un potager jadis. A mesure qu'elle approchait, elle avait l'impression que les fenêtres obscures, la vieille porte et la façade de guingois représentaient un visage de vieillard.

Les coups avaient cessé. Bascomb n'était pas en train de travailler sur son toit, ni aux alentours. Peut-être coupait-il du bois un peu plus loin... Elle entendait la respiration de la maison, une sorte de souffle régulier et oppressant. Elle gravit les quelques marches du perron. Les coups de marteau reprirent soudain — ils venaient de loin, du haut de la colline.

Elle frappa à la porte. Un sentiment de tristesse l'envahit lorsqu'elle réalisa qu'il n'y avait personne. Après avoir hésité tout au long de la route à lui rendre visite, l'envie de le revoir avait emporté sa décision. Elle frappa à nouveau, plus fort cette fois. Toujours pas de réponse. Elle s'assit sur les marches devant la porte, dans un rayon de soleil.

Il était midi passé. Peut-être était-ce lui qui coupait du bois là-haut, mais peut-être pas. Elle n'allait pas l'attendre ici indéfiniment. Elle commençait à se sentir mal à l'aise, bien que la caresse du soleil sur ses jambes lui donnât envie de s'étirer comme un lézard. Elle l'attendit encore un peu, puis elle frappa à nouveau à la porte. Découvrant que celle-ci était ouverte, elle se faufila prestement à l'intérieur.

Comme si la maison lui demandait : « De quel droit es-tu là ? », Catherine se mit à s'interroger sur les raisons de sa présence. Mais non : il n'y avait rien qui justifiât cette intrusion, rien de rationnel. Pourtant elle continua d'avancer. Les pièces de devant étaient étonnamment bien rangées. Le contraste était saisissant entre l'extérieur de la maison et ce qu'elle découvrait à l'intérieur. Le salon offrait les signes d'un certain confort, d'une vie ordonnée : de nombreux livres, des revues, une vieille chaîne stéréo, des tapis chatoyants, des meubles plutôt cossus. Les murs eux-mêmes semblaient avoir été passés à l'enduit et fraîchement repeints. Elle s'approcha des aquarelles qui y étaient accrochées.

L'une d'elles représentait une truite arc-en-ciel dans les mains d'un pêcheur accroupi, dont la tête et les jambes étaient en partie masquées par le cadre. Elle l'admira un long moment.

Après avoir jeté un coup d'œil furtif dans la chambre à coucher, elle retourna sur le seuil.

Elle reprit l'allée en sens inverse. Elle se sentait vaguement honteuse. Qu'est-ce qui lui avait pris de venir jusqu'ici dans l'espoir de le voir ? Il se serait certainement mépris sur son geste. Soudain elle s'arrêta : au bout de l'allée, debout à côté de la camionnette, se trouvait Bascomb. La façon dont il évitait de la regarder en face ne manqua pas de l'étonner.

— Bonjour, lança-t-elle d'une voix presque affolée. Je reviens de chez vous. Vous n'y étiez pas. Mais vous voilà à présent.

Il ne répondit rien, c'est à peine s'il hocha la tête. Il était en tenue de travail, mais ne portait cependant aucun outil, ni hache ni marteau.

— J'étais passée vous dire bonjour, poursuivit-elle. Vous allez bien ? Cela fait au moins deux mois...

— Depuis novembre, dit-il presque sèchement.

Il attendait simplement. Elle se mit aussi à attendre, tout en essayant de comprendre ce que signifiaient son apparition soudaine et surtout sa froideur à son égard. Il avait l'air sombre, songeur. Puis, comme quelqu'un qui s'efforce de surmonter une difficulté, il la regarda.

— Je vous ai attendue, dit-il. Ici. Mais où étiez-vous donc passée depuis novembre ?

— Depuis novembre ? Eh bien je...

Elle se trouvait à quelques pas de lui, un peu plus haut sur la route. Elle le dominait calmement. Puis elle s'approcha de lui prestement. Il s'approcha lui aussi. Il lui toucha la main.

— Vous m'avez presque tué, dit-il calmement, d'une voix claire. Comment avez-vous pu rester si longtemps loin de moi. J'ai failli mourir à force de vous attendre.

— M'attendre ? Oh, ne dites pas une chose pareille. C'est impossible. Ce n'est pas vrai.

— Ah non ? Ça n'est pas possible ?

Il lui prit la main, mais elle recula, secoua la tête. Elle ne souriait pas, bien qu'il lui sourît.

— Vous n'avez pas l'air bien, dit-il. Pourquoi n'êtes-vous pas venue me voir avant ? Pourquoi avez-vous attendu si longtemps ?

— Je ne sais pas...

Quelque chose en lui l'émouvait. Sa franchise, sans doute, cet appel au secours mêlé de tristesse, de chagrin avoué. Elle en perdait ses moyens. La dignité et la réserve sur lesquelles elle comptait l'abandonnaient. Il le sentit et s'approcha un peu plus près.

— Tu m'as presque tué, répéta-t-il dans un soupir. J'étais prêt à mourir pour toi. J'ai failli mourir quand j'ai vu que tu ne revenais pas.

Il l'attira à lui, l'enlaçant à demi. Ils restèrent un moment ainsi sous les séquoias, sans rien dire.

Ils remontèrent jusqu'à la maison, sans qu'il cesse de la tenir, même sur la pente graveleuse qui menait chez lui ; et lorsqu'elle glissa et manqua tomber, il la rattrapa, en la soulevant presque de terre. Il l'aurait portée jusqu'à la maison si elle l'avait laissé faire.

— Non, repose-moi à terre, ordonna-t-elle.

Il ne dit rien. Il avait un regard intense, confiant.

La maison qu'elle avait visitée quelques minutes auparavant les accueillit d'une tout autre façon à présent. Ils allèrent directement à la chambre à coucher. Bascomb ne pouvait s'empêcher de la toucher ; c'est tout juste si elle parvint à ôter ses vêtements tant il entravait ses mouvements. Il semblait redouter que le contact ne se rompît entre eux et, maintenant qu'il la tenait dans ses bras, il ne permettrait pas que leur intimité soit brisée à nouveau. Ils s'allongèrent sur le lit. A demi-consciente de ce qui arrivait, elle se laissait emporter par un tourbillon de pensées. Puis il chuchota quelques mots contre sa gorge. Et tout en la pénétrant il émit des sons gutturaux, tendres et crus qui, bien qu'elle ne les comprît pas, l'emplissaient de curiosité et de plaisir. Elle avait besoin de lui rendre ses baisers, de goûter la saveur intime de sa bouche.

— Tue-moi, dit-elle, si tu veux. Je t'ai presque tué, alors tue-moi à ton tour. Ces mots étranges, qu'elle n'avait jamais dits auparavant, qu'elle n'aurait même jamais pensé à dire, avaient, trouvait-elle, quelque chose de faux.

Ils se mouvaient au même rythme. L'instant avait quelque chose de magique, chaque seconde semblait vibrer sous l'intensité des sensations. Il jouit en elle, immobile, sans un mot, comme si la moitié de lui-même s'évanouissait en elle. Puis elle éprouva à son tour une sorte d'implosion, un orgasme rapide et incontrôlé, induit non par ses mouvements mais par sa simple présence en elle, par la conscience qu'elle avait de lui.

— Oh, mon Dieu, dit-elle, comme une maîtresse d'école stupéfaite, la main au front.

Il resta allongé à côté d'elle sans bouger, les bras emmêlés. Puis, lentement, il revint vers elle et posa son visage sur sa gorge douce et chaude. Elle sombra presque dans le sommeil, et lorsqu'elle se réveilla tout à fait, il avait la tête posée entre ses seins et les bras passés sous ses hanches. Il y avait une certaine innocence dans cette étreinte serrée, comme s'il avait un besoin impérieux de sentir le cœur de son être. Mais ses bras autour de ses hanches commençaient à l'exciter, et bientôt elle fut à nouveau envahie de désir, ivre de sensations. Un courant chaud et rapide remonta depuis ses chevilles jusqu'à sa gorge, et se dégageant de son étreinte, elle dit :

— Viens, pénètre-moi. Oui, comme ça. Comme ça.

— C'est bon ?

Elle éprouvait une sensation de plénitude, de bien-être absolu — comme dans un nid capitonné, le cœur doucement, tendrement bercé. Elle se mouvait avec plus d'abandon à présent, elle était en confiance.

— Et ta femme ? interrogea Catherine. Elle n'a pas envie de revenir vivre avec toi ?

Ils étaient étendus côte à côte.

— Oh, non. Grand Dieu, non.

— Tu ne la vois plus ? Vous ne couchez plus ensemble ?

— Pourquoi est-ce que tu me poses cette question ?

Elle avait entendu ici et là deux ou trois choses concernant Bascomb. Tout le monde connaissait tout le monde dans le canyon — ou du moins le croyait.

— Quelqu'un m'a dit qu'elle et toi étiez toujours ensemble. Attachés l'un à l'autre d'une certaine façon.

— Ah bon ?

— Et que tu n'étais pas encore divorcé. Cela fait longtemps ?

— Oui, très longtemps. Mais ne parlons plus de ma femme, veux-tu ? Elle n'a rien à faire dans notre lit.

— D'accord. C'est comme tu voudras.

Elle avait faim. Bascomb alla dans la cuisine lui préparer un sandwich. Il le lui apporta sur une assiette avec un verre de vin. Sa nudité avait quelque chose de naturel, d'évident. Sa poitrine blanche, ses pectoraux légèrement saillants, formaient un tout parfait, à la fois beau et viril.

Il s'assit à ses pieds tandis qu'elle mangeait. Elle était assise, les genoux repliés, et il passa une main langoureuse entre ses jambes, sur son sexe humide. Elle lui dit d'arrêter. Il se rassit un peu à l'écart, l'air vaguement satisfait, content de lui.

— Alors, tu as pris ton pied ? demanda-t-elle un peu sèchement.

— Oh, oui. Pas toi ?

— Je crois que si. Mais je ne me sens plus très bien maintenant.

Son expression changea lentement. Tout en lui était vif, direct, franc, sauf son regard, qui s'assombrissait parfois par étapes successives.

— Ne t'affole pas. Ce n'est que le début, dit-il avec douceur. Tu te sens bizarre parce que nous ne nous connaissons pas encore. Tu ne sais pour ainsi dire rien de moi, de ce que je pense, de ce que j'éprouve pour toi. Mais cela viendra, tu verras.

109

Elle secoua la tête, l'air dubitatif.

— Viens, donne-moi cette assiette. Je ne veux pas que tu te sentes mal, dit-il en s'allongeant à côté d'elle. Je veux que tu restes ici, avec moi, toute la journée. C'est possible ? Nous allons refaire l'amour, tout recommencer à zéro.

— Tout ?

Il embrassa chacun de ses seins tour à tour. Il y avait de l'audace dans la façon dont il tira la couverture qui la recouvrait, sachant qu'elle allait protester, qu'elle n'avait pas envie d'être regardée, mais il y avait aussi de la franchise, une innocence, une avidité enfantine. Lorsqu'elle croisa les bras sur sa poitrine pour se cacher, il les écarta gentiment. Puis il l'embrassa entre les deux seins, juste au-dessus du cœur.

— Regarde comme tu es belle. Rose comme une fleur... tu es si belle que je n'arrive pas à y croire. Viens. — Il mit une main entre ses genoux. — Faisons encore l'amour. Soyons amants. Baisons comme des...

— Oh ! Ne dis pas des choses comme ça. Je t'en prie.

— Ça ne te plaît pas ? Bien, couchons ensemble, alors... Tu préfères ? Je vais coucher avec toi et toi avec moi. J'aime tes jambes, elles sont toutes dorées ici, à l'intérieur. Tu es encore plus belle que je ne l'avais imaginé. Mille fois plus belle. Dieu... regarde cette chatte. Quelle belle chatte tu as... je veux te la défoncer encore et encore.

— Oh, arrête !

Mais il ne s'arrêta pas. Il poursuivit sur le même ton cru, sincèrement émerveillé. Et tandis qu'il parlait, elle sentit son sexe qui commençait à se raidir et à frapper contre son genou, comme la canne d'un aveugle. Elle rit.

— Allez, allonge-toi et pense à l'Angleterre, ordonna-t-il. Pense au Parti républicain, si tu préfères... Je suis tellement heureux ! N'est-ce pas merveilleux ? N'est-ce pas délicieux, mon amour ?

L'expression de ses yeux changea à nouveau, lentement. Elle l'observait, les yeux grands ouverts, pour ne rien perdre de cet étrange processus. Elle voulait le voir au moment précis où il jouirait, lorsque toute sa tendresse jaillirait de lui, comme dans une sorte d'hémorragie. Mais au bout d'un moment elle sentit ses propres yeux se fermer ; elle en avait vu assez pour s'apaiser et laisser libre cours à ses rêves. Puis son corps exulta, et elle sentit son amour l'envahir jusque dans ses muscles et dans ses os.

17

Ce n'est que sur le chemin du retour, au volant de la camionnette de Gerda, que Catherine réalisa pleinement ce qu'elle avait fait. C'était une prise de conscience froide, éclatante, comme si son esprit s'était enfin libéré de son carcan.

— Je l'ai fait... oui, je l'ai fait, exultait-elle à haute voix. Je le sens encore en moi, donc je sais que je ne rêve pas... Mon Dieu ! Bah, ce qui est fait est fait. On ne peut plus revenir dessus.

Elle était toujours la même, cependant. Elle roulait une fois de plus sur cette vieille route, dans la nature desséchée, moribonde. A nouveau elle eut la sensation que son esprit, en brisant ses chaînes, la projetait dans une autre dimension — même si cette nouvelle dimension ne contenait pas d'idées neuves, pas de révélations.

— Je ne suis pas réellement surprise, au fond, se dit-elle. Ça n'est pas le genre de choses que j'aurais faites en temps normal, loin de là... mais je crois que j'en rêvais depuis longtemps. Je n'ai fait que rattraper le temps perdu, finalement. Peut-être que tout a commencé au bord du lac, la première fois qu'il m'a vue. Cela voudrait dire que mon mal-être, cette impression de folie et de vide n'avaient rien à voir avec Rick. J'étais triste et déprimée à cause de moi-même. Mais ça y est, j'ai tourné la page maintenant, je l'ai bel et bien tournée.

Bien que détendue physiquement, elle avait l'impression

d'être en ébullition. Ce n'était pas son cœur, son cœur battait tranquillement, c'était autre chose, une sorte de mécanique vitale qui se remettait brusquement à fonctionner. Sa nervosité la poussait à sourire, ce qui ne fit qu'accentuer son malaise. Pourtant son visage avait un attrait nouveau pour elle, il l'attirait étrangement. En arrivant à la maison, elle aperçut Gerda, hautaine, qui se tenait debout sur le seuil, un râteau et une sacoche de lin à la main, comme une déesse mythologique. Elle remarqua sèchement que Catherine n'avait pas rapporté une once de paillis.

— C'est que je ne suis pas allée chez Pagini, en fin de compte. J'étais en ville, à l'école de Ben.

— Je vois, je vois.

Était-ce possible ? Y avait-il un signe quelconque de désordre sur son visage, que la vieille femme, intuitive et suspicieuse, avait aussitôt remarqué ?

— Je suis allée en ville, répéta-t-elle. Et ensuite je suis passée à La Charrue étoilée. C'est tout.

— Oui, oui, très bien. Mais tu as pris ma camionnette en disant que tu serais de retour à trois heures. Et moi je t'ai crue, évidemment.

Elle se sentit soudain comme l'héroïne fautive d'un mélo à quatre sous et se précipita à l'intérieur de la maison. Ben était introuvable. Il était certainement rentré de l'école, mais personne n'avait l'air de savoir où il était. Elle partit à sa recherche dans le jardin, et finit par le trouver dans la carrière où il allait parfois peindre avec Karen. En effet, la gouvernante et l'enfant avaient emporté un chevalet et l'avaient installé bien qu'ils ne peignissent pas. Karen était étendue au soleil sur un maigre carré d'herbe. En voyant Catherine arriver, la jeune fille se tourna vers elle, un peu confuse.

— Sommes-nous en retard ? Ben avait-il un rendez-vous cet après-midi ?

— Non, non. Je voulais simplement le voir. Où est-il ?

Ben était parti jouer tout seul dans la forêt. Il avait contourné la carrière sur environ deux cents mètres pour monter jusqu'à la forêt de madrones. Il y allait souvent, seul ou avec Karen.

— Je ne suis pas sûre que ce soit une bonne chose, fit Catherine. Il pourrait tomber dans la carrière et se faire mal. Je ne veux pas qu'il joue là-bas tout seul. Je crois vous l'avoir déjà dit.

Ayant perçu de l'anxiété dans la voix de Catherine, la jeune fille se releva. Elle lissa le dos de sa jupe, l'air songeur.

Une minute plus tard, Ben émergea des bois. Elles aperçurent de l'autre côté de la carrière sa petite silhouette dégingandée qui avançait d'un pas raide et mécanique. Il s'arrêta au bord de la falaise. Une mare s'était formée dans une des excavations et il aimait bien y jeter des pierres.

Catherine éprouva un désir soudain de prendre son fils dans ses bras, de l'embrasser — réaction prévisible de la part d'une « femme déchue ». Mais prévisible ou non, l'impulsion n'en demeurait pas moins violente. En même temps, elle avait l'impression de n'avoir rien, absolument rien en commun avec le petit garçon aux allures de jouet mécanique qui jetait des pierres dans la carrière. Elle l'appela et lui fit un signe de la main ; il jeta encore quelques pierres avant de venir à sa rencontre.

Karen regarda Catherine, puis Ben. Une feuille de chêne s'était prise dans ses cheveux, et Catherine la lui ôta.

— Je suis désolée. Je n'aurais jamais dû le laisser partir tout seul. Je ne le ferai plus, promit la jeune fille. J'irai avec lui la prochaine fois.

— Ce n'est pas grave. Il connaît bien le chemin. Il a l'air minuscule aujourd'hui, vous ne trouvez pas ? Regardez-le. Et tandis que les deux femmes regardaient l'enfant arriver vers elles, Catherine prit la main de la jeune fille dans la sienne.

Ce geste surprit Karen. Elle regarda Catherine, puis leurs mains ; ce contact, cette complicité sans détours, semblaient la surprendre. Puis, comme si ce geste lui donnait du courage, elle dit :

— Je voulais vous dire, madame Mansure... cela fait un moment que je comptais vous en parler. Eh bien... je ne vais pas pouvoir rester à votre service. Mes parents ont besoin de moi. Ma mère va se faire opérer — elle lui en avait déjà parlé, il s'agissait d'une hystérectomie — et elle

114

voudrait que je sois auprès d'elle. Ça doit se faire en juin. Je pourrais continuer de venir un ou deux jours par semaine, si vous voulez, mais j'imagine que vous préférez avoir quelqu'un à demeure.

Catherine était surprise.

— Mais Karen, vous pouvez travailler ici autant, ou aussi peu, que vous le voulez. Ça ne me dérange pas du tout. Prenez des congés si vous le souhaitez, faites ce qui vous arrange. Juin, c'est bientôt, n'est-ce pas ? Si je peux faire quelque chose pour votre maman, dites-le-moi. Êtes-vous sûre de vouloir retourner vivre chez vos parents ? Votre père est rentré ?

— Oui, tout le monde est là.

Le père de Karen, originaire du canyon, avait été hospitalisé, lui aussi. C'était un alcoolique, un ivrogne invétéré, mauvais comme la gale pour tout dire, qui malmenait sa famille — sept gosses et une femme qui enduraient un véritable calvaire. La jeune fille était venue vivre à Longfields afin d'échapper à tout cela — et jusqu'ici tout s'était très bien passé.

— Prenez votre temps, réfléchissez Karen. Retournez chez vos parents aussi longtemps qu'il vous plaira, mais vous auriez tort d'abandonner votre place ici. Vous pourriez en avoir besoin.

— Oui, je ne sais pas...

La jeune fille évitait son regard, mal à l'aise. Au même moment, Ben émergea de la broussaille. D'un pas tranquille il vint se camper entre les deux femmes. Catherine regarda un moment encore la jeune fille puis, cédant à une impulsion irrésistible, elle attira brusquement son fils contre elle et l'embrassa en passant une main dans ses cheveux d'un beau brun luisant. Le garçon se débattait. Il recula d'un pas mais elle le retenait toujours.

— Tu es allé te promener, Ben ? Où es-tu allé ? Sur la montagne ? Tout en haut de la crête ?

— Maman, arrête s'il te plaît...

Elle le lâcha, il bondit aussitôt en arrière, un peu violemment. Il serra les poings comme pour la frapper, mais il s'arrêta. Cette attitude lui donnait l'air d'être tout petit.

— Maman, je suis retourné à l'endroit où nous avions

trouvé le bébé coyote. Tu te souviens ? Il y a du sang partout maintenant. Plein de sang.

— Oui, ce sont des choses qui arrivent dans les bois, Ben. C'est la loi de la jungle. Si nous l'avions ramené à la maison il n'aurait pas survécu. Il voulait retrouver les siens. Il fallait le laisser.

— Non ! Je m'en fiche, si jamais j'en trouve un autre, je le ramène à la maison.

Droit comme un i et raide comme un automate, il s'approcha de sa mère et lorsque son épaule frôla presque sa hanche, il lui prit calmement la main. Quelques instants plus tard, ils reprenaient le chemin de la maison. Karen suivait derrière, le long de l'étroit sentier.

— Maman, comment s'appellent les petits du coyote ? Des chiots ?

— Je n'en sais rien, Ben. Les bébés renards s'appellent des renardeaux, je crois. Mais pour les coyotes, je ne sais pas.

— Le coyote, c'est un mélange de loup et de renard, quelque chose comme ça.

Catherine hocha la tête. Karen se rappela soudain qu'ils avaient laissé le chevalet dans la carrière, et elle repartit le chercher. Catherine et Ben l'attendirent sur le chemin.

— Maman, Karen a pleuré aujourd'hui. Elle a dit qu'elle avait mal au ventre. Et puis elle s'est allongée et elle a pleuré.

— Ah bon ? Je suis désolée de l'apprendre. Est-ce qu'elle va mieux à présent ?

— Je crois.

La jeune femme reparut. Le mal de ventre avait disparu, elle avançait d'un pas léger dans son ample jupe verte plissée. Quelque chose s'éveilla en Catherine, et pour la première fois elle prit toute la mesure de la beauté de la jeune fille — sa fraîcheur, sa jeunesse. Elle les reconnaissait comme si elles avaient été siennes. Cette remarquable beauté produisait un drôle d'effet sur elle, un mélange de jalousie, de regret, d'attirance et d'identification à la fois — parce qu'elle aussi se sentait jeune et belle aujourd'hui, et dangereusement fraîche.

— Oh, Karen, dit-elle sans réfléchir, vous êtes absolument superbe aujourd'hui. Si fraîche, si épanouie. Vous voilà devenue une vraie femme à présent. Une femme superbe.

— Oh, dit la jeune fille, sincèrement étonnée.

Catherine lui prit le chevalet des mains. Elle le fit avec ostentation — comme s'il était de son devoir de décharger la jeune fille de tout fardeau, de tout accessoire qui pourraient altérer son port de reine.

Karen cligna des yeux, un instant affolée, presque terrorisée. Puis ses yeux se radoucirent et se remplirent de larmes.

— Vous êtes toujours si gentille avec moi ! Pourquoi ? Je ne veux pas vous quitter... mais pourquoi êtes-vous si gentille ?

Cette question embarrassa Catherine.

— Eh bien, je ne sais pas. Je vous aime bien, voilà tout. Nous vous aimons tous bien, Ben, moi, Rick... Et puis vous me faites un peu penser à moi quand j'avais votre âge. Vous ressemblez à la jeune fille que j'étais, ou que j'aurais voulu être. Allons, venez.

Elle prit Karen par la taille et l'attira vers elle. Leurs hanches se touchaient.

Ils reprirent le chemin de la maison. Ben marchait entre elles à présent, et de temps à autre il observait leurs visages. « On dirait un petit oiseau, pensa Catherine, un oison curieux et inquiet qui entend un cri lointain dans la forêt sans pouvoir l'identifier. »

18

Le lendemain, un mercredi, Rick se rendit à Palo Alto pour ses examens médicaux. Catherine resta à la maison. En fin de journée lorsqu'elle entendit la voiture s'engager dans l'allée circulaire, elle sortit pour accueillir son mari. Rachel l'aida à sortir de la voiture. Il se redressa péniblement malgré le soutien de la jeune femme et de sa canne. Il marchait comme un vieillard ces temps-ci.

— Voilà la nouvelle panacée ! dit-il d'un ton sarcastique en montrant à Catherine un flacon en plastique avec une étiquette. Ils ont trouvé un autre poison à me faire ingurgiter.

— As-tu vu Klepper ?

— J'ai vu tout le monde. Absolument tout le monde. J'ai tout fait, analyses, kiné, radios. Donne-moi un verre, veux-tu, Catherine ? J'ai envie de boire quelque chose.

Il n'avait plus droit à l'alcool mais il ne pouvait s'empêcher de lancer : « Donne-moi un verre » quand sa patience était à bout, quand sa croix devenait trop lourde à porter, quand il n'y avait plus rien à dire.

Elles l'accompagnèrent jusqu'à la maison. Rachel à droite, un sourire d'infirmière sur le visage, et Catherine à gauche. Lorsqu'il passa un bras autour de sa taille, elle eut un petit mouvement de recul intérieur, pas tant à cause de lui qu'à cause de sa perfidie. Elle eut une vision aiguë des moments d'intimité à venir, des mois et même des années qui s'étiraient devant eux, image d'un avenir empoisonné.

A la porte de la bibliothèque, elle se prit les pieds dans le tapis. Rick la réprimanda.

— Je ne suis pas un sac d'engrais, Catherine, qu'on transbahute sans ménagement.

— Je te demande pardon, Rick.

Il lui redemanda de lui servir à boire. Il était sérieux cette fois. Il s'était laissé tomber dans un coin du canapé vanille. Rachel sortit sur la pointe des pieds, et revint avec un verre d'eau minérale.

— Non, ça n'est pas ce que j'ai demandé.

— Vous pourriez peut-être boire un peu de vin pendant le dîner, dit la jeune femme, attentionnée. — Elle regarda Catherine. — Qu'en pensez-vous ?

— Oui, pourquoi pas ?

Rick fulmina contre elles pendant un bon moment. A mesure que la soirée avançait, il devint de plus en plus grincheux, laissant libre cours à sa mauvaise humeur — il avait besoin de se laisser aller, il en avait assez d'être courageux. Il avait décidé que le plus idiot de ses médecins était précisément celui qui se prétendait le plus compétent : Weiner, le jeune généraliste qui l'exhortait à la patience.

— « Le temps guérit toutes les blessures », voilà tout ce qu'il sait dire ! En attendant, sa gueule toute plate et inexpressive me fait vomir. Je ne supporte pas ses laïus monocordes, on dirait qu'il les lit dans un bouquin. C'est l'ensemble du corps médical qui est corrompu. Quand tu as une bonne mutuelle, alors ils te sortent le grand jeu. Cette semaine, ils ont encore trouvé quelque chose de nouveau : arthrose rhumatoïde. Ce ne serait pas la vieille polio en fin de compte.

— Rick, tu plaisantes ou quoi ? Ils en sont sûrs ?

— Va savoir. Ils me font penser à une gravure de Hogarth, je crois, qui représente une poignée de charognards au chevet du vieux richard agonisant. Ces types ne sont que des charognards, de la racaille. Et Weiner qui n'ose rien dire à ses collègues mais qui ose m'exhorter à la patience ! « Gardez espoir ! »

— La médecine allopathique, c'est une belle saloperie, laissa tomber Rachel, tranquillement. Ça ne fait pas de mal ? Tiens, mon œil.

Après le dîner, Catherine sortit de la maison. Elle brancha les tuyaux d'irrigation de ses jardins, et emprunta le petit chemin qui s'étirait au-delà des granges. Elle atteignit bientôt les cabanes. Il y en avait quatre en tout, solides, bien charpentées, construites plus de trente ans auparavant. Elle frappa à la porte de Karen. La jeune gouvernante sembla surprise de la trouver là ; il commençait à faire nuit dehors, et elle s'apprêtait à se mettre au lit. Elle portait une chemise de nuit en coton et des chaussettes de laine. Catherine entra et elles s'assirent sur le lit.

— Je voulais m'assurer que vous alliez bien et... je me demandais si vous songiez toujours à partir.

— Oh, je vais bien, répondit la jeune fille. Je suis un peu triste, voilà tout. Je n'arrive pas à me changer les idées.

— Il faut essayer. Il doit bien y avoir un moyen.

La cabane en rondins de bois brut était solidement bâtie. « On dirait un de ces refuges de montagne qu'on trouve aux sports d'hiver », pensa Catherine.

La salle de bains était séparée de la chambre par une cloison, tout comme la buanderie. Au fil des mois, la jeune fille avait apporté presque toute sa garde-robe de chez ses parents, à Cuervo. Un de ses frères lui avait donné un vieux coffre en pin vernis et orné de nombreux dessins qui se trouvait à présent dans un coin de la pièce et sur lequel elle avait posé une lampe de chevet.

— Ne vous en faites pas, Karen. Vous pouvez tout me dire. Il y a sûrement moyen que vous restiez ici.

— Non, je ne crois vraiment pas. Vous avez été formidables avec moi. Mais je pense qu'il est temps que je rentre chez mes parents.

Sa voix était ferme, nullement contrite. Plus elles parlaient et plus il devenait clair que sa décision était prise, mûrement réfléchie. Pour permettre à sa mère de se remettre de sa prochaine opération (elle avait déjà un long passé d'interventions chirurgicales, la dernière en date étant la plus sérieuse), Karen allait s'occuper de la maison, s'efforcer d'empêcher son père de boire, et servir en quelque sorte de mère à ses frères et sœurs les plus jeunes. Cependant, elle en fit la promesse à Catherine, elle était décidée à ne pas se laisser marcher sur les pieds ; elle saurait s'en aller le moment venu.

120

— J'ai parlé à Rick, dit Catherine. Il est prêt à faire tout ce qu'il pourra pour vous aider. Et si vous avez besoin d'une infirmière à domicile pour soigner votre mère, il est d'accord pour payer. Une femme de charge, une infirmière — ce que vous voulez.

La jeune fille remercia, bien que l'idée lui parût saugrenue. Faire venir une étrangère au sein du désordre chronique de sa famille ? Non, c'était impossible, ce serait une catastrophe. Ce lamentable gâchis ne devait être partagé avec personne, et encore moins avec une étrangère.

— Il voudrait vous aider, comme je vous l'ai dit. Si vous décidiez d'aller à l'université, il pourrait vous soutenir financièrement, par exemple. Mais il vous en a déjà parlé, je crois ?

— Oui, oui, en effet. — Le ton de la jeune fille se radoucit. Les yeux baissés, elle ajouta : — Il a toujours été très gentil, très généreux avec moi. Comme vous, madame, vous êtes tous les deux très gentils.

Elle sourit d'un sourire angélique, sans lever ses grands yeux d'un vert lumineux vers elle.

Après cela, Catherine se lança dans un discours d'encouragement classique : Karen était intelligente et débrouillarde, si elle avait eu la chance de naître ailleurs, elle aurait certainement fait des études à l'université. Vivre au canyon avait des inconvénients malheureusement. En dépit de sa beauté et de sa sérénité, il mettait un frein aux ambitions des jeunes gens. A aucun moment la jeune femme ne releva les yeux, elle se mit à frissonner — soit parce qu'elle était gênée par ce déferlement d'éloges, soit pour d'autres raisons, Catherine l'ignorait.

Au beau milieu de son laïus, Catherine se sentit soudain déphasée. Elle comprit soudain le véritable motif de sa visite. Le cou gracile de la jeune fille, humblement incliné, éveilla en elle un étrange élan d'affection.

— J'étais comme vous, autrefois, Karen, fit-elle pensivement. Oui, je vous ressemblais beaucoup à bien des égards. J'essayais de contenter tout le monde, et j'y arrivais le plus souvent, mais au fond de moi, je mentais. Je n'étais pas ce que je croyais être — pas du tout. Les autres ne comptaient pas pour moi, pas autant qu'ils auraient dû. Je ne compre-

121

nais rien à l'amour. Comment fait-on pour aimer ? Cette question me hantait. Je n'arrêtais pas de m'interroger sur le sens de la vie, je voyais une sorte de vide derrière toute chose. Je crois que j'étais à la recherche de sentiments plus authentiques — quelque chose de ce genre. Des sentiments intenses, évidents, des sentiments absolus...

La jeune fille, légèrement surprise par l'intimité de sa voix, plongea soudain ses yeux verts dans ceux de Catherine. Mais son regard était vide et cela lui donnait un air fourbe, comme c'est souvent le cas avec les gens flegmatiques.

— Alors j'ai voulu tomber amoureuse, continua Catherine. Cela me paraissait important à l'époque. J'étais étudiante ; selon moi, l'amour faisait partie de l'apprentissage de la vie... et bing, du jour au lendemain j'ai trouvé quelqu'un qui m'inspirait des « sentiments violents ». Pas forcément de « bons » sentiments, notez bien, mais quelque chose de fort, de vrai. Ça a été un grand soulagement car je craignais que ma vie ne m'échappe.

La gouvernante semblait sur ses gardes. Elle n'approuvait pas ce discours, elle en redoutait le dénouement. Mais Catherine lui toucha la main pour la rassurer, et reprit son monologue en redoublant de ferveur :

— Je suis allée voir cet ami, vous voyez lequel ? Celui dont nous avons parlé quelquefois. Je suis allée chez lui, il habite là-haut, au cœur de la forêt, dans une maison isolée. On dirait que l'endroit est enchanté. Il n'était pas là. J'ai frappé, frappé à sa porte, et puis j'ai entendu du bruit dans la forêt, quelqu'un qui coupait du bois. Vous voyez ce que je veux dire, un bruit de hache sourd et régulier qui vous berce...

La jeune fille se repliait de plus en plus sur elle-même. Mais Catherine avait besoin de parler ; elle avait un aveu à faire. Lorsqu'elle prononça tout haut le nom de Bascomb, elle éprouva une sorte d'excitation. Ce nom tout simple, sans artifices — elle ne savait pas si elle l'aimait ou non — l'excitait, lui rappelait les sensations de la veille. Les coups de hache qui l'avaient bercée ; la soirée au bar de Cuervo où elle l'avait entendu jouer la première fois ; le son caressant de l'archet qui vous hypnotisait presque... La jeune fille l'écoutait, perplexe — elle ne comprenait pas le pourquoi de ces confidences mais elle commença pourtant à se détendre, tout en gardant une certaine froideur. Elles n'avaient parlé qu'une ou deux fois de Bascomb.

— Il habite avec sa fille, dit Catherine. Il ne voit plus sa femme, contrairement à ce qu'on dit. Il a des côtés un peu rudes parfois. Il donne l'impression de se moquer de vous, de se moquer de tout, et puis tout à coup il redevient sincère. Ça me touche. C'est un homme surprenant. Je ne sais pas s'il est meilleur ou pire que les autres, mais il n'est pas ordinaire en tout cas...

Elle parlait trop, à tort et à travers. Pourtant le plaisir qu'elle éprouvait était bien réel, il semblait contenir en lui-même sa propre justification. C'était la jeune femme en elle, celle qui s'était comportée en demoiselle la veille dans les bois, qui l'incitait à se confier, à implorer l'absolution de cette autre jeune femme.

— Il ressemble à quelqu'un que j'ai connu autrefois. Non pas que je le connaisse vraiment bien... mais il ne m'est pas étranger. Il n'y a qu'un seul homme qui m'ait fait cet effet avant lui. C'était il y a longtemps, quand je vivais au Guatemala... Il travaillait à la plantation, il était régisseur. Je n'aimais pas son attitude vis-à-vis des Indiens, mais quelque chose en lui m'attirait. La première fois que je l'ai entendu parler — en espagnol, je crois bien —, j'ai eu l'impression de le connaître, rien qu'au son de sa voix. Je venais juste de me marier... et je me suis demandé : « Que signifient ces sentiments ? Pourquoi cet homme m'obsède-t-il à ce point ? C'est absurde, c'est destructeur. » Mais quand on éprouve un sentiment comme celui-là, on reste sans défenses. Quelle est la raison de toutes ces émotions, de cette lutte contre soi, de ce besoin de détruire ?

La jeune fille hochait la tête à présent — comme si elle avait enfin compris de quoi il retournait. Mais au même moment elle réprima un petit bâillement, et Catherine fut prise de court. Ce petit bâillement poli, furtif, et tout à fait excusable étant donné l'heure avancée et les émotions de la journée, coupa net son désir de se confier, son plaisir de raconter ce qu'elle avait sur le cœur. Elle en vint même à se demander si le bâillement de Karen, réaction banale, parfaitement naturelle, avait été aussi involontaire que ça et une fois encore elle fut frappée par le sang-froid de la jeune fille. Elle prit conscience du silence pesant, implacable, qui s'instaurait entre elles, comme si la pièce elle-même lui était devenue hostile.

Un instant plus tard elle prenait congé en disant :

— J'ai oublié de fermer l'eau dans le jardin.

Puis, après lui avoir souhaité bonne nuit, elle s'en alla.

19

Ben était un bon joueur d'échecs, et sans avoir rien demandé il reçut six ouvrages sur les échecs pour son anniversaire, fin mai. Les livres venaient de Bob Stein, qui était lui-même un joueur médiocre, mais qui l'année passée avait été impressionné par les aptitudes du gamin. Lorsqu'il rentrait de l'école, ces temps-ci, Ben allumait aussitôt l'ordinateur de son père et lançait le programme Chess Master 2000. Il avait déjà battu la machine aux quatre premiers niveaux (il y en avait dix en tout).

Comme c'était souvent le cas avec Bob, ce cadeau n'était qu'une entrée en matière : quelques jours plus tard, il appela et proposa de venir passer un week-end début juin. Catherine accepta à contrecœur.

— J'ai l'impression d'avoir pris sept ou huit ans en l'espace d'une année, dit-il. Tu avais raison pour mon manuscrit. Il ne m'a causé que des soucis. Mon directeur de publication a démissionné et l'éditeur a voulu annuler le contrat. Ils ont vraiment éreinté le bouquin, et puis voilà qu'au dernier moment ils décident de le publier, Dieu sait pourquoi. Si celui-là ne se vend pas, je peux faire une croix sur ma brillante carrière d'auteur. Au fait, j'ai vu Maryanne la semaine dernière. Il paraît qu'elle va se marier, tu te rends compte ?

Lorsque Bob arriva, toujours au volant de sa vieille Volvo, il avait l'air tendu et fatigué. Il expliqua qu'il se sentait au bout du rouleau, à la fois physiquement et mentalement. Il venait de passer l'hiver le plus éprouvant de sa vie, il avait le sentiment d'avoir échoué sur tous les tableaux : il se sentait incapable d'écrire, deux des cours qu'il donnait à l'université avaient été supprimés suite à une décision administrative, et il allait bientôt se retrouver sans un sou. Et pour couronner le tout, il n'avait pas de petite amie, et ne cherchait même plus à en avoir.

— Ça n'est pas facile d'être un don Juan par les temps qui courent. Le pays tout entier est devenu farouchement anti-sexe. Sauf quand il y a du pognon à la clé, naturellement... A Berkeley on ne regarde même plus une fille dans la rue de peur que la brigade des mœurs, tapie dans l'ombre, vous tombe dessus à bras raccourcis. Le moindre geste un peu naturel est considéré comme une entorse à la loi. Si je vois une fille qui me plaît, je n'ose pas lui adresser la parole, je risquerais d'insulter sa féminité... et de propager quelque maladie honteuse !

Ils montèrent voir Rick, mais celui-ci était en train de faire son petit somme du matin. Rachel, la fille de cuisine, ferma la porte de la chambre en les voyant approcher, barrant à Catherine l'accès à sa propre chambre.

— Il est trop fatigué, dit-elle sans la moindre déférence. Il a beaucoup travaillé et écrit — comme si Catherine ne le savait pas, comme si elle ne connaissait pas les activités de son mari.

— Très bien, Rachel. Nous reviendrons tout à l'heure. Mais ne me refermez plus jamais la porte au nez. J'ai horreur de ça.

— Je vous prie de m'excuser, je ne l'ai pas fait exprès.

Bob semblait soulagé. Il redoutait ce face à face avec Rick. Ils ne s'étaient pas parlé depuis un an, depuis sa dernière visite à Longfields. La nouvelle de son déclin physique était arrivée jusqu'à Berkeley, et la rumeur courait qu'il souffrait du sida, ou de sclérose en plaque, ou peut-être des deux. Catherine expliqua la situation en détails, pour rétablir la vérité. Bob hochait la tête tristement. Il leva les bras au ciel, compatissant, lorsqu'elle lui raconta les tâtonnements et les erreurs de diagnostic. Il avait été témoin d'une aventure semblable : une de ses cousines s'était récemment mise à souffrir de désordres neurologiques. Il avait fallu des mois pour identifier sa maladie.

— Ils disent que c'est la maladie d'Epstein-Barr... une histoire de fatigue chronique, dit Bob. En attendant elle a perdu son boulot, son petit ami et son appartement. Pendant un temps ils l'ont traitée avec des trucs bizarres, des médicaments qu'on donne aux épileptiques. Pour ce qui est de Rick, ça me fait penser au syndrome de Lyme, cette maladie qu'on attrape par les tiques. Vous vivez dans la jungle, ici. Ça doit grouiller de tiques et d'autres bestioles du même genre.

— Je n'ai jamais entendu parler du syndrome de Lyme dans les environs. Je ne crois pas qu'il y en ait dans cette partie de l'État.

— Moi, je n'en suis pas si sûr, Catherine. Tu sais qu'il y en a à Berkeley, à Tilden Park, à deux pas de chez moi. C'est la revanche de la nature. A mesure que nous autres, humains dégénérés, détruisons ce qu'il reste de vie sauvage, les maladies se propagent inéluctablement. Les syndromes de Giardia et de Lyme, la fièvre des Rocheuses n'affectaient jusqu'alors que les animaux. Le sida était le virus du singe vert — sauf si on croit à la thèse selon laquelle ce serait la CIA qui l'aurait délibérément introduit en Afrique centrale par le biais de vaccins anti-hépatiques. Il y a un prof à l'université qui a fait un tabac en démontrant que les premiers cas de sida se sont déclarés à proximité des centres de vaccination de l'Organisation mondiale de la santé... Personnellement je préfère l'idée du singe vert, elle est beaucoup plus terrifiante. Cette existence que nous avons tant de mal à supporter et qui reste une épreuve, même dans le meilleur des cas, devient de plus en plus fragile. Le moindre microbe momentanément tenu hors d'état de nuire, pestes d'hier ou de demain, peut se réveiller du jour au lendemain...

Lorsque Rick fit son apparition, un peu plus tard dans l'après-midi, Bob avait déjà bu quelques verres. Il eut presque les larmes aux yeux en saluant l'infirme. Rick se prêta de bonne grâce aux étreintes chaleureuses et sincères de Bob, mais il ne les lui rendit pas — il était appuyé sur ses deux cannes de toute façon. Cependant il semblait touché par l'effusion de son ami. Après quoi, les deux hommes, sans doute surpris par cet étalage de sentiments, tombèrent dans un silence qui ne leur était pas coutumier.

Catherine regarda Rick tel que le voyait Bob : comme un infirme. Lors de sa dernière visite, dix mois plus tôt, il avait vu un homme puissant, élégant ; aujourd'hui, il se trouvait face à un être amoindri, physiquement dégradé.

De même, Catherine imagina la mortification de Rick en voyant ce vieil ami qui le connaissait si bien, qui l'avait admiré et envié tout au long de sa formidable carrière, décomposé par le spectacle de sa maladie.

— Tu veux un verre, Rick ? intervint Catherine tout en lui servant un petit scotch, le premier depuis presque un an. Il hocha la tête, reconnaissant.

— Comme la vie est étrange, dit-il un moment plus tard, en clignant des yeux, l'air songeur. — Il sourit devant la banalité de son propos et se tourna vers Bob : — Étrange ou tout simplement stupide, selon toi ?

— Je t'avoue que je n'en sais rien. Mal foutue, certainement. Et incompréhensible.

— Je pense souvent aux rats de laboratoire, dit Rick d'une voix presque railleuse. A la trois cent quatre-vingt-dixième génération, l'un d'eux se casse une patte, et ne parvient plus à se traîner jusqu'à la mangeoire. Le voilà condamné à mourir de faim. Mais cela n'a aucune espèce d'importance. Tout le monde s'en fiche complètement. La vie continue, bêtement, inexorablement.

— Oh, Rick chéri, dit Catherine, te voilà bien désabusé. C'est très bouddhiste tout cela. Mais tu n'es pas encore mort, et je te signale que tu arrives toujours à te traîner jusqu'à la mangeoire.

— Je t'en prie, Catherine, épargne-moi ta condescendance. De quel droit les gens s'imaginent-ils qu'ils peuvent vous materner sous prétexte que vous êtes malade ou infirme ? Tiens, sois gentille, sers-moi plutôt à boire.

Docile, Catherine remplit à nouveau son verre. Rick se laissa brusquement tomber sur le canapé, comme vidé de toute substance. Puis, avec un sourire goguenard, il dit à Bob :

— Ça fait plaisir de te voir, mon vieux Bob. Mais j'imagine que ça doit te faire tout drôle de retrouver un grabataire, surtout après les livres que tu as écrit sur moi. Je me consume comme une chandelle, exactement comme tu l'avais prédit... On va bientôt te proclamer prophète. Était-ce dans ton premier ou dans ton troisième roman, Bob, que mon personnage se brisait les os dans un accident de voiture ? Je me mélange un peu les crayons avec tous les malheurs que tu m'as infligés. Je sais que ma femme me quitte dans tous tes romans, aussi. Autrement dit, si Catherine se trouve un amant, on pourra dire que ton scénario se sera entièrement réalisé. Quel triomphe pour toi !

Au bout d'un moment, Bob répondit :

— Je ne vise aucun triomphe, Rick, crois-moi. Et je n'ai jamais écrit sur toi, pas au sens où tu l'entends. Mais je me sens tout drôle, c'est vrai. Et très triste aussi, pour toi.

— Merci, Bob. Ça me touche. Tu sais, j'ai toujours pensé qu'il te fallait un sacré culot pour écrire toutes les vacheries que tu m'as réservées et puis venir chez moi en faisant semblant d'être mon ami. Crois-tu que tu possèdes un don de double-vue, Bob ? On dirait que tu peux prédire des événements, en l'occurrence le sort inéluctable qui me guettait. A moins que ce ne soient tes livres qui aient décidé de mon destin. Que dis-tu de cela ? Est-il possible qu'un roman, une œuvre dite de fiction, puisse influencer la vie du personnage qui a servi de modèle. Autrement dit, peut-on réécrire la réalité ? Je commence à me dire que oui. La fiction serait en quelque sorte un programme que l'on lancerait sur l'ordinateur de la vie, et la réalité serait contrainte de se soumettre à sa logique, à sa pertinence. Pas en une fois, mais petit à petit. Eh bien ? C'est comme cela que nous jugeons les grandes œuvres, n'est-ce pas ? Celles qui modifient notre vision du monde, celles qui nous influencent. Non pas que ton œuvre à toi fasse partie de celles-là, note bien. Nullement.

Rick fit tomber une de ses cannes qui alla heurter le sol avec un bruit déplaisant. Bob, dans un geste pathétique, se baissa pour la ramasser.

— Pose-la là, Bob. A côté de mes jambes d'infirme. N'aie crainte, je ne vais pas m'en servir pour te frapper.

— Rick, je n'ai jamais écrit sur toi. Ni sur Catherine. Il y a des individus qui vous stimulent, qui révèlent des archétypes. Alors on essaye de piger le processus, bêtement... C'est comme les gens que tu vois dans tes rêves, tu peux les avoir perdus de vue depuis longtemps, des amis d'enfance, de vagues connaissances. Tu écris sur eux parce que tu cherches à comprendre ce qui t'attache à eux — cette empreinte subliminale qu'ils ont laissée sur ton cerveau. Sans doute représentent-ils une part cachée de nous-mêmes.

— C'est très intéressant, Bob. Mais quelqu'un de plus simple, quelqu'un dont le sens artistique serait moins développé que le tien, dirait tout simplement que tu as écrit sur moi, sur moi et sur personne d'autre. Tu l'as fait parce que tu étais jaloux de mon succès, et tu ressentais le besoin de m'humilier. Et comme tu ne pouvais pas le faire dans la vie réelle, tu l'as fait dans tes bouquins. Tu as écrit sur ma femme parce que tu as toujours eu un faible pour son joli cul... Mais maintenant que je suis fichu, que je ne fais plus envie à personne, tu ferais bien de commencer à chercher quelqu'un d'autre, Bob, une autre victime pleine de promesses. Quelqu'un d'assez proche de toi, malgré tout, et que tu prétends aimer, mais quelqu'un de plus retors, cette fois. J'ai toujours trouvé que tu mettais un peu trop l'accent sur mes qualités dans tes romans.

Ce petit jeu de la vérité autour des indiscrétions romanesques de Bob se prolongea jusqu'au soir. Catherine devenait de plus en plus morose à mesure que le temps passait. Mais les deux hommes se parlaient à présent plus franchement qu'ils ne l'avaient fait depuis des années. Une complicité factice, entretenue sans aucun doute par le whisky et le vin (deux bouteilles de Heitz Cabernet au dîner), s'était établie entre eux. Plus tard, Catherine s'étonna de la liberté avec laquelle Rick avait parlé de lui-même et de ses sentiments, sujets autrefois tabous. Elle y vit des signes de l'influence du Dr Klepper, son psychanalyste.

— Quant on arrive à mon âge, quand on en est au point où j'en suis de ma carrière, dit Bob après dîner, tandis qu'ils retournaient s'installer sur la véranda, on comprend qu'il ne faut pas lutter contre son imagination. On prend ce qu'elle veut bien vous donner, humblement, avec reconnaissance. Quitte à réécrire sans cesse le même livre. J'accepte tout de mon imagination à présent... Je sais ce qui dérange dans mes bouquins, les histoires que j'ai inventées sur la fac, et tout le reste, j'en ai honte, crois-moi. Mais je n'ai plus le sentiment de tricher aujourd'hui. Je ne fais que retranscrire une bande qui se déroule dans ma tête. Je raconte ce que j'ai sur le cœur, et si minables, si futiles que soient mes livres, c'est tout ce que je peux transmettre à l'humanité.

— Bob, intervint Rick, je n'ai pas lu ton dernier roman. Je suis navré, mais Catherine dit qu'il n'est pas fameux, que c'est toujours le même bla-bla. Ce que je n'aime pas cependant, c'est ton discours de martyr, tu parles comme si on t'obligeait à écrire. Où as-tu été chercher une idée pareille ? La vérité, au fond, c'est que tu penses que tu as le droit de dire des âneries et que les autres ont le devoir de les écouter. Tout ceci me semble très présomptueux. Tu ne voudrais pas, en plus, que je compatisse, tout de même ?

Bob ne put qu'acquiescer. Il avait trop bu, à moins que ce ne soit tout simplement la fatigue. Rick, que cette conversation avait au contraire ragaillardi, résista un moment encore, bien au-delà de l'heure habituelle de son coucher.

Le lendemain matin, tandis qu'ils descendaient vers les jardins, Bob demanda à Catherine si elle « voyait » quelqu'un. Elle nia aussitôt, presque violemment. Il s'excusa d'avoir été aussi direct, déclarant pour sa défense que revoir Rick dans cet état l'avait profondément affecté :

— La dernière fois que je me suis senti aussi mal, c'est quand mon grand-père est mort. C'était comme si un pilier de mon univers s'effondrait brusquement... Tu étais silencieuse, hier, Cath. Tu n'as pas dit deux mots. J'ai senti que quelque chose de nouveau s'était instauré entre toi et Rick — quelque chose de triste, de l'ordre de la résignation. Je me fais du souci pour toi aussi, sais-tu ? Je crois qu'il en mourrait si tu le quittais. Il t'aime désespérément, à sa façon à lui, bien sûr. Et tu le sais.

Catherine trouvait cet hymne à l'amour de Rick chanté par Bob Stein pour le moins surprenant.

— Je n'ai rien à cacher, Bob, dit-elle, d'une voix qu'on sentait légèrement courroucée. Et puis je trouve qu'il est un peu tard pour me donner des conseils matrimoniaux. Je fais tout ce que je peux pour Rick, et je le ferai aussi longtemps que je le pourrai. J'ai toujours été là lorsqu'il avait besoin de moi. Et cela ne changera jamais.

20

Elle avait vu Henry Bascomb trois fois en tout — deux fois chez lui et une fois dans les bois, à l'extrême ouest de la propriété. A sa grande surprise, il lui écrivit une lettre qui arriva le lundi suivant le départ de Bob Stein. Voici ce qu'il lui disait :

« Catherine,

» Je vais chaque jour à la mare dans l'espoir de t'y rencontrer. Ce matin, en passant par les bois j'ai retrouvé le tapis de trèfle où nous nous étions allongés, et je m'y suis étendu à nouveau, pour sentir ta présence. Je sentais la terre, et j'avais peur de ne pas te revoir, peur que tu regrettes ce qui s'était passé entre nous. Peur que tu te mettes à m'en vouloir. Dans un sens, tu es trop bien pour moi — beaucoup trop bien, si tu savais. Chaque fois que nous nous quittons, j'ai peur de ne pas mériter tout ce bonheur.

» Je suis resté un long moment le nez dans les fleurs et je me suis senti beaucoup mieux, gagné par le charme de l'endroit. Les arbres et la terre avaient l'air différents, l'air aussi. Il était plus frais, plus exaltant. Si un étranger venait dans ce coin de la forêt où nous nous sommes vus, je crois qu'il sentirait immédiatement que quelque chose d'extraordinaire s'y est passé. Peut-être même sentirait-il que quelqu'un y a fait l'amour, un couple d'animaux, un cerf et sa biche. Ou des coyotes, il y en a plein. Il n'imaginerait cependant jamais ce que j'y ai vu : une femme nue, rose et

133

rousse, vraie et éblouissante, dorée, étendue parmi les fleurs blanches, les cheveux défaits, qui se tournait vers moi pour se donner sans honte aucune... »

Après, il évoquait un problème qu'il avait eu récemment avec ses plantations de marijuana : il avait dû puiser à nouveau dans la mare pour les arroser. Sa lettre continuait ainsi :

« Même si nous ne pouvons pas continuer comme ça, même si tu as mille bonnes raisons de cesser de me voir, je ne t'en voudrai pas. Je crois que je ne pourrai jamais t'en vouloir. Mais sache que pour moi il s'est passé quelque chose d'important. Une rencontre dont je rêvais depuis toujours, que j'avais cessé d'attendre, même si je n'avais cessé d'espérer. Lorsque je réalise ce qui m'arrive, je perds le contact avec moi-même. Ça se passe généralement quand nous faisons l'amour ; j'ai tellement envie de toi que mes bras pour te serrer contre moi, ma poitrine pour te réchauffer et ma verge pour te baiser n'y suffisent plus. J'oublie qui je suis, je suis complètement ailleurs, submergé par la beauté de l'acte. Je me sens vidé, dominé, détruit. J'éprouve une sensation que seules l'extase et la passion peuvent susciter... »

La lettre à la main, Catherine se rendit à la cabane à outils. Là-bas, elle se sentit suffisamment en sécurité pour la relire plusieurs fois. L'affolement d'avoir reçu une telle lettre chez elle se dissipa peu à peu pour faire place à l'inquiétude. Était-ce la gravité du ton de Bascomb ou simplement l'étrangeté de ses expressions : que voulait-il dire au juste par « extase », était-ce réellement elle qui le « vidait », le « dominait » ? Cependant, à mesure qu'elle relisait la lettre, elle se sentait gagnée par une exaltation, non pas égale à celle qu'il décrivait, mais semblable, et elle désira soudain être avec lui. Il livrait un tout autre aspect de lui-même qui lui donnait envie de rassembler tous les morceaux du puzzle et d'ajouter cette nouvelle facette aux autres.

Il lui était malheureusement impossible de se libérer avant vendredi. Elle lui envoya un petit mot pour fixer l'heure et l'endroit, lui demandant de ne plus lui écrire à la maison, pendant un certain temps tout au moins.

Elle le vit arriver de loin. Il gravissait péniblement le sentier de la forêt. Le ravin où elle lui avait donné rendez-vous était un endroit particulièrement isolé, situé à plusieurs kilomètres au sud de la ferme. Elle l'avait découvert deux ans auparavant, en suivant les indications d'une carte d'état-major. Il s'agissait en fait d'une colline qui s'était fendue en deux à la suite d'un tremblement de terre. Le ravin était très frais, bordé de grands lauriers sauvages dont l'épais feuillage procurait une ombre verte bienfaisante. Bascomb paraissait tout petit à cette distance. Elle le perdit de vue lorsqu'il atteignit les arbres ; elle se déplaça d'une dizaine de mètres et l'aperçut à nouveau.

Il marchait tête baissée, il avait l'air fatigué. Sa chevelure épaisse et ondulée se balançait lentement de chaque côté de sa tête, des mèches de cheveux voletaient autour de son visage. Elle descendit encore un peu, et ils s'arrêtèrent à quelques pas l'un de l'autre, sur le plateau moussu entouré de cascades.

Bascomb sortit de sa sacoche un bouquet de fleurs d'oseille et d'iris sauvages qu'il avait cueilli pour elle. Il le posa dans une flaque d'eau, sous une petite cascade. Catherine s'approcha en faisant mine d'admirer les fleurs.

Ils se dirent bonjour à voix basse. Il lui demanda de l'excuser pour la lettre.

— C'était un ramassis de conneries, de toute façon, dit-il. Je ne sais même pas ce que j'ai voulu dire. Je n'arrive pas à écrire ce que je ressens. Il n'y a rien à faire.

— Non, ça n'était pas un ramassis de conneries, dit-elle, c'est une belle lettre, elle m'a fait plaisir. Mais je me suis fait du souci pour mon mari. Il est très malade, comme tu le sais. Je fais partie de ces femmes qui peuvent tromper leur mari, mais qui ne veulent pas le voir souffrir.

Bascomb hocha la tête.

— On dit qu'il est paralysé, et qu'il va bientôt mourir.

— Non, il ne va pas mourir. Qui t'a raconté une chose pareille ?

— Les gens du village. Ils prétendent bien le connaître, et toi aussi.

Il ne l'avait pas encore touchée. Il ne l'avait même pas encore regardée en face. Chaque fois qu'ils se rencontraient, il leur fallait repartir à zéro, recommencer toutes les approches amoureuses, braver les hésitations, la timidité, les résistances de l'un et de l'autre. Elle éprouva soudain un élan de désir, peut-être provoqué par sa froideur. Elle espérait qu'il percevrait son émotion mais il fit quelques pas en arrière et s'accroupit à côté du bouquet. Il avait attaché les tiges avec des brins d'herbes qui s'étaient dénoués dans l'eau. Il saisit deux iris sauvages, tout trempés, par la tige.

— Les gens disent qu'il est en train de mourir. Il paraît aussi que tu ne l'as jamais aimé et que tu serais partie depuis longtemps qu'il n'avait pas autant d'argent.

— Ils t'ont dit cela ?

Il acquiesça vaguement. Le sujet semblait lui être indifférent, même si c'était lui qui l'avait abordé. Il prit une des fleurs et la lui mit dans la main. Puis il l'embrassa dans le cou — de petits baisers pointus dans l'échancrure de sa chemise. Son haleine chaude et caressante avait le parfum des fleurs.

— Je les ai cueillies pour toi. Parce qu'elles me font penser à toi. Toutes les plantes de cette forêt me font penser à toi.

— Même les chardons et les baies empoisonnées ?

Il fit une couche pour elle sur la mousse fraîche et humide et la recouvrit de ses propres vêtements. La lumière qui filtrait teintait ses épaules de reflets presque verts. Au bout d'un moment elle se dévêtit, elle aussi. Lorsqu'il se retrouva complètement nu devant elle, son sexe vigoureux à demi dressé, couleur lavande mêlé d'ivoire, elle éprouva presque de la peine pour lui, comme si la pâleur de ses épaules, la douceur de son torse, étaient les talismans d'une vulnérabilité fatale, désespérée. Elle l'embrassa à la taille. La saveur de sa peau avait quelque chose d'exotique, elle lui rappelait la forêt, les fleurs. Elle ne pensait pas à d'autres hommes, ni même à lui, mais à une autre époque, ou à un pays étranger qu'elle aurait pu visiter dans sa jeunesse. Puis, lorsqu'elle l'eut pris franchement dans sa bouche, elle continua à rêver à cet autre pays, symbole d'une vie pleine de plaisirs et d'audaces. Sa vraie nature profonde aspirait au bonheur et au plaisir cru, sans fards.

Sentant un frisson parcourir le corps de son amant, elle éprouva une sorte de tremblement de plaisir qui répondait au sien. Bascomb se retira prestement.

Elle était toujours à genoux devant lui. Au bout d'un moment il s'agenouilla à son tour, pressant son visage contre ses seins, d'abord une joue puis l'autre. Il se mit à lui caresser les cuisses doucement. Lorsqu'ils s'embrassèrent à nouveau, il s'immobilisa brusquement, comme accablé par un sentiment d'impuissance, de désespoir.

— Qu'y a-t-il ? demanda-t-elle. Où es-tu, Bascomb ?

— Non, pas encore, dit-il. Non.

Il s'approcha et l'attira vers lui, mais tristement, comme à regret. Elle sentait la forêt autour d'eux. Il la souleva et la pénétra un peu violemment. Cela lui évoqua les bois, une fois de plus : le moment qu'ils étaient en train de vivre, l'endroit où ils se trouvaient, l'après-midi paisible et baigné d'ombre. S'allongeant à nouveau sur la mousse, elle sentit la fraîcheur de la forêt sur sa peau ; au-dessus d'eux les arbres formaient une sorte de squelette qui se ployait docilement, cherchant son centre de gravité.

Ils se rhabillèrent lentement, en suspendant leurs gestes de temps en temps, comme s'ils oubliaient ce qu'ils étaient en train de faire. Les arbres qui les contemplaient (si tant est que les arbres vous contemplent) voyaient un homme et une femme qui se tournaient le dos en rassemblant tranquillement leurs vêtements, elle avec une seule chaussette, lui avec son pantalon mais sans chemise.

— Que s'est-il passé, Bascomb ? demanda-t-elle. Où étais-tu dans ta tête ?

Il la regarda, l'air surpris.

— Tu n'étais pas là, répéta-t-elle. Tu étais ailleurs. Je n'aime pas faire l'amour comme cela. Cela me fait peur. Je ne te connais pas assez bien. Je ne te connaîtrai peut-être jamais.

Il ramassa sa chemise et l'enfila lentement. Puis il aida Catherine à reboutonner la sienne. Il avait un sourire figé, mais ses gestes étaient tendres, et ses mains exhalaient une sorte de chaleur.

— J'ai besoin de te sentir, dit-elle, presque suppliante. Tu ne peux pas disparaître comme ça. Dis-moi à quoi tu penses dans ces moments-là.

— A quoi je pense ? Je n'en sais rien. Je pense à toi, en fait... Je t'imagine, je te sens complètement. Mais je n'arrive pas encore à y croire. Ce que j'éprouve est trop fort — beaucoup trop fort. Je suis dépassé.

— Il faut que tu te forces à rester avec moi, sinon je ne peux pas faire l'amour. Je veux apprendre à te connaître.

— D'accord, je le ferai.

Il se détourna pour mettre ses chaussures. Elle était désorientée. Elle avait le sentiment qu'il la rejetait au moment précis où elle essayait de le comprendre, de lui parler. Finalement, leur intimité physique créait une sorte de vide, de déséquilibre. C'était une erreur de commencer par là. Ils risquaient de se faire mal en jouant à ce jeu-là, un jeu sans but véritable, sans fondement.

— Il faut d'abord que j'apprenne à te connaître, implora-t-elle. Et vice versa. Tu te sentiras mieux, tu n'auras plus peur.

— Très bien. Mais... j'ai l'impression que j'aurai toujours peur. C'est dans l'ordre des choses, tu ne penses pas ?

— Non, je ne comprends pas, dit-elle en lissant ses cheveux.

21

Jusqu'alors, Catherine avait assumé sa « passade », qui n'était finalement rien d'autre qu'une petite aventure discrète et sans conséquences. En douze ans de mariage, elle n'avait jamais trompé son mari, même s'il lui était arrivé d'éprouver de fortes attirances. L'inconvenance de sa liaison, compte tenu de la condition physique de Rick, constituait presque une excuse en soi. Dès l'instant qu'elle était capable de faire une chose pareille, qu'importait le reste ? Sans doute était-elle moins intègre, moins méritante qu'elle voulait le croire.

L'excuse classique consistant à dire qu'elle se sentait seule, qu'elle avait besoin d'un réconfort physique, ne signifiait rien pour elle. Elle savait qu'elle n'était poussée par aucune nécessité d'ordre physique. La preuve, cela ne lui était jamais arrivé, l'idée même lui était étrangère. L'aspect émotionnel d'une rencontre revêtait une telle importance pour elle que vouloir en dissocier la composante physique lui paraissait absurde. Toute sa vie elle avait reçu et donné à un niveau essentiellement émotionnel. Aujourd'hui elle découvrait le bonheur charnel presque malgré elle.

Il est facile dès lors d'imaginer à quel point elle fut perturbée de découvrir que certains gestes, certaines caresses qu'elle échangeait avec Henry Bascomb provoquaient de brusques convulsions dans tout son corps, son sang même semblait déferler par vagues. Bien sûr, elle avait connu des sensations semblables auparavant, mais plus diffuses. Celles qu'elle éprouvait avec Bascomb étaient violentes, totales, absolues. Elle commença à admettre que son corps pouvait avoir une existence autonome, avec ses caprices secrets, ses surprenantes capacités, son désir d'accomplissement, voire d'épuisement.

Mais ce n'était pas le besoin physique qui la poussait dans ses bras. Non, en aucune façon. Chaque fois qu'elle voyait Bascomb, elle sentait de l'excitation, de la joie dans son corps, et elle le quittait avec la sensation que chaque partie d'elle-même était éveillée, que son corps était moins épuisé, stimulé ou rassasié, que conscient de sa propre existence. Si bien que lorsqu'ils se séparaient, pour plusieurs jours, parfois plusieurs semaines, il ne lui manquait pas vraiment. Ce qu'elle cherchait, au fond, c'était cette sensation intense d'éveil, ce merveilleux sentiment d'être complète.

Cela dit, elle maintenait une légère distance entre eux. Elle ne le rejetait jamais, elle se démenait même pour le voir, mais elle refusait de s'engager dans une relation passionnelle avec cet homme qui revendiquait violemment, dangereusement, son amour. Elle apprendrait à le connaître, elle l'encouragerait à parler de lui-même, à devenir intime avec elle, tout en se préservant des souffrances d'une relation amoureuse désespérée car sans issue.

— Tu es très distante, lui dit-il un jour, tu prends tout avec un tel calme ! Parfois j'ai l'impression que tu ne m'aimes pas vraiment. M'aimes-tu ? M'aimes-tu vraiment ?

— Ça ne se voit pas ?

— Oh, tu aimes certaines choses, bien sûr. Je pourrais même les énumérer. Mais je ne sais pas si tu m'aimes vraiment. Tu ne le montres pas.

— Eh bien, est-ce si important ? Ai-je obligation de t'aimer, en plus de tout le reste ?

Il lui parla de sa famille. Rien de ce qu'il lui dit ne l'étonna. Elle avait déjà eu une version simplifiée des faits par Karen Oldfield. Il avait perdu sa mère depuis longtemps, et son père vivait seul à San Francisco. Son père était violoniste et professeur de violon. Pendant des années il avait joué dans l'Orchestre symphonique de San Francisco. Sa mère, également violoniste, était une des anciennes élèves de son père. Bascomb lui vouait une véritable adoration. Sa mort avait été pour lui une perte cruelle. Il parlait d'elle avec tendresse et vénération, comme si sa disparition avait à jamais fait de lui un enfant abandonné. Elle l'avait défendu contre son père, trop exigeant et envahissant (et parfois exagérément ambitieux pour son fils). Bascomb faisait de la musique depuis l'âge de quatre ans ; il avait d'abord étudié avec sa mère, ensuite avec son père pendant sept ans. Le père et le fils ne s'étaient jamais vraiment remis de cette période d'apprentissage.

— Il voulait faire de moi un concertiste, dit Bascomb. C'est du moins l'impression qu'il donnait. En réalité, il n'a réussi qu'à me détruire en me sacrifiant à la musique. Lorsqu'une femme est mère d'une jolie fille, elle en tire une grande fierté, elle voit en elle un reflet de sa propre beauté. Mais bien vite elle comprend que celle-ci va l'évincer et qu'elle va se retrouver sur la touche. C'est alors qu'elle commence à s'intéresser à sa fille de manière excessive. Il y a des quantités d'exemples de belles femmes qui ont des filles qui auraient pu être belles mais qui se sont abîmées en grandissant. Elles sont devenues des caricatures de leur mère.

— Tu veux dire que tu aurais pu être beau, toi aussi ? demanda Catherine, qui n'était pas absolument convaincue. Aussi beau que ta mère... si ton père t'avait laissé tranquille ?

— C'est exactement cela.

Les sept ans d'études avec son père avaient été suivis de cinq ans au conservatoire de San Francisco. A l'âge de dix ans il jouait dans l'orchestre benjamin de la ville, et il avait remporté le deuxième pris d'un concours national à quinze ans. Mais il n'alla jamais au-delà, il commença même à décliner. La période de son adolescence coïncida avec l'émergence d'une contre-culture radicale, une époque de folie et de rébellion chez les jeunes. Il s'était retrouvé happé par cette révolution sociale dont les turbulences l'avaient entraîné très loin des espérances de son père, et très loin des aspirations qu'il avait cru être les siennes. Ce raz-de-marée n'avait en fin de compte pas débouché sur grand-chose, mais à l'époque, comme bien des jeunes gens dans son cas, il avait saisi l'occasion pour rompre les amarres. Il avait quitté son père, amèrement déçu (une déception simulée, selon Bascomb). Le vieil homme avait fini par se rendre à l'évidence : il avait fait des excuses à son fils et reconnu que son excès d'ambition avait conduit Bascomb à l'échec.

— Il ne m'a jamais chassé, cela dit, ni même injurié. Non, il était malheureux de me voir échouer, mais il a appris à vivre avec. D'ailleurs je ne lui en veux absolument pas. J'avais un don mais cela ne me suffisait pas. Je voulais que les choses soient plus faciles, je suis comme ma mère à cet égard. Elle était instinctive, et beaucoup plus douée que mon père, je pense, mais plus faible aussi. Nous étions paresseux, elle et moi, et nous trouvions qu'il y avait quelque chose de grotesque à vouloir se hisser au plus haut niveau artistique. J'étais plutôt grotesque, tu peux m'en croire, après douze ans d'études musicales...

Bien qu'elle n'ait jamais vu de photos de sa mère, Catherine n'avait aucun mal à se l'imaginer ; peu à peu elle avait acquis la vision assez précise, presque physique, d'une grande femme au visage aigu, avec un front lisse et lumineux, exotique d'une certaine façon. Le visage de Bascomb avait des côtés féminins lui aussi, et lorsqu'il parlait de sa mère sur un ton admiratif, respectueux, Catherine avait l'impression de la voir, de sentir sa présence. De même elle se représentait son père comme un homme de petite taille, avec des airs de fouine, un être autoritaire à l'orgueil démesuré. (Il y avait un peu de cela aussi chez Bascomb.) Lorsqu'il fit sa connaissance, cependant, elle le trouva charmant, sincère, et d'une tristesse spirituelle. C'était un homme courtois, grand et bien portant, au visage épanoui. Il avait de larges épaules et des mains fines et intelligentes, et il occupait l'espace avec une force contenue.

Bascomb avait quitté le conservatoire un peu trop tôt. A l'âge de dix-sept ans, il partit définitivement de la maison de ses parents, et sa mère mourut peu après. Plusieurs années durant, il ne toucha pas à son instrument. Mener une vie indépendante en compagnie de ses camarades lui suffisait. A la fin des années soixante, il quitta San Francisco pour l'Europe. Là, pour gagner sa vie, il se mit à jouer dans les rues. Cette réconciliation avec la musique en terre étrangère — en France, au Danemark, en Espagne ou en Allemagne, l'expression formelle des sentiments était socialement acceptable — lui donna l'illusion qu'il pouvait rentrer au pays et recommencer à jouer. Mais de retour en Californie, il retrouva cette vieille sensation d'ironie et d'absurdité qu'il avait laissée derrière lui, et découvrit qu'il était incapable de jouer. En d'autres termes, il pouvait abandonner toute idée de carrière musicale. Techniquement il n'avait pas progressé, il avait même un peu régressé et ses vieilles ambitions, celles qu'on lui avait imposées et qu'il avait ensuite rejetées, étaient à présent totalement irréalisables. Son père avait finalement gagné (pensait Bascomb). Maintenant il ne serait jamais plus capable de l'égaler — et encore moins de le surpasser.

— Ça a été un choc, tu peux me croire. Mais comme on dit, ça m'a fait du bien. Ce beau rêve qui n'était pas mien au départ, mais que je n'étais mis à caresser ensuite, s'était évanouit, et je n'avais d'autre choix que de l'abandonner. Très vite je me suis senti mieux.

Il était reparti en Europe, avait vécu un an à Grenoble chez une vieille femme qui l'avait engagé comme menuisier. Ensuite il était revenu en Californie avec la fille de sa patronne. Quelques mois plus tard, la fille l'avait quitté pour partir vivre de son côté. Depuis toujours ses parents possédaient une cabane à Cuervo, dans les montagnes de la côte ouest. Bascomb demanda s'il pouvait s'y installer pour quelque temps et son père dit oui, naturellement. En 1974, il se blessa à la main avec une scie, et pendant près d'un an il fut incapable de travailler ou de jouer du violon. Mais lorsque sa blessure se referma, il reprit son violon et, pour la première fois depuis des années, presque depuis son enfance, il s'étonna du son qu'il pouvait en tirer. Il se laissa guider par son oreille, loin de tout ce qu'on lui avait appris, vers une sorte de musique qui ne l'avait jamais attiré avant : une musique que son père, ses professeurs et lui-même avaient toujours méprisée. La musique coulait toute seule sous l'archet, presque naturellement. Cette vieille musique américaine sans fard, pleine d'aspérités, lui venait tel un langage inné, riche d'ironie et d'absurdité. Elle s'imposait sans effort, librement, comme un torrent de pensées jusque-là censurées, chaque note exprimant à la fois sincérité et ironie, chaleur et rusticité.

En 1980, il épousa une femme des environs, Terry Flynn. Il habitait depuis sept ans dans le canyon ; ils vécurent ensemble les trois années suivantes, avec des hauts et des bas. Il évoquait cette époque avec une douce amertume qu'il semblait savourer. Avant même qu'elle ne vienne vivre avec lui, il avait compris que leur histoire ressemblerait à une farce douloureuse, mais il s'y sentait obligé, poussé par une sorte d'instinct destructeur. Au début il y avait eu entre eux une violente attirance. Elle était petite, jolie, avec une beauté mystérieuse (c'est ce que Catherine pensa lorsqu'elle la rencontra). Ses cheveux noir de jais et ses petits sourcils noirs et bien fournis dont la courbe duveteuse enchâssait des yeux lavande la faisaient ressembler à un ravissant chaton, un petit animal précieux et câlin. Elle était originaire du canyon. Tout comme Karen Oldfield, elle était issue d'une famille nombreuse, théâtre de scènes douloureuses. Du temps de ses parents, seuls les hommes étaient autorisés à gâcher leur existence dans les bistrots. Mais, libération oblige, les filles de la génération de Terry pouvaient boire et se droguer en leur compagnie et, depuis son plus jeune âge, elle avait vécu avec des hommes plus vieux qu'elle. Lorsque Bascomb l'avait rencontrée, elle avait déjà été mariée deux fois. Elle avait eu deux enfants de son premier mariage ; c'était les parents du père qui en avaient la garde, et ils vivaient dans un autre État.

— Quand je l'ai rencontrée, dit Bascomb, elle n'avait que vingt-trois ans. C'était dur de croire qu'elle avait eu des enfants, elle n'en parlait jamais. Elle venait tous les soirs au bar où nous jouions de la musique. Elle buvait avec les cow-boys et les gros bras, et ça finissait toujours en bagarre. Sa façon de boire me fascinait à l'époque... Elle buvait pour se détruire, elle le savait et elle voulait que ça se sache. Nous n'avons pas vécu ensemble avant de nous marier. On est d'abord sortis ensemble, et c'est quand on s'est mariés que le train a déraillé.

144

L'inéluctable déraillement de son couple était pour Bascomb le point culminant de son comportement autodes-
tructeur. Sa femme symbolisait tous ses échecs, toutes les
aspirations qu'il n'avait jamais pu réaliser. Elle ne cessait de
le blesser et de l'humilier. Bascomb prétendait qu'elle
l'avait dès le début trouvé ridicule, prétentieux et efféminé.
Toutes ses tentatives pour la comprendre, pour se rapprocher d'elle, étaient vécues comme autant d'insultes qu'elle
encaissait pour mieux les lui resservir au cours de scènes
violentes. Le fait qu'il ne cherche pas à la blesser ne lui
inspirait que mépris — elle avait honte de lui, disait-elle.
Leur mariage ne connut aucune période de grâce. Elle le
trouvait trop compliqué, trop profond, il incarnait pour elle
l'image d'un monde qui la rejetait, l'image de l'intelligence,
de la réflexion, et enfin de compte du mépris.

— Je me suis mis à la haïr au bout d'un moment, dit
Bascomb. Je l'avais épousée parce que j'avais envie d'elle,
mais elle m'a vite refroidi. Elle soutenait qu'elle buvait à
cause de moi alors qu'elle ne m'avait pas attendu pour s'y
mettre. Et elle s'est mise à me tromper. De plus en plus
souvent. Et très vite je me suis détaché d'elle.

Pour des raisons qu'il ne comprenait pas, elle avait
insisté pour qu'ils restent mariés. Curieusement, plus elle
l'humiliait et plus elle le trompait, plus elle avait envie de
lui. Au cours de la dernière année de leur vie commune,
elle était partie avec un autre homme, un musicien ami de
Bascomb. L'arrangement qu'elle avait adopté — consistant
à vivre avec un autre, tout en rentrant à la maison de temps
en temps — semblait lui convenir. Quant à Bascomb, il
était devenu complètement indifférent à ses allées et
venues. Puis, un beau jour, elle s'aperçut qu'elle était
enceinte. Cette fois encore, cela lui était complètement
indifférent.

— L'enfant, c'est Mary Elizabeth... Terry ne m'a jamais
dit qu'elle était de moi, elle s'en fiche. Moi, je crois que
c'est ma fille, du moins j'en ai l'intuition. Mais je ne l'aime
pas. Je n'arrive pas à être un vrai père pour elle, pas
totalement. Ensuite elles ont quitté la ville, et l'été dernier
elles sont revenues. Je crois qu'elles s'apprêtent à repartir.

— Mais comment peux-tu dire que tu n'aimes pas ta
propre fille ? demanda Catherine. Si toutefois elle l'est.

— C'est une obligation d'aimer quelqu'un ?

— Non, mais il s'agit de ta propre fille... tu le dis toi-même.

— De toute façon elle ne m'aime pas non plus. Sa mère a tout fait pour. Cela n'a donc pas d'importance, ni pour elle ni pour moi.

— A mon sens, insista Catherine, toutes les petites filles aiment leur père. Elles ne peuvent pas faire autrement. C'est un besoin vital. Et si un père ne maltraite pas sa fille, s'il ne la terrorise pas, elle l'aime. C'est inévitable.

— Peut-être bien.

Bascomb continuait à s'occuper de Mary Elizabeth, bien que sa mère vive en ville. Quand cela l'arrangeait, elle envoyait la petite chez son père, parfois pour plusieurs semaines. Bascomb paraissait totalement indifférent à cette situation extravagante. Il s'y résignait sans protester, peut-être parce qu'il se sentait coupable, peut-être parce qu'il lui restait de la tendresse pour la mère, même s'il ne voulait pas l'admettre.

22

Bascomb vivait pour ainsi dire de rien. Il ne payait pas de loyer, se chauffait au bois et d'après ce que Catherine avait cru comprendre, il vivait du fruit de sa récolte de marijuana, qui n'était ni suffisamment importante ni suffisamment bonne pour lui rapporter beaucoup d'argent. Il ne voyageait plus, et les premiers mois où elle fit sa connaissance elle ne le vit jamais acheter autre chose que de la nourriture et un ou deux livres de temps en temps. Il lui avait offert deux cadeaux cependant : un corsage de rayonne d'un joli bleu-vert qui rehaussait la couleur de ses yeux, et le roman de Knut Hamsun, *Pan*, en édition de luxe. Il était par nature économe, frugal. Le besoin de posséder des choses qui lui auraient rendu la vie plus agréable ou plus facile semblait l'avoir totalement abandonné.

De même, il ne tirait aucun orgueil de son mode de vie rudimentaire d'homme des bois, alors qu'un autre aurait pu faire valoir l'accomplissement qu'il représentait par rapport aux valeurs consacrées de la société de consommation. Bascomb ne comptait pas les points, elle en était convaincue ; il ne pérorait pas. Il était venu s'installer dans la forêt car il aspirait à mener une existence plus simple. Si un tel choix avait, au début des années soixante-dix, valeur de geste politique et culturel, aujourd'hui, le besoin de contestation avait disparu. Pour Catherine, ce mode de vie solitaire et humble avait quelque chose d'honorable (malgré son côté illicite) ; honorable, certes, mais sans joie. Bascomb ne se plaignait pas, il acceptait les conditions de la vie qu'il s'était choisie avec une résignation bon enfant.

La vraie joie lui semblait étrangère, cependant Catherine sentait en lui une capacité de bonheur. Si elle ne l'avait pas sentie, s'il avait été lugubre, elle ne l'aurait pas supporté. Et elle savait qu'elle le rendait heureux. Même si elle gardait ses distances, même si elle ne voulait pas tomber amoureuse, il était indéniable qu'elle lui apportait du plaisir. Quelque chose de réel et de fort.

— Même si tu ne m'aimes pas, lui dit-il un jour, même si tu n'es pas sûre de tes sentiments, moi je suis sûr des miens. Et j'aime ça. Je suis heureux de ce que nous vivons ensemble. J'aimerais que cela continue le plus longtemps possible.

— Qu'est-ce qui doit continuer au juste ? Explique-moi.

— Nous deux. Tes visites, ici, chez moi. Ta façon d'être avec moi. Ta façon d'être tout court.

— Je ne peux pas faire autrement qu'être ce que je suis. Alors je t'en prie, ne m'encense pas.

— Tout le monde n'est pas comme toi, répondit-il.

Elle avait compris ce qu'il voulait dire. Lorsqu'elle venait le voir, ici, dans sa maison, elle se sentait soulagée, parfaitement bien dans sa peau. Sa simplicité, sa gentillesse, et même sa froideur occasionnelle la séduisaient.

— Tu pourrais être différente avec moi, dit-il. Tu pourrais tricher, mais tu ne le fais pas. Et c'est ce que j'aime, ce que j'adore chez toi.

Effectivement, après plusieurs mois de liaison, elle aurait pu faire semblant d'être plus amoureuse ou au contraire déclarer que cette situation était insupportable, déprimante. Mais elle n'avait jamais rien dit de tel — elle ne l'avait même pas laissé entendre. Et lui, avec cette indifférence à lui-même qui était au fond une forme de dignité, avait su apprécier son refus de souffrir. Cette absence de marques d'affection (marques que la plupart des hommes auraient exigées ou tout au moins regrettées) ne signifiait rien pour lui. Il étonnait souvent Catherine, ses sentiments pour elle pouvaient atteindre des paroxysmes amoureux, puis tout à coup se replier dans des régions obscures où elle ne le suivait pas aisément.

— Mais je triche ! répliqua-t-elle. Je trompe mon mari malade, infirme, sans défense. Et je ne suis pas vraiment moi-même quand je suis avec toi. Je porte un masque. Je ne suis pas aussi sereine que j'en ai l'air, ni aussi facile à satisfaire. Je suis en train de démolir ma vie, et celle des autres. Je le sens.

— Oui, je sais ce que tu ressens. Je sais.

Elle se demandait comment il pouvait le savoir mais sa voix était chaleureuse, et il gardait un bras passé tendrement autour d'elle, la berçant contre lui, la chérissant. Il posa sa grande main brune sur son sein, comme pour l'envelopper.

— Je sais, je sais ce que tu ressens, répéta-t-il. Et ce que notre relation signifie pour quelqu'un comme toi.

A ce moment précis, elle eut réellement l'impression qu'il la comprenait. Sa chaleur masculine la rassurait, lui redonnait confiance ; elle n'avait besoin de rien d'autre que de la force qui émanait de ce corps aimant.

— Tu dis me connaître, mais qui crois-tu que je sois, au fond ? Une femme qui aime faire l'amour avec toi, rien de plus ? Une femme insatiable qui arrive en courant dès que tu l'appelles ?

— Ça, en effet, je le sais, répondit-il d'une voix calme et amusée. Et c'est très important, peut-être même suffisant. Mais je crois savoir qui tu es. Je le sens chaque fois que je te prends dans mes bras et que je serre ton corps contre le mien. Je sens de la bonté en toi. Une générosité gourmande et adorable... J'ai aussi l'impression de te faire du bien. C'est tout ce qui compte pour moi. Et c'est peut-être suffisant.

— Suffisant ? Cela te suffit pour savoir qui je suis ?

Elle lui sourit — avec un soupçon de désespoir, toutefois. Elle le trouvait si naïf ! Mais elle n'aurait pas interrompu cette étreinte pour tout l'or du monde. Elle avait trop besoin de sa tendresse. Elle s'y abandonnait sans retenue.

Catherine commençait à craindre que leur aventure ne s'ébruite. Elle ne se montrait jamais en ville en compagnie de Bascomb. Depuis que Karen Oldfield avait quitté Longfields, elle n'avait pas passé un seul coup de fil, elle n'était pas venue une seule fois leur rendre visite. Catherine avait l'impression que la jeune fille l'évitait depuis cette fameuse soirée dans le bungalow. Karen avait sans doute colporté des rumeurs sur son compte, ce qui n'avait rien d'étonnant après les confidences qu'elle lui avait faites. Elle n'y accordait pas d'importance pour elle-même, mais l'idée que Rick puisse apprendre la chose de la bouche de quelqu'un d'autre l'horrifiait. Lorsqu'elle pensait à toutes les précautions qu'elle avait prises pour qu'il ne sache rien, elle avait honte. Elle en venait même à se dire qu'elle mériterait d'être démasquée. Elle continuait néanmoins à se montrer discrète, même si elle était presque sûre que toute la ville était déjà au courant et riait sous cape.

Karen était retournée vivre chez ses parents. Elle ne s'était finalement pas inscrite en fac. En novembre, Rick avait insisté pour que Catherine passe la voir afin de la convaincre de revenir à la ferme : ils trouveraient certainement un travail à lui proposer. Catherine n'eut pas besoin d'intervenir car, quelques jours plus tard, Karen avait appelé pour offrir ses services et ils lui avaient fixé rendez-vous. Son bungalow étant occupé par l'un des ouvriers, on lui proposa de partager temporairement celui de Rachel, l'infirmière et dame de compagnie de Rick. Les deux jeunes femmes s'entendaient bien mais elles n'étaient pas véritablement amies. Dès que l'occasion se présenterait, promit Catherine, elle lui trouverait un logement séparé.

Ben ne manifesta aucune émotion en revoyant son ancienne gouvernante. Il se laissa embrasser avec une certaine raideur, ce qui ne l'empêcha pas, une demi-heure plus tard, de l'emmener dans sa chambre pour jouer avec la Nintendo. Depuis six mois qu'elle était partie, il n'avait pas prononcé son nom une seule fois. Et pourtant, il était fou d'impatience lorsqu'il apprit qu'elle revenait cet après-midi-là. « Le degré de son attachement est proportionnel au degré de sa froideur », se dit Catherine.

Ben était passé en cours moyen. Il avait huit ans, il était petit et brun, et il prenait les choses avec un tel sérieux qu'il avait parfois l'air de broyer du noir. En réalité il était d'un naturel plutôt optimiste. Il commençait toujours par une exploration minutieuse des impressions qu'il recevait, il les triait et les ordonnait en évitant de s'investir sur le plan émotionnel. C'est seulement après que s'enclenchait le processus méticuleux du raisonnement. Catherine s'inquiétait moins de cette étrange maîtrise de soi. Elle voyait bien que son fils, loin d'être tourmenté, était simplement particulièrement attentif à son propre fonctionnement mental. Tel un poète inspiré et grave qui se récite des vers à l'ombre d'un arbre, il se figeait parfois dans une immobilité totale tandis que les déductions s'enchaînaient les unes aux autres selon une logique qui lui procurait un immense plaisir.

Cette gymnastique cérébrale ne l'empêchait pas d'être actif et en parfaite santé, comme tous les enfants de son âge. Il avait des petits camarades et récemment il avait cassé le doigt de l'un d'eux lors d'une partie de diabolo à l'école. Avec ses amis, il était brutal et spontané, cela lui arrivait aussi avec Catherine ou avec Karen, mais rarement avec son père. Les deux « hommes » communiquaient sur un terrain bien à eux : formel, didactique, essentiellement sérieux. Ce mode relationnel s'était instauré entre eux dès que Ben avait commencé à parler, et Catherine les observait toujours avec une certaine fascination.

— Dès qu'il a eu trois ans, disait Rick quand ils avaient des invités, plutôt que de lui raconter *Le Petit Chaperon rouge* pour la millième fois, j'ai pris l'habitude de le mettre au lit le soir avec une question de calcul à résoudre. Quelque chose de simple, une soustraction, une addition ou une multiplication. Ou bien on parlait du concept des nombres négatifs. Je me souviens encore du soir où je lui ai expliqué les racines carrées. Nous avons calculé la racine carrée de quatre, puis de seize, puis de vingt-cinq. Ensuite il m'a regardé le plus sérieusement du monde et il m'a sorti : « Papa, et la racine carrée de deux ? Je suis sûr qu'elle n'est pas jolie. Ça me donne mal au ventre rien que d'y penser. » Je lui ai dit qu'elle n'était pas très jolie en effet. Je ne lui avais pas encore parlé des nombres complexes évidemment. Il n'avait encore que quatre ou cinq ans. Ou peut-être cinq ans et demi.

Catherine, qui connaissait cette histoire par cœur, n'avait

pas souvenance que Rick ait mit son fils au lit très souvent. Pour s'endormir, l'enfant réclamait qu'on lui lise des histoires, pas qu'on lui pose des problèmes de math. Mais peut-être que cette histoire de racines carrées était vraie. Après tout, elle n'avait aucune preuve du contraire.

Elle n'aimait pas qu'on pousse les enfants à la précocité intellectuelle mais elle était bien obligée de reconnaître que Ben était intelligent et curieux, et que l'attitude de Rick à son égard y était sans doute pour quelque chose. Son instituteur de l'année passée, n'ayant plus rien à lui enseigner en mathématiques, l'avait envoyé suivre la classe du cours moyen deuxième année deux fois par semaine. Rick lui avait mis entre les mains des quantités de logiciels intéressants, et lorsque père et fils jouaient aux échecs ensemble, ils se retrouvaient le plus souvent ex-aequo.

— Je l'ai battu hier, se vantait Rick, mais ça n'a pas été facile, il m'a fallu trois heures. Et puis dès que la partie a été finie, il a voulu prendre sa revanche. Il ne se rend pas compte de l'énergie que cela demande à mon âge. Une partie d'échec sérieuse, c'est la chose la plus exténuante que je connaisse, en dehors de l'écriture.

A propos d'écriture, Rick avait récemment entrepris une petite chronique, une sorte d'étude de sa maladie. Il écrivait au lit pendant deux heures ou plus chaque matin. Il semblait assez content du résultat. Depuis qu'ils vivaient ensemble, c'était la première fois qu'il ne montrait pas son travail à Catherine, elle n'avait donc qu'une vague idée de ce qu'il écrivait. Cela ne la dérangeait pas, au contraire elle était plutôt soulagée de ne pas avoir à feindre dans ce domaine-là aussi une intimité qui avait cessé d'exister. En revanche elle s'inquiétait parfois de voir Rick se comporter comme quelqu'un qui se prépare à vous jouer un mauvais tour. Manifestement, il la considérait comme une ennemie : selon lui, elle se réjouissait de ses malheurs, tirait parti de son infirmité, redoutait qu'il ne retrouve sa vitalité.

— Ce que j'écris ne vaut pas grand-chose, lui disait-il parfois, énigmatique. D'ailleurs je n'ai pas terminé. Je ne suis pas encore totalement à bout de ressources.

— Oh, alors ça avance comme tu veux ?

— Oui, oui. Ça commence à prendre forme, lançait-il

négligemment avec un regard goguenard et plein de suffisance.

Elle aurait voulu lui parler ouvertement, crever l'abcès entre eux, mais elle ne s'en sentait pas l'énergie suffisante. Les mots ne lui venaient pas ; son désir de se conduire en épouse responsable et coopérative s'était érodé, voire anéanti. La modification profonde de leur relation la terrifiait. Pourtant la nouvelle attitude de Rick à son égard, sa façon de la rejeter ostensiblement, n'avait rien à voir avec les sentiments qu'elle avait pour lui : ceux-ci n'avaient pas fondamentalement changé. Dans les bras de Bascomb, elle se sentait acceptée, rassurée, comprise dans sa chair même alors que face à son mari aigri et retors elle se sentait pour ainsi dire inexistante, sans substance. Ce sentiment ne lui était pas inconnu, c'était le résultat de toutes ces années passées ensemble, et pas seulement des dernières. D'une certaine façon elle se sentait plus libre avec Rick, qui ne cherchait jamais à la comprendre. Mais si elle avait pu choisir, elle aurait préféré être redécouverte, surtout par un regard amoureux comme celui de Bascomb.

Un an plus tôt, elle avait dû marcher des heures et des heures dans les bois avant de s'avouer qu'elle n'était pas heureuse. Dans son désespoir, elle n'entrevoyait aucune alternative à cet état. Aujourd'hui, lorsqu'elle et Bascomb se retrouvaient dans les bois, elle éprouvait une sensation d'intense réalité, chaque instant qu'ils partageaient était riche d'émotion. Ils étaient allés plusieurs fois visiter sa plantation de marijuana, ils y faisaient parfois l'amour en mêlant les feuilles mortes, les brindilles et la terre à leurs ébats. La sécheresse durait depuis six ans, et dans cet austère automne californien, le soleil projetait des ombres étranges. Un des traits particuliers de Bascomb était son goût pour les endroits cachés : il l'entraînait dans des lieux silencieux en espérant lui communiquer son émerveillement. Et lorsqu'elle se montrait enthousiaste et alerte, il devenait soudain ironique, se gaussait de cet amour de la nature qu'il essayait de lui transmettre. Mais au fond de lui-même il était profondément heureux qu'elle ait vu ce qu'il voulait lui montrer, qu'elle soit aussi sensible que lui aux mystérieux jeux d'ombre et de lumière dans les feuillages.

Après avoir fait l'amour, ou s'être simplement assis parmi la broussaille, il l'aidait doucement à se relever, ôtait les feuilles parsemées dans sa chevelure humide de transpiration. Il la touchait toujours avec la même délicatesse, avec des gestes précis et une patience infinie.

— Il faut que j'y aille, disait-elle parfois en se relevant brusquement pour émerger de ce bain de tendresse. Il est l'heure de rentrer.

— Mais non, tu n'es pas obligée de rentrer tout de suite, répondait-il alors. Rien ne t'y oblige. Tu es chez toi ici. Avec moi.

Sans doute était-il contrarié qu'elle le quitte pour retourner auprès de Rick, mais il n'en parlait jamais. Lorsqu'il lui arrivait de faire allusion à la maladie de Rick, qu'elle lui avait décrite très succinctement, c'était toujours avec compassion, en se mettant à la place de celui qui s'était retrouvé infirme du jour au lendemain. Bascomb avait rencontré Rick une fois. A l'époque où Catherine cherchait des ouvriers pour entretenir les sentiers coupe-feu, il s'était demandé à quoi ressemblait son mari. Si bien qu'un jour il l'avait abordé dans la rue.

— Je lui ai dit que j'étais bûcheron et je lui ai proposé de couper son bois sur ses terres et de le partager avec lui. Le marché ne l'intéressait pas, mais nous avons continué à parler un certain temps et je me souviens qu'il m'avait plu. Il n'était pas prétentieux comme la plupart des propriétaires terriens des environs. Je trouve qu'il a une tête d'acteur, tu ne trouves pas ? Il a l'air conscient de son importance mais il ne vous oblige pas à lui lécher le cul. Il n'a pas besoin de ça.

— Il n'en a peut-être pas besoin, mais je crois que ça ne lui déplaît pas. Lorsqu'il était prof à l'université, il parlait devant des centaines d'étudiants chaque jour... Il sait s'adresser à un public, il donne toujours l'impression d'être très sûr de lui quand on le rencontre la première fois. S'il était acteur, il serait du genre à vous impressionner sans vous émouvoir.

154

Catherine se demandait pourquoi Bascomb lui parlait de Rick. Elle le soupçonnait de chercher à lui montrer qu'il était plus généreux que son seigneur de mari. En réalité, il se sentait si peu en rivalité avec Rick que rien ne l'empêchait de s'intéresser à lui. Ses malheurs l'affectaient réellement, presque physiquement. Un jour de décembre où il l'avait aperçu à l'épicerie de Cuervo, Bascomb avait dit à Catherine d'une voix triste :

— Il y avait une fille avec lui, qui conduisait la voiture. Après s'être garée, elle a voulu l'aider à sortir mais elle n'a pas réussi. J'ai vu qu'il marche avec des cannes maintenant, des cannes métalliques. Elle l'a attrapé sous les genoux pour lui sortir les jambes, comme on fait avec les paralytiques dans les chaises roulantes. Mais il s'est énervé, et lui a dit d'arrêter. C'était pathétique. Je l'ai reconnu, naturellement. Il a beaucoup maigri, n'est-ce pas ? Il est resté dans la voiture pendant qu'elle faisait les courses. J'avais beau l'observer discrètement, au bout d'un moment il a senti qu'on le regardait. Apparemment ça lui a fait plaisir. Je crois qu'il aime être regardé. Comme tu dis, il est sûr de lui, il a une certaine prestance. Il ne cherche pas à dissimuler son infirmité. Peut-être pense-t-il que c'est important, que les gens peuvent en tirer un enseignement.

— Oui, il donne une image noble de son infirmité, n'est-ce pas ? dit Catherine, que son propre cynisme étonna. C'est dans sa nature, voilà tout. Il ne peut pas s'empêcher de dominer les autres, de les impressionner. Il faut toujours qu'il se comporte d'une manière exemplaire, en toutes circonstances.

— Mais a-t-il le choix ? demanda Bascomb. Pourquoi aurait-il honte ? Et puis il y a quelque chose de fascinant chez les gens comme lui. Leur force de caractère, cette volonté de montrer que ce qui vous arrive est haïssable, insupportable, que la vie n'a pas le droit de vous traiter ainsi.

— C'est vrai qu'il n'acceptera jamais la défaite, reconnut Catherine. Aussi longtemps qu'il y aura quelqu'un pour l'admirer.

Bascomb préférait s'en tenir à sa première impression concernant Rick. Ils eurent des mots à ce sujet, rien de bien méchant cependant. Catherine soutenait qu'il ne connaissait pas Rick, que sa fameuse force de caractère n'était qu'une façade. Mais Bascomb rétorquait que c'était précisément cette façade qui comptait : certains individus, les hommes en particulier, n'existent que par rapport à l'image qu'ils donnent au monde ; ils n'ont pas de vrai talent pour l'intimité, pas au sens où l'entendent généralement les femmes. Demander à ce genre d'hommes d'évoluer dans le chaud et onctueux potage des sentiments que les femmes considèrent comme l'essence même de la vie est absurde et injuste.

— C'est possible. Mais en attendant, ces individus se marient, fit remarquer Catherine, et leur femme et leurs enfants se heurtent à chaque instant à du vide. Qu'ils vivent leur vie tout seuls, dans ce cas. Qu'ils restent entre eux. Qu'ils cherchent à s'impressionner mutuellement. Parce qu'au fond ils n'ont pas besoin de nous. Ils ne veulent pas de ce que nous avons à leur offrir.

Sous l'influence du Dr Klepper, Rick parlait de plus en plus librement de ses sentiments. Il exprimait ses émotions et laissait éclater la rage que lui inspirait sa condition physique. Alors que voulait-elle dire au juste quand elle prétendait qu'il était « irréel », que sa vie intérieure ne correspondait aucunement à la sienne ? A vrai dire, elle n'en savait rien. Mais pourquoi était-elle aussi amère ? Souffrait-elle réellement ? Que reprochait-elle exactement à son mari modèle ? Était-il vraiment un monstre, incapable de sentiments, comme Bob Stein l'insinuait depuis des années ? Il restait malgré tout responsable, fidèle, et même attentionné jusqu'à un certain point. Il prenait son rôle de mari et de père très au sérieux, à tel point que Catherine craignait qu'il ne souffre énormément si elle venait à le quitter. Mais était-ce sûr ? Les sentiments qu'il nourrissait à son égard étaient mystérieux ; lorsqu'elle essayait de les analyser, elle avait l'impression de pénétrer dans un domaine où rien ne fonctionnait comme on aurait pu s'y attendre. Ses actes et ses gestes les plus ordinaires relevaient d'un processus interne qu'il était préférable de ne pas explorer. Peut-être Bascomb avait-il raison au fond ? Mieux valait ne s'intéresser qu'à l'image de Rick, d'autant que ce qu'il voulait bien montrer de lui-même n'était pas si déplaisant.

Après tout, peut-être que les gens mariés depuis de très nombreuses années atteignaient nécessairement ce point de confusion extrême, la force de l'habitude, la familiarité excessive débouchant paradoxalement sur une sorte de profonde énigme. Mais peut-être pas. Peut-être que cette sensation de vide, cette sensation de ne pas être comprise et de ne pas avoir l'énergie de l'être, était au fond d'une totale absurdité. Elle n'était plus heureuse avec Rick — elle en avait la certitude à présent. Son énergie partait ailleurs, de même qu'elle avait déjà le sentiment de vivre ailleurs, d'être devenue quelqu'un d'autre. Elle n'avait plus rien à lui donner, plus rien à perdre. Bien sûr, le fait qu'elle était en train de vivre une histoire d'amour — une histoire d'amour extraordinaire — pouvait modifier son jugement. Il n'en restait pas moins qu'elle avait l'impression d'avoir atteint une limite, un point de non-retour.

Elle était arrivé à cette conclusion toute seule, sans tambours ni trompettes, sans avoir jamais discuté de son mariage avec Bascomb. La question était maintenant de savoir si elle allait l'annoncer à Rick et aux autres. Les conséquences d'une telle décision étaient véritablement terrifiantes.

Bascomb témoignait d'une réelle compassion pour Rick, à tel point que Catherine se demandait parfois s'il ne se préoccupait pas plus de lui que de son bien-être et de ses sentiments à elle. On aurait dit qu'il obéissait à un code de conduite définissant tout ce qu'un gentleman doit faire et ne pas faire. Sa politique de non-ingérence dans ses affaires matrimoniales, par exemple — comme si faire l'amour avec elle n'était pas la pire de toutes —, la contrariait. Finalement, elle se décida à lui poser la question : quelle différence y avait-il entre cette réserve digne et honorable et une absence de sentiments à son égard ?

Il parut amusé, et lui répondit que c'était elle qui restait sur ses gardes. C'était elle qui n'exprimait jamais clairement ses intentions. Lui, de son côté, était limpide comme l'eau de roche. Il était amoureux d'elle, point. Il la désirait, il aurait tout fait pour la garder avec lui pour toujours. L'honneur n'avait que peu (ou rien) à voir avec ça.

— Mais tu ne parles jamais de ma situation, dit-elle d'un

ton de reproche. Tu ne t'inquiètes jamais de savoir si les choses vont bien pour moi ou non. J'ai un fils, tu sais. Je ne veux pas qu'on me le prenne, je ne pourrais pas vivre sans lui.

— Je sais que tu as un fils. Et je te comprends.

— Ne dis pas que tu me comprends, s'insurgea-t-elle. Ne dis pas que tu m'aimes si cette partie de mon existence ne t'intéresse pas. Parce que ce qui se passe ici, au lit, entre nous, ne compte pas tant que ça. Cela ne fait que me détacher un peu plus de mon mari. Et c'est pour cela que j'ai peur et que je suis confuse.

— Je sais que tu aimes ton fils, répondit-il d'une voix calme. Et je sais que tu ne veux pas abîmer cet amour — tu en es tout simplement incapable. C'est drôle... quand nous sommes ensemble, tous les deux, j'ai l'impression que nous avons déjà tout vécu ensemble. Pas toi ?

— Vécu quoi ? Que veux-tu dire ?

Elle s'imagina qu'il attendait qu'elle lui dise qu'elle était si heureuse avec lui, si comblée, si aimée que leur engagement était inévitable. Il avait l'air de vouloir y croire, et peut-être y croyait-il déjà. Mais elle n'en était pas aussi sûre que lui, et la confiance qu'il affichait l'offensait : la solution à son problème avec Rick, si tant est qu'il y en ait une, ne pouvait tenir à ce bonheur sensuel qu'ils éprouvaient lors de ces après-midi passés au lit.

— Les choses ne marchent pas ainsi, dit-elle. Ce serait trop simple. Et puis je crois que tu es trop sûr de toi. Tu devrais faire attention. Te protéger.

— Je fais tout ce que je peux pour me protéger. Être avec toi est la seule chose qui puisse me sauver... c'est ce que j'ai fini par comprendre. Il arrive que les problèmes trouvent leur solution. Il suffit de se fier à son intuition, ensuite tout coule de source. Tout est dans l'intuition.

Elle le trouvait parfois d'une ingénuité désespérante, affligeante, voire stupide. Et pourtant, il lui arrivait de partager son optimisme. Son discours sur l'intuition devenait alors vraisemblable. Il y avait quelque chose d'irrésistible dans le fait d'être aimée par cet homme. Il lui déclarait franchement son amour, il voyait leur destin à l'image de cette passion physique inextinguible qui les habitait. Elle était soudain terriblement tentée d'y croire.

23

Elle commençait à se faire du souci pour Bascomb et à reporter sa compassion sur lui. Sa froideur apparente n'était au fond que l'expression du dilemme qui la rongeait : elle se demandait si elle n'était pas en train de l'encourager sur une voie sans issue qui pouvait s'avérer dangereuse. Il gagnait en vitalité à mesure que les mois passaient, elle voyait qu'elle lui faisait du bien, qu'il acceptait mieux le monde, qu'il aimait plus la vie. La première fois qu'elle l'avait rencontré, il lui avait paru fermé et abstrait. Il vivait dans une profonde solitude, il était constamment sur la défensive, comme ces malheureux qui souffrent précisément parce qu'ils n'attendent plus rien de l'existence. Les seuls éléments contradictoires de ce tableau étaient sa passion pour elle, son appétit physique insatiable, et ses dons musicaux, trop évidents et trop riches pour appartenir à une personnalité totalement repliée sur elle-même.

A présent elle avait l'impression que ces contradictions formaient presque toute sa personnalité. Il était frais, ouvert, plein de vie ; ce changement la ravissait, mais elle craignait d'avoir mis en branle un mécanisme impossible à contrôler. Jusqu'à quel point désirait-elle un homme sensible et ouvert ? Lorsqu'il lui avait dit ce qu'il éprouvait pour elle, sans la moindre trace d'ironie, pourquoi avait-elle failli craquer ? Où était le mal ? Elle se sentait probablement indigne de cet amour mais elle craignait aussi que l'homme qui lui avait parlé ainsi ne se soit compromis, n'ait sacrifié sa force intérieure.

Elle se ressaisit. N'était-il pas un homme des bois, capable, persévérant et plein de ressources, qui gagnait illicitement sa vie depuis plusieurs années déjà dans la forêt ? Mais il était aussi le genre d'homme à lui offrir des bouquets de lis sauvages, à lui faire parcourir des kilomètres pour lui montrer un buisson qui fleurissait en hiver. Ce jour-là, il s'était accroupi à côté du superbe buisson écarlate et l'avait invitée à en faire autant, tout près de lui ; puis il s'était tourné vers elle avec un regard intense et surpris, et l'avait embrassée, longuement, profondément.

— Qu'est-ce que c'est ? Qu'est-ce que tu veux me faire sentir, cette fois ? demanda-t-elle.

— Tout. Tout quand je fais ça, dit-il en déboutonnant sa chemise, libérant ses seins. Et ça, dit-il en passant une main sous ses fesses, mais tendrement, avec un geste de propriétaire. Je veux que tu sentes tout.

— Oh, dit-elle, mais je sens tout puisque tel est ton bon plaisir, maître.

Elle sentit certaines choses en effet — peut-être « tout » — à ce moment précis. Son empressement, sa présence extatique à ses côtés, reflétaient en quelque sorte les lieux ; ils semblaient parfaire et compléter l'instant.

Sa plantation de marijuana était arrivée à maturation et fin novembre il commença la récolte. Pendant trois semaines il revint des bois chaque soir avec un sac à dos rempli de branchettes qu'il pendait au grenier pour les faire sécher. La maison empestait la marijuana ; c'était une odeur forte, à la fois écœurante et enivrante, comme l'odeur d'un sconse dans un jardin de papayes trop mûres. Elle devint bientôt insupportable à Catherine, qui quitta brusquement la maison. Six ou sept jours plus tard, lorsqu'il eut presque fini de nettoyer et de trier la récolte, elle revint le voir ; l'odeur s'était un peu estompée.

— J'ai presque fini, lui promit-il. Encore une petite semaine et tout sera comme avant.

— Tu sais que tu risques gros avec ça... Ils pourraient tout saisir. Ta fille aussi, ils pourraient te l'enlever. Et toi, ils te mettraient en prison... ce sont des choses qui arrivent.

— Oh, je ne crois pas. Non, ça n'arrivera pas.

Il semblait quand même vaguement préoccupé, un peu honteux même, debout devant elle, dans son salon envahi par la marijuana.

— Ils sont même capable de saisir ta maison, insista-t-elle. C'est ce qu'ils font dans ces cas-là. Tu te retrouverais sans rien. Sans rien du tout.

— Bah, cette vieille bicoque ne vaut pas grand-chose de toute façon. Qu'est-ce que j'ai à perdre ?

— Oh, ne sois pas défaitiste et ne t'apitoie pas sur ton sort, je t'en prie. Ça ne marche pas. Personne ne t'oblige à vivre comme ça. Personne ne t'y a jamais obligé. Je ne comprends pas pourquoi tu t'obstines dans cette voie.

Lui non plus n'avait pas l'air de comprendre. Jamais elle ne lui avait parlé ainsi, et elle-même se demandait ce qui lui avait pris. Elle vit qu'il se repliait sur lui-même, qu'il devenait de plus en plus distant. Cependant, au bout d'un moment, il se ressaisit et lui dit sèchement :

— Si cela ne te plaît pas, eh bien tant pis. J'en suis vraiment désolé mais c'est ma façon de vivre. C'est ma façon d'être. Je ne possède pas grand-chose, et je ne suis pas quelqu'un d'important. Cette maison ne m'appartient même pas — c'est celle de mon père. Même là j'ai échoué.

— Oh, arrête, dit-elle. Je voulais simplement te montrer comment tu vis. Je me moque de savoir ce que tu peux posséder ou non — tu le sais bien. Je me fais du souci pour toi, voilà tout. Regarde autour de toi. Non mais regarde ! Tu sais que ça ne pourra pas durer éternellement. Ça ne te mène nulle part, alors à quoi bon ?

— A quoi bon ? Je ne vois pas ce que tu veux dire.

Plus tard, ce soir-là, lorsqu'ils eurent dîné ensemble, laissant derrière eux ces sujets épineux, il se mit à la regarder autrement. Il lui avoua qu'il avait parfois envie de partir, de quitter le canyon, de tout recommencer à zéro autre part. Elle trouva d'emblée que c'était une très bonne idée.

— Pourquoi pas ? Qu'est-ce qui te retient ?

— Je ne sais pas. Je pense que la vie que je mène ici me convient d'une certaine façon... Je sais ce qu'il faudrait que je fasse pour redémarrer. J'avoue n'avoir jamais pensé que la vie pourrait être beaucoup plus agréable ailleurs. Ni même que je pouvais encore changer de vie.

Elle le rassura, lui dit que tout était possible, que sa vie ne pouvait qu'aller en s'améliorant. Ses paroles réconfortantes et l'intérêt qu'elle lui manifestait avaient l'air de lui faire plaisir, de l'émouvoir. Cependant il ne dit rien. Il lui adressa un beau sourire. Et lorsqu'elle vit ce sourire, quelque chose remua en elle, elle se sentit plus proche de lui que jamais.

— Rien ne t'empêche de faire ce que tu veux, dit-elle enfin, tout ce que tu veux.

24

A l'époque où Bascomb récoltait sa marijuana, Catherine aperçut sa fille, Mary Elizabeth, à Cuervo, un après-midi. La fillette remontait la grand-rue. Elle avait neuf ans et elle s'était beaucoup allongée en un an, son cou s'était affiné. Elle marchait tête baissée en mettant un pied devant l'autre, comme si elle suivait une ligne imaginaire. Catherine arrêta sa voiture sur le bas-côté.

— Bonjour Mary Elizabeth. Tu te souviens de moi ?

— Mm-mm.

— Ça va ? Comment se fait-il que tu ne sois pas à l'école ?

— Parce que. Je n'y vais plus.

— Ah, non ? Et pourquoi cela ?

Catherine ne comprit pas bien l'explication vague et incohérente de la fillette. Elle lui proposa de la déposer quelque part, mais elle déclina son invitation et Catherine poursuivit son chemin jusqu'à l'épicerie de Cuervo. Elle revit la fillette qui arrivait à pied, la tête baissée, en suivant toujours la même ligne imaginaire. Elle lui faisait penser à un jeune tournesol gracile.

— Je ne mettrai plus jamais les pieds dans cette école, dit la fillette plus clairement cette fois, comme si leur conversation n'avait pas été interrompue. Nous retournons à Lake Tahoe, moi et maman. Cet après-midi, je crois bien — ou peut-être même ce soir.

— Ce soir ? Tu dois être impatiente !

— Non. On retourne exactement au même endroit. Là-bas je peux skier autant que je veux, remarque.

Comme son père, la fillette avait des dents très blanches et légèrement proéminentes. Les siennes, encore toutes neuves, semblaient trop grandes pour son visage aux traits enfantins. Son nez était constellé de petites taches de rousseur, et ses yeux brun foncé et brillants avaient tendance à s'attarder un peu trop longtemps sur les choses.

Catherine ne l'avait pas vue depuis longtemps. Sa mère l'avait récupérée, vraisemblablement afin de la préparer à ce déménagement à l'autre bout de l'État. A l'époque où elle habitait chez Bascomb, Catherine évitait d'y aller quand la petite s'y trouvait, elle s'arrangeait pour le voir pendant les heures d'école.

La fillette l'étonnait. Elle avait l'air à la fois absente et complètement détendue. Son côté Mimi la Terreur ne se manifestait que lorsqu'elle devenait capricieuse et butée avec son père. Catherine avait assisté à deux incidents de ce genre (sans compter le jour où Bascomb l'avait inscrite à l'école de Cuervo). Ses réactions violentes et injustifiées ne semblaient avoir aucun effet sur son père, ni colère ni irritation ; au contraire, il devenait distant et froid, presque amusé, et attendait que l'orage passe. Que ce, soit ou non la bonne façon d'éduquer un enfant, Catherine trouvait cette attitude légèrement perverse. Il lui semblait que la fillette attendait une manifestation plus évidente de l'autorité paternelle.

Bascomb ne devenait distant et froid avec Catherine que lorsqu'elle l'interrogeait sur ce sujet. Soit il considérait que ses relations avec sa fille ne la concernaient pas, soit il était suffisamment sûr d'adopter la meilleure ligne de conduite pour ne pas vouloir en discuter.

— Je la connais, se contentait-il de dire. Je la comprends. Et je sais ce dont elle a besoin.

L'été dernier, initiative que Catherine voyait d'un bon œil, il lui avait appris à jouer quelques petits airs de violon. Ces séances musicales s'étaient fort bien passées, sans colères ni caprices.

Tandis que Catherine parlait avec Mary Elizabeth, la porte de l'épicerie s'ouvrit derrière elles. Catherine devina

164

qui sortait de la boutique avant même de tourner la tête car la fillette cligna des yeux et parut décontenancée. Catherine éprouva un brusque sentiment de malaise en se retrouvant face à la mère de la fillette, Terry Flynn. Cette dernière avait l'œil vague et absent, c'est à peine si elle regarda Catherine ou sa fille. Pourtant Catherine savait qu'elle l'avait reconnue. Au même instant elle réalisa que sa liaison avec Bascomb était un secret de polichinelle. Le coup d'œil nonchalant de la femme lui indiqua qu'elle savait tout ce qu'il y avait à savoir sur son compte, et qu'elle la considérait comme quantité négligeable.

— Tiens, prends ça et file à la maison, dit la femme en tendant un sac de provisions à la fillette. Restes-y jusqu'à ce que je rentre. Tu ne sors pas, compris ?

La fillette jeta un coup d'œil furtif sur les achats de sa mère, puis fila sans un mot.

Deux voitures passèrent sur la route, tranquillement. La petite ville semblait déserte, hormis la silhouette de Mary Elizabeth qui remontait la colline. Celle-ci disparut bientôt derrière une rangée de séquoias, et Catherine se sentit à nouveau mal à l'aise. Elle se dit qu'elle ferait mieux de s'en aller. Elle ne trouvait rien à dire, absolument rien. Mais contre toute attente, Terry se mit à lui sourire, avec un regard de connivence amusée. La nonchalance et la froideur l'avaient quittée ; Catherine restait cependant sur ses gardes.

— Que diriez-vous d'aller boire une bière ? proposa Terry. Mm-mm ?

— Je ne sais pas. J'ai des courses à faire d'abord. Il faut que j'aille à l'épicerie.

— Eh bien, allez-y. Ce n'est pas grave. Je vous attends ici.

Vingt minutes plus tard, elles faisaient route ensemble en direction du *Rudy's*, un motel-bar miteux à l'ouest de Cuervo.

Terry connaissait le patron, et elle fit comme si Catherine et elle se connaissaient : elle adopta aussitôt le ton de la confidence, comme si les deux femmes avaient l'habitude de venir boire un coup ensemble dans ce bar. Une panne de voiture la retenait ici depuis le printemps dernier, apprit-elle à Catherine. Elle devait partir pour prendre un boulot que lui avait trouvé une amie au casino de Tahoe.

— Ne laissez jamais votre petit copain trifouiller votre moteur, conclut-elle ; on ne peut pas faire confiance aux mecs. Tant que ça marche entre vous, ils veulent bien s'occuper de la bagnole, mais dès que ça pète, la bagnole est mise au rancart.

Résultat, elle avait été obligée de se débarrasser du petit copain en question et de mettre sa voiture au garage. On devait la lui rapporter le soir même.

Dans le silence de ce début d'après-midi au Rudy's, sa voix éraillée de fumeuse, mi-douce mi-forte, râpeuse, explosive, parfois grinçante, attirait l'attention. Catherine décida qu'elle l'aimait bien. Elle lui trouvait des vertus apaisantes, et même un côté sexy. Elle cessa de se demander ce qu'elle faisait là en tête à tête avec cette femme qu'elle ne connaissait pour ainsi dire pas.

— Peut-être avez-vous entendu parlé de moi ? lui demanda Terry à ce moment-là. Il vous a peut-être dit une ou deux choses. Vous pouvez les croire. Il dit toujours la vérité.

— Il ne m'a pas dit grand-chose. Simplement que votre mariage n'avait pas marché, d'un côté comme de l'autre.

— Ah bon, c'est tout ce qu'il a dit ?

Elle jeta à Catherine un regard méfiant, chargé de sous-entendus. Pendant ce temps sa main s'ouvrait et se fermait autour de son verre de bière, un peu comme l'aurait fait un homme. La délicatesse séduisante de son corps ajoutait quelque chose de touchant, de presque comique, au tableau. Elle n'était ni fragile, ni inconsistante, ni immatérielle. Sa voix vibrante, envoûtante, semblait sortir de son corps comme par magie.

— Ça ne m'étonne pas au fond. Les commérages, ça n'est pas son genre. Henry est un gentleman. Un vrai gentleman.

— Et alors, cela vous dérange ? Préféreriez-vous qu'il aille raconter un tas de choses déplaisantes sur votre compte ?

— Des choses déplaisantes sur mon compte ? Dans ce cas elles le seraient aussi sur le sien, non ? Mais je n'ai jamais dit que cela me dérangeait. Je pensais tout haut, c'est tout. Je me souvenais.

Catherine la laissa se souvenir, à nouveau légèrement mal à l'aise. Il y avait quelque chose de fruste, de faux dans cette femme, mais il y avait aussi quelque chose d'attirant en elle, une sorte d'émanation étrange dont elle était parfaitement consciente. Catherine comprenait que Bascomb ait pu être physiquement attiré par elle. Elle dégageait un je-ne-sais-quoi qui, pour Catherine, coïncidait avec l'idée la plus intime qu'elle se faisait de lui. Ils s'étaient mariés sur cette base-là, et leurs échanges avaient été extraordinairement vivaces, elle le savait ; même si leur mariage, à tous les autres points de vue, s'était soldé par un fiasco.

Terry la regarda. Elle semblait deviner les pensées les plus secrètes de Catherine. Son allure d'animal choyé, à la fois caressant et sauvage, à la fourrure d'une douceur exquise, s'intensifia et Catherine sentit soudain qu'elle perdait pied. Que faisait-elle ici ? Cette femme et elle avaient-elles quelque chose à se dire ? Son malaise n'échappa pas à Terry ; elle sentait tout. Sa perception aiguë et triomphante avait quelque chose de profondément intimidant.

— Est-ce qu'il..., susurra-t-elle enfin, quand vous faites l'amour, est-ce qu'il fait ou est-ce qu'il dit des choses bizarres ?

— Des choses bizarres ? Je ne vois pas ce que vous voulez dire.

— Oui, enfin...

Elle secoua la tête ; elle n'arrivait pas à parler ouvertement de ces « choses ».

— Ça n'a pas d'importance. N'en parlons plus.

— Vraiment ?

— J'étais folle de lui, au début, reprit Terry. Je suis bien obligée de l'avouer. Je n'avais jamais assez de lui... Il a quelque chose de spécial. Une espèce de douceur. Quelque chose de succulent, de savoureux. Je l'ai rencontré dans un bar, un soir. Il jouait du violon. Et d'emblée j'ai eu envie de lui, et c'est comme cela que tout a commencé. Mais ensuite il a voulu qu'on se marie. Je n'ai jamais compris pourquoi — c'était une connerie. Je suis désolée, je vous embête avec mes histoires. Je ferais mieux de me taire, n'est-ce pas ?

— Non, non ça ne me dérange pas. Mais je ne vois pas l'intérêt.

— Moi non plus mais c'est un drôle de type, vous ne trouvez pas ? Il n'est pas comme les autres. Il est mieux par certains côtés. Mais il est trop bizarre... Il me disait que j'étais faite pour baiser, vous voyez ce que je veux dire, et en même temps il ne se comportait pas en mec. Il lui fallait toujours de la tendresse, des émotions. Il fallait que tout ait du sens. Je lui disais : « Henry tu te comportes plus comme une femme que moi. Tais-toi, tu veux ? Tais-toi un peu. » Mais il ne se taisait pas.

Catherine était en train de se raidir, de prendre de la distance. Bien qu'elle paraisse absorbée par ce qu'elle racontait, Terry sentit sa réaction. L'attitude de repli de Catherine sembla l'encourager.

— Il s'en fichait, poursuivit-elle. Il ne pouvait pas s'empêcher de me dire ce qu'il éprouvait afin que je ressente la même chose. Toutes ces conneries, la tendresse et compagnie, c'est trop demander. Parfois l'envie me prenait de le sucer, comme ça, histoire de faire quelque chose... mais même ça pour lui, ça avait un sens. Il fallait que ce soit plus important que ça ne l'était réellement — plus grandiose. « Oh, ferme-la, je lui disais, regarde-moi faire, et si tu as envie de moi, tant mieux. Mais reste au plumard avec moi, Henry. Ne pars pas dans les étoiles. »

Plus elle continuait dans cette veine, plus Catherine se drapait dans sa « dignité ». Terry voulait qu'elle sache à quel point elle trouvait Bascomb méprisable mais elle cherchait surtout à blesser, à faire mal, en usant d'un moyen très simple : la verdeur du langage. Catherine était véritablement choquée. Elle souffrait pour Bascomb ; elle était écœurée d'entendre parler ainsi de son corps, écœurée d'imaginer son sexe dans la bouche de cette femme. Terry Flynn avait gagné : Catherine se sentait vulnérable, vaincue. Et rétroactivement trahie.

— Il m'agaçait quand on était en train de baiser et qu'il se mettait à me dire ce qu'il ressentait. Il me demandait si j'aimais ça, il répétait cent fois qu'il m'adorait : « J'aime tellement ton corps, qu'il me disait, tes seins, ton petit cul tout chaud... j'ai envie de te lécher partout. » Bon, d'accord, je répondais, fais-le, mais tais-toi. Pensez-vous ! Il repartait de plus belle : « Que se passe-t-il entre deux personnes qui baisent ? Quel est le sens profond d'un tel échange ? » Que des conneries comme ça ! Mais il baisait bien, j'arrivais plus à m'en passer. Finalement, c'est moi qui suis partie. Maintenant je suis guérie. Complètement vaccinée.

D'une voix froide et impersonnelle, mais sans agressivité, Catherine dit :

— Vous l'accusez de trop parler mais vous, qu'est-ce que vous faites ? Vous bavassez, vous déblatérez sans pouvoir vous arrêter. Peut-être qu'il cherchait un moyen de se débarrasser de vous — vous êtes-vous jamais posé la question ? Personnellement, ça ne m'étonnerait pas. N'importe quel homme normal ferait tout pour éliminer de sa vie une plaie comme vous. Figurez-vous que moi, j'aime quand il me parle... j'adore ça même. Vous n'avez jamais rien compris parce que vous êtes une idiote tout juste bonne à cracher des conneries plus grosses que vous.

La femme regarda Catherine, légèrement désarçonnée. Mais au bout d'un moment elle se mit à sourire. Qu'importait, après tout ? Qu'importait ce que Catherine ressentait ? Qu'importait ce qu'elle pensait ?

— Ah, je suis une idiote, hein ? Et toi, de quoi tu as l'air, espèce de pouffiasse, avec ton jules à la con ? Tu t'imagines que tu vas redorer ton blason en te faisant sauter à tire-larigot ?

— Allez vous faire foutre, dit Catherine en haussant le ton. Et fermez votre gueule, ou c'est moi qui vous la fermerai.

Terry se remit à siroter sa bière, indifférente. Elle souriait avec tant de suffisance et de mépris que ses traits en étaient déformés.

25

Plus tard, cette semaine-là, Catherine alla voir Bascomb chez lui. Elle lui dit qu'elle avait rencontré Terry par hasard. Il ne lui parut que moyennement intéressé, voire pas intéressé du tout. Puis elle lui rapporta la conversation qu'elles avaient eue. Son seul commentaire fut qu'elle avait sans doute eu l'intention de lui soutirer de l'argent. Cela faisait plus d'un an qu'elle lui rebattait les oreilles avec ses ennuis de voiture, et chaque fois elle essayait d'obtenir quelques billets.

— Je suis sûr qu'elle voulait de l'argent. Mais elle s'est laissée emporter par le besoin de te raconter quel mari nul j'avais été pour elle. Si bien qu'elle a raté son coup.

— Mais pourquoi s'imaginait-elle que j'aurais pu lui donner de l'argent ?

— Parce que tu es riche. C'est tout ce qui l'intéresse. Elle pensait que tu allais lui donner quelque chose pour te débarrasser d'elle. Pour qu'elle fiche le camp une fois pour toutes.

— Qu'elle parte ou qu'elle reste, cela m'est complètement égal. Je me moque de ce qu'elle fait.

— En tout cas elle est partie. C'est ce qu'on m'a dit.

Et c'était vrai. Terry et Mary Elizabeth avaient finalement quitté le canyon, sans même dire au revoir à Bascomb — il avait appris leur départ par un ami. Elles allaient passer l'hiver à Lake Tahoe, plus peut-être.

— Tu dis que ça t'est égal, poursuivit Bascomb, mais

qu'as-tu ressenti lorsqu'elle t'a raconté toutes ces histoires ?
Ne t'es-tu pas dit qu'elle avait raison ?

Catherine réfléchit soigneusement. Elle n'avait pas peur
de le blesser, simplement elle n'était pas sûre d'être
d'accord.

— Peut-être, dit-elle enfin. Peut-être qu'elle a raison en
ce qui la concerne. Mais toi, est-ce que tu as cherché à te
débarrasser d'elle ? N'était-ce pas ton but ?

— Mon but ? Je n'avais pas de but, pour autant que je
me souvienne. J'étais amoureux d'elle, il faut bien le
reconnaître. Amoureux fou, à en crever. Ensuite, elle m'en
a tellement fait voir que je ne pouvais plus la supporter. Je
n'ai jamais essayé de la faire partir. Ça s'est fait tout seul.

Catherine restait néanmoins persuadée qu'il avait essayé.
Il avait adopté un comportement destiné à la faire fuir,
alors qu'en réalité, il aurait pu changer d'attitude et tout
tenter pour la retenir. Mais le changement n'était pas dans
la nature de Bascomb. L'envers de sa passivité, de son
indifférence aux choses les plus importantes, se traduisait
par une confiance en soi stupéfiante, un entêtement inima-
ginable.

— C'est toi qui l'as chassée, dit-elle. J'en suis sûre à
présent. C'est pour cela qu'elle te hait à ce point, et qu'elle
raconte les histoires les plus abjectes à ton sujet. Il y a des
choses qu'une femme ne pardonne jamais à un homme. Et
elle ne te pardonnera jamais.

— Non, mais un homme en ferait autant. Quoi qu'il en
soit, je ne crois pas que cela se soit passé ainsi. Je ne sais pas
au juste ce qui s'est passé. En tout cas je suis content que ce
soit fini.

Chaque année en décembre, Rick était démangé par
l'envie de voir du pays. Il proposa à Catherine un voyage à
Saint Kitts, à l'est des Caraïbes. Son oncle Regis Mansure
avait une propriété là-bas, et Rick avait fait beaucoup de
voile dans cette région étant petit. Catherine lui rappela ce
qui s'était passé la dernière fois, à Mexico. Elle se demandait s'il était suffisamment solide pour entreprendre un
voyage.

— Eh bien, si je ne le suis pas, je m'effondrerai, voilà tout, dit-il calmement. Ils n'auront qu'à me rapatrier. J'ai pris des dispositions pour que Ben quitte l'école une semaine plus tôt. Je veux qu'il voie Pointe-à-Pitre et Montserrat, comme je l'ai fait moi-même à son âge, puis nous embarquerons sur le *Caitlin Triall*, le plus grand bateau de Regis. Si tu ne veux pas venir, nous partirons tous les deux, le père et le fils.

— Quand as-tu décidé de lui faire quitter l'école une semaine plus tôt ? Pourquoi ne m'en as-tu pas parlé ?

— J'ai demandé à Karen d'appeler l'école, voilà tout. Il n'y a aucun mystère là-dessous. Personne n'essaye de te prendre ton fils adoré.

Les billets étaient déjà achetés. Le *Caitlin Triall*, qui pouvait accueillir douze personnes, n'attendait qu'eux pour appareiller. L'oncle Regis se rendait plusieurs fois par an à Saint Kitts, le plus souvent en jet privé, et sa maison était toujours prête à l'accueillir. Il l'avait mise à la disposition de Rick, si le cœur lui en disait.

— J'ai pensé inviter Bob Stein, en lui offrant le billet d'avion, naturellement. Mais il y a un tel battage autour de son bouquin en ce moment que ça m'étonnerait qu'il accepte de partir à l'étranger. Cela dit, moi j'ai envie de partir... J'en ai vraiment besoin.

Le Braconnier (c'était le titre du nouveau roman de Bob) était sorti début novembre, sans beaucoup de publicité. Le premier tirage avait été limité à sept mille cinq cents exemplaires. Mais quelqu'un de la maison d'édition avait sans doute soutenu le bouquin car aussitôt après la parution des premières critiques, il avait fallu procéder à un deuxième tirage. Des encarts publicitaires avaient été insérés dans le *New York Times* et ailleurs, et une tournée promotionnelle commençait à s'organiser. Le roman arrivait en troisième position sur la liste des meilleures ventes du *San Francisco Chronicle*.

— Il paraît même qu'on veut acheter à Bob les droits pour faire un film, se lamentait Rick. Il m'a dit, oh le plus simplement du monde, qu'il avait déjà reçu plusieurs propositions pour l'édition en poche, mais son agent lui conseille d'attendre pour faire monter les prix. C'est inouï, non ? Une fois que la machine commerciale se met en route et que les gros bonnets flairent le fric, les portes s'ouvrent les unes après les autres. Et voilà notre Bob qui reçoit enfin la consécration.

Catherine se souvint du premier livre de Rick, *Escambeche*. Les portes s'étaient ouvertes pour lui aussi, les unes après les autres. Ce premier succès littéraire, total et inespéré, l'avait beaucoup marqué, même si l'argent comptait peu pour lui et s'il avait déjà connu des heures de gloire dans sa vie. Mais cette expérience avait apporté un profond bonheur à Rick, il était flatté et plus comblé qu'il ne l'avait été jusque-là, même par son mariage ou la naissance de son fils. Cette reconnaissance l'avait conforté dans l'idée qu'il était promis à une grande carrière littéraire. Il se voyait déjà atteindre le sommet et, succès après succès, il deviendrait enfin cette chose extraordinaire que l'on appelle un auteur (plutôt qu'un universitaire, un patron, un homme d'affaires ou n'importe quoi d'autre).

Cependant les succès ne succédèrent pas aux succès. La certitude qu'il allait pouvoir coucher des idées sur le papier afin de produire une quantité raisonnable de bons livres s'avéra infondée. Son goût pour la réussite et les gratifications demeurait inchangé ; mais c'était le goût pour le travail lui-même, la transcription rigoureuse des pensées et des sentiments, qui commençait à lui faire défaut. De plus, les idées de roman lui manquaient, il découvrait qu'il n'avait pas grand-chose à dire et qu'il n'avait pas l'énergie nécessaire pour le faire comme il l'aurait voulu. Peu à peu il se mit à considérer l'époque de son succès comme un accident, une cruelle désillusion, et il finit par reconnaître qu'il n'était pas, tout compte fait, un auteur.

— Et maintenant c'est Bob qui touche le gros lot, bougonna-t-il. Après des années d'une lutte sans merci, il obtient la consécration. Et avec quoi, je vous le demande ? Avec un bouquin salace sur ma propre épouse. Ça n'est pas juste. Je te parie tout ce que tu veux qu'il va jouer les grands seigneurs. Ce qui ne l'empêchera d'ailleurs pas de savourer sa victoire sur moi. De se mesurer à moi.

— Oh, Rick, si tu le penses sincèrement, répondit Catherine, je te plains. Lis d'abord le bouquin, tu verras que tu n'as rien à lui envier, absolument rien. A moins qu'il ne l'ait entièrement remanié depuis qu'il m'a fait lire le manuscrit, ce roman n'arrive pas à la cheville de tes meilleurs livres. Il est même moins bon que ce qu'il a écrit auparavant. C'est pervers, bourré de sexe, obsessionnel... exactement ce qu'on en dit dans les journaux. Mais il arrive que ce genre de truc touche une corde sensible. Il y a des tas de gens à qui ça plaît.

— Touche une corde sensible ! Ça, c'est la meilleure, Catherine. Mais dis-moi : tu n'aurais pas couché avec Bob Stein, par hasard ? Mon bon vieux copain Bob ? A moins que la réponse à ma question ne soit tellement évidente que je ne devrais même pas la poser !

Catherine nia catégoriquement tout en laissant entendre à Rick qu'il lui faisait pitié. Comment pouvait-il croire une chose pareille ? Cependant, au beau milieu de ce virulent démenti, Catherine perdit pied et elle fut obligée de lui tourner le dos pour réprimer un rugissement, ou un éclat de rire. Mais Rick ne remarqua rien. Ce sujet ne l'intéressait pas vraiment. Il se leva en prenant appui sur ses cannes.

— Il m'a utilisé, un point c'est tout ! Utilisé et exploité pendant des années. Et aujourd'hui, le monde entier le congratule. Il y a quelque chose de tellement sordide dans la conception d'un roman que si les gens le savaient, ils le fourraient directement à la poubelle. Je hais toutes ces trahisons, tous ces mensonges. Il existe pourtant des livres honnêtes, rigoureux, des livres qui s'attachent à décrire la réalité, aussi navrante soit-elle. C'est drôle, autrefois je croyais que la valeur d'un livre était fonction de sa distance par rapport au réel, de son degré d'inventivité. Aujourd'hui ce genre de merdes me fait vomir. Quand la vie commence à vous maltraiter pour de bon, on n'aspire qu'à une chose : la vérité.

Rick travaillait toujours à son livre, une chronique de sa maladie abordée du point de vue médical, moral, psychologique et spirituel. Bien que consternant, le succès de Bob ne l'abattit pas totalement, d'autant qu'il arrivait presque au bout du premier jet. Dans un sens, disait-il, le fait de ne pas être reconnu comme un auteur à part entière l'avait aidé ; cela lui avait permis de traquer la vérité sans s'encombrer d'artifices stylistiques. Il n'avait pas encore montré le manuscrit à Catherine, il lui en avait juste décrit les lignes générales. Elle en avait déduit que ce travail était pour lui une façon de dénoncer la littérature tape-à-l'œil, les romans de fiction pure qu'il s'était mis à détester. Il s'agissait d'une réflexion crue et dénuée de sentimentalisme sur sa vie, une vie marquée du sceau de la fatalité.

— Il existe une différence fondamentale entre les hommes et les femmes, affirma-t-il. Arrivés à un certain âge, les hommes n'aspirent qu'à la vérité. La vérité c'est concret, palpable, on peut en sentir le poids. Les femmes, au contraire, me paraissent enclines à conserver toute leur vie leur soif de romantisme — ce n'est pas une critique, note bien. Le réel est déjà bien assez pesant pour elles avec la maternité, le cycle menstruel, et tout le reste. Ce sont elles qui vont acheter le livre de Bob, j'en suis sûr. Les femmes raffolent des histoires d'amour torrides, surtout quand une épouse sexuellement frustrée se tape des parties de cul sublimes sur des centaines de pages avec un amant extraordinaire, merveilleux, qui arrive à point nommé. Je trouve drôle qu'un type comme Bob, qui a tellement de problèmes avec les femmes, soit incapable d'adopter un point de vue masculin dans ses romans. Pour cela il faudrait qu'il soit honnête avec lui-même, qu'il arrête de faire semblant de comprendre les femmes, de se mettre à leur place. Il trahit son propre sexe, et en plus il en fait ses choux gras. C'est comme ça qu'on réussit de nos jours dans le monde de la littérature populaire. Qu'un homme se hasarde à dire la vérité, la rude vérité masculine, et il est lynché sur place. Dans ce monde ultra-féminisé, la coalition culturelle entre aussitôt en action pour écraser l'hérétique...

Catherine s'apprêtait à répondre mais elle se ravisa : Rick était incapable de rien entendre. Elle n'avait aucune envie de relancer un débat stérile. Elle connaissait les idées de Rick, il lui en avait suffisamment rebattu les oreilles. Ils pouvaient discuter ainsi des heures durant, ressasser indéfiniment leurs positions théoriques, mais la vérité était qu'elle l'avait amèrement déçu. L'éloignement progressif et subtil de Catherine, ce repli silencieux qu'il commençait enfin à percevoir, le blessait profondément. Jusque-là, elle avait toujours déployé des trésors d'énergie pour recoller les morceaux entre eux, or aujourd'hui elle ne montrait plus qu'une immense lassitude.

— Nous les hommes des années soixante, continuait Rick, nous les vétérans de cette époque ridicule, avons fini par absorber une bonne dose d'hypocrisie féminine. Pourquoi ? Parce que les femmes sont apparues soudain comme des victimes, les laissées-pour-compte de la société... et nous, les mâles infâmes, les détestables oppresseurs, nous avons gobé leur sérénade, nous leur avons tout concédé, nous nous sommes écrasés. Résultat ? Ces misérables victimes ont relevé la tête et nous ont piétinés. Aujourd'hui ce sont elles qui mènent le jeu dans presque tous les domaines : culture de masse, littérature populaire, cinéma, publicité. L'image de l'homme viril, non avili, a totalement disparu... Si on regarde bien ce monde que les femmes ont créé, la première chose qui saute aux yeux est cette image stéréotypée de l'homme : c'est toujours lui le coupable, tout ce qu'il fait est systématiquement destructeur. La dernière trouvaille du genre est qu'il est responsable des désordres psychologiques de la femme. Nous les battons, nous abusons d'elles, toutes les occasions sont bonnes pour « assassiner » leur âme. Bien entendu, il est désormais hors de question que les femmes endossent leurs responsabilités...

Catherine écouta, d'abord patiemment, puis de moins en moins patiemment, ce discours. Elle était incapable de l'interrompre, moins parce qu'elle savait que cela ne servirait à rien que parce qu'elle ne trouvait pas en elle l'énergie nécessaire. Pour sa part, elle n'avait rien contre les hommes ; elle ne faisait pas partie de ces femmes qui les conspuaient, même s'il lui arrivait parfois de le regretter. De toute façon, sa querelle avec Rick portait sur autre chose : elle l'avait blessé, elle s'était éloignée de lui, elle était tombée amoureuse d'un autre homme. Il percevait sa défection sans vraiment la comprendre. Et il avait envie de la punir, naturellement, mais de façon impersonnelle, froidement, sans perdre sa dignité.

— C'est la société tout entière qui commence à dégénérer, continuait-il. Regarde la fascination malsaine pour les enfants maltraités, par exemple. D'accord, cela a quelque chose de monstrueux, c'est le signe d'un dysfonctionnement social grave, mais cela se produit quand les femmes abandonnent leurs enfants pour leur carrière. Elles sacrifient des générations entières sur l'autel de la « réussite », ce qui est un comble !

Si seulement il l'avait saisie à la gorge, si seulement il avait pu exploser, non pas pour des vétilles, mais pour des causes réelles ! Elle aurait peut-être trouvé le courage de lui dire la vérité, aussi cruelle et définitive soit-elle. Mais dans l'immédiat elle n'éprouvait rien d'autre que de l'impatience. Elle attendit qu'il ait terminé puis, sautant du coq à l'âne, elle aiguilla la conversation sur le voyage aux Caraïbes, voyage qui ne l'intéressait nullement. Elle se faisait du souci pour Ben, il manquerait l'école une semaine entière.

— Eh bien, dit Rick, Karen pourra l'aider. Pour ce qu'ils apprennent dans cette école, de toute façon... Je lui dirai d'emporter ses livres. Et toi, tu n'as pas envie de te joindre à nous ?

Ça n'était pas le problème. Il fallait qu'elle reste à la maison, elle avait des quantités de choses à faire, dit-elle. Cela signifiait qu'elle allait passer Noël sans Ben, pour la première fois. Rick ne la regardait que d'un œil, le menton légèrement relevé, le visage presque de profil. C'était une expression qu'il avait autrefois, à l'époque où il enseignait à l'université, une expression faussement impérieuse, un air de dire : « Ne suis-je pas le plus futé ? » Aujourd'hui, cette expression avait quelque chose de triste, comme s'il cherchait à se cacher derrière son propre visage.

— Bien, je suis contente que tu emmènes Karen, dit-elle. Ben s'entend très bien avec elle. Et puis l'endroit va certainement lui plaire. Elle va avoir l'impression d'être au paradis là-bas.

— Oui. Elle n'a jamais mis les pieds à l'étranger — c'est inouï, non ? Elle n'a même jamais été dans un autre État. Mais il est vrai qu'elle est encore toute jeune et que l'occasion ne s'est jamais présentée pour elle.

26

Pendant les vacances Catherine ne s'éloigna pour ainsi dire pas de la maison, se consacrant à ses plantations, dévastées par la sécheresse. Pour la sixième année consécutive, le niveau des précipitations avait été inférieur à la normale. Elle avait entrepris une nouvelle forme de culture, décorative autant que potagère cette fois, à base de plantes locales robustes et nécessitant peu de pluie. A cette fin, elle avait converti son meilleur jardin en champ d'expérimentation, mais les résultats étaient décevants. Elle commençait à se demander si elle n'allait pas tout abandonner.

— Ces plantes se comportent comme des loups dans une bergerie, dit Gerda, elles dévorent toutes les jeunes pousses. Il y a deux sortes de plantes, ici, Catherine, les prédateurs assoiffés de sang et les tendres agneaux. Tu ne pourrais jamais les faire pousser côte à côte.

Gerda avait une vision métaphysique des plantes, en particulier des plantes de la région : elle était convaincue que ces dernières « assassinaient » les espèces moins robustes, parfois sur de grandes distances. Ce n'était pas la première fois qu'elle observait ce genre de phénomène, de puissantes émanations, des forces végétales mystérieuses capables d'accomplir des choses surprenantes. Certaines plantes répandaient dans la terre des agents chimiques afin d'éloigner les autres espèces. C'était bien connu.

— Il ne faut surtout pas planter de *Ribes glutinosum*, dit Gerda en montrant du doigt un petit cassis. Pas dans un jardin cultivé, il va tuer tous tes légumes. Le mizuna va noircir, tiens regarde celui-là. Mais où diable l'as-tu trouvé ? Est-ce moi qui te l'ai donné ?

— Non, je l'ai trouvé dans la forêt, tante Gerda. Je l'ai déraciné et je l'ai rapporté ici.

C'était une plante qu'elle avait trouvée avec Bascomb. Il ne s'agissait pas du grand cassis sous lequel ils s'étaient assis une fois, pour essayer de « sentir » les lieux, mais d'un spécimen plus petit n'ayant pas encore atteint sa maturité. Ils l'avaient déraciné ensemble au bord d'un cours d'eau. Bascomb l'avait aidée à le porter.

— En mars, dit Gerda, lorsque ton *Ribes* se couvrira de fleurs roses, il n'y aura plus une plante à trois mètres à la ronde. Tu verras.

Catherine s'en moquait. Elle désirait presque que les plantes qu'elle avait rapportées de la forêt, le cassis et les autres, envahissent tout, laissent parler leur instinct prédateur. Les espèces domestiques qu'elle cultivait depuis des années finiraient par dépérir. Le jardin tout entier crèverait à son tour, et c'était tant mieux.

— Cela m'est égal. Je le trouve très bien là où il est, dit-elle. Je suis fatiguée de toutes ces cultures, de toute façon. J'en ai trop fait, et pendant trop longtemps. Je ne peux plus supporter les légumes.

La vieille femme renifla, perplexe ou peut-être amusée.

Gerda s'était voûtée ces derniers temps, elle était un peu plus bancale qu'auparavant. Sa hanche droite, qu'elle s'était cassée lors d'une randonnée presque quarante ans plus tôt, l'obligeait à se servir d'une canne certains mois de l'année, ce qu'elle acceptait difficilement. Parfois elle se chamaillait avec Rick à ce sujet ; elle trouvait qu'il s'était encombré beaucoup trop tôt de ses cannes, comme s'il était impatient ou fier d'exhiber son infirmité. Mais Rick n'était pas fier de sa maladie, il la combattait de toutes ses forces. Il rétorquait qu'il ne servait à rien de se voiler la face et qu'il n'y avait pas de honte à être infirme, si ce n'est la honte d'avoir honte de ses moments de faiblesse. Le premier pas consistait à accepter son infirmité. C'était selon lui indispensable si on voulait concentrer toute son énergie à essayer de guérir.

— De mon temps, répondit sèchement Gerda, un homme n'aurait pas toléré qu'on le considère comme un infirme. Il aurait tout fait pour que cela ne se sache pas. Oh, ne te méprends pas, Rick, ça n'est pas aussi facile que de se faire teindre les cheveux. Il faut avoir beaucoup de courage — une volonté de fer.

Rick haïssait sa maladie et faisait tout ce qu'il pouvait pour lutter contre, mais la vieille femme ne supportait pas de le voir amoindri. Lorsque la Société des plantes originaires de Californie, dont elle était membre honoraire, tint sa convention annuelle à Longfields en novembre, elle insista pour que Rick assume le rôle de maître des lieux qui lui revenait, tout comme lui revenait celui d'hôtesse. La fatigue de Rick, qui sautait pourtant aux yeux, ne comptait pas pour Gerda. De même, elle avait trouvé abominable que Rick puisse rester des mois alité, au début de sa maladie, et elle afficha un scepticisme grossier lorsqu'il se découvrit une nouvelle envie d'écrire. Gerda n'avait jamais apprécié ses livres — sauf le premier, et encore.

— Rick pourrait travailler pour la Fondation, dit-elle à Catherine. Il n'a pas besoin d'écrire tous ces livres. Qu'il laisse à d'autres le soin de tomber malade et de réfléchir sur le sens de leur maladie. Rick a une famille, il a un métier. Qu'il arrête de s'apitoyer sur lui-même !

— Gerda, vous savez bien qu'il n'est pas comme cela. On ne peut pas le réduire à son activité d'homme d'affaires. Ce qu'il adore faire, c'est prendre un problème et essayer de l'explorer sous tous ces aspects. Dans le cas présent, il s'agit de sa maladie.

Prendre ainsi la défense de Rick donnait à Catherine un sentiment de dignité retrouvée, même si cela ne durait pas.

Gerda, à présent dans sa quatre-vingt-sixième année, se sentait encore solide et capable, en dépit de sa hanche et de quelques autres petits soucis. Mais elle était amère, aigrie et déçue par la vie. Ces jeunes gens qu'elle avait pris sous son toit étaient en train de courir à leur propre perte et elle leur en voulait, elle se sentait trahie. Elle avait dès le début senti leur besoin pervers de détruire leur bonheur, comme s'il s'agissait d'un fardeau. La maladie de Rick, par exemple, lui apparaissait comme une affabulation. Selon elle, sa dégradation physique n'était pas la manifestation d'un désordre spirituel ou psychologique.

Elle ne pouvait s'empêcher de triompher, cependant, devant un tel spectacle — ses intuitions le concernant s'étaient avérées exactes.

Il n'était, tout compte fait, pas très différent de son père et de ses abominables oncles Regis et Ferdius, dont elle avait combattu l'invraisemblable culot sa vie entière. Tout comme ses oncles, deux êtres calculateurs, vénéneux et profondément vulnérables sous des dehors cassants, Rick était un individu froid et introverti, fondamentalement hystérique : un spécimen plus moderne et légèrement moins déplaisant que les autres Mansure.

Ce type d'homme (dont Willy, son deuxième époux bien-aimé faisait partie) avait tendance à ne rien se refuser. Ainsi, Willy s'était découvert à quarante-huit ans une passion dévorante pour les maquettes d'aéroplanes. Son goût pour la réalisation de modèles motorisés de plus en plus sophistiqués (et coûteux) le mena inéluctablement au désir de posséder son propre appareil. Il y eut d'abord les leçons de vol, puis les excursions périlleuses à bord de mono-moteurs ; suivirent les avaries en tout genre, les aventures les plus rocambolesques et, pour finir, l'accident fatal. Il signa son arrêt de mort le jour où il s'éveilla avec la certitude qu'il avait jusque-là nié sa personnalité profonde en empruntant les sentiers battus. En conséquence, il décida de n'écouter que son cœur, et de suivre la voie que cet étrange organe voudrait bien lui indiquer.

Gerda considérait que Rick ne faisait pas mieux en fabriquant de toutes pièces et gratuitement ce monstrueux effondrement physique qui ne le conduisait qu'à se replier sur lui-même. Il avait cette conviction typique des Mansure que sa vie avait valeur d'exemple.

Derrière leur séduisante façade, ces hommes n'étaient pas humains. L'épreuve souveraine pour celles qui les avaient épousés était la découverte de leur vraie nature. Elle les conduisait au désespoir, ne leur laissant d'autre choix que de dépérir ou de trouver refuge dans la frivolité. Mais Catherine lui avait semblé différente au départ. C'était une fille solide, vivante, et profondément gentille sans être idiote. La réalité de la situation ne lui avait pas échappé, pourtant elle ne s'était montrée ni intimidée ni affolée. Cependant, depuis l'année dernière, elle avait commencé à changer. Pendant quelques mois, elle s'était mise à déprimer, puis, paradoxalement, la maladie de Rick, à mesure qu'elle progressait, semblait la libérer. Cela n'avait rien à voir avec de la répulsion, ou une absence de désir pour lui. Il y avait quelque chose de beaucoup plus fondamental, de plus persistant dans les effets que la maladie avait sur elle : la preuve en était qu'elle lui prodiguait des soins sans faire de sentiment ni culpabiliser, ce que n'aurait pas fait une épouse désespérée. Elle se contentait de le soigner, de subvenir à ses besoins et rien d'autre. Son cœur était ailleurs, et il n'y avait rien qui pût la ramener à lui.

Bien qu'admirative du changement qui s'était opéré chez Catherine — elle considérait que c'était pour elle la seule façon de préserver sa dignité —, Gerda était écœurée. Elle réalisait à présent combien elle avait idéalisé cette famille adoptive. Leur capacité à vivre ensemble lui avait fait augurer d'un rêve longtemps caressé, celui d'une vie au-delà de sa propre vie, dans ce monde merveilleux de forêts cultivées avec amour. Mais ils l'avaient déçue. Ils ne pensaient qu'à servir leurs obscurs desseins personnels. Catherine, de toute évidence, avait pris un amant et si elle restait à la maison, c'était uniquement parce qu'elle avait le sens du devoir. Rick naturellement, demeurait inchangé. Toujours aussi froid et distant — et plus fasciné que jamais par lui-même. Sa propre importance était son drame, or il ne ferait rien pour s'en guérir.

Un jour, en fin d'après-midi, Gerda avait rencontré Catherine, qui revenait d'une mystérieuse escapade. Gerda avait physiquement ressenti le plaisir que son aventure procurait à Catherine. Du même coup elle avait compris que ses espoirs étaient vains, ses fantasmes, absurdes. Catherine avait l'air euphorique, rêveuse, transfigurée. Gerda profita à sa manière de cette merveilleuse sensation : une chaleur rayonnante semblait émaner de la poitrine de la jeune femme et pénétrer dans la sienne.

Elle ne dit rien cependant. Les mois passèrent sans qu'elle fît la moindre remarque. Elle était simplement un peu étonnée de constater que sa déception allait croissant, ce qui ne faisait que la renforcer dans l'idée qu'elle avait été sotte, qu'elle s'était laissée abuser par ses propres espoirs. Elle devenait sentimentale en vieillissant, finit-elle par se dire. Après toute une vie passée ici, à cultiver, à exercer un pouvoir sans partage sur la terre, elle avait fini par se croire omnipotente.

— Il faut absolument te débarrasser de ces buissons, insista-t-elle à nouveau auprès de Catherine un matin, alors qu'elles rentraient du jardin. Sache qu'ils vont pousser là où tu ne veux pas et tuer tes cultures. Ce sont des assassins. Ils ne savent rien faire d'autre que détruire.

— Très bien. Je crois que vous avez raison, au fond. Je vais tout ratiboiser une bonne fois pour toutes.

Et Catherine prit la vieille femme par le bras et elles s'engagèrent sur le sentier raide et incertain.

27

Bascomb était parti à San Francisco pour rendre visite à son père. Dès qu'il fut de retour au canyon, il appela Catherine à la maison et ils convinrent d'un rendez-vous. Le surlendemain de Noël.

— J'avais apporté mon violon avec moi, mais il était malade. Il a attrapé une bronchite. Nous avions décidé de jouer le double concerto pour violon de Bach. Lorsque j'étais au conservatoire, il nous arrivait d'essayer de le jouer. C'est lui qui joue la première partie, naturellement.

— Il est très malade ?

— Oh, il va mieux. Je lui ai joué quelques vieux morceaux pendant qu'il était au lit. Il m'a dit qu'il les aimait bien.

Bascomb s'était fait couper les cheveux. Il s'était mis sur son trente et un pour faire plaisir à son père — peut-être portait-il les mêmes vêtements lorsque Catherine lui rendit visite — en tout cas, elle le complimenta sur son élégance.

— Tu m'as manqué, dit-il finalement, et elle fut touchée.

Il posa sa main sur sa joue comme pour en tester la température. Elle le regarda droit dans les yeux, elle attendait qu'il la prenne dans ses bras.

— Tu m'as manqué, toi aussi.

Le contact de son corps la surprit. Elle avait presque oublié à quel point c'était doux et chaud. Cette sensation coupait court à tout ce qui pouvait la tourmenter.

— Maintenant embrasse-moi, dit-elle, touche-moi.

Ce soir-là il lui demanda de rester. Depuis qu'ils se connaissaient, ils n'avaient jamais passé une nuit ensemble. Elle dit qu'elle hésitait, qu'il fallait qu'elle appelle à la maison, qu'elle parle à Gerda. L'idée qu'elle dût demander la permission de découcher, comme une collégienne, l'amusait. Lorsqu'elle prit le téléphone, juste enroulée dans une couverture de laine, il s'approcha d'elle et, soulevant le bord de la couverture, commença à la caresser. Au moment où on décrochait à l'autre bout de la ligne, il mit un doigt dans son sexe, un bras passé autour de sa poitrine. Elle essaya de se débattre, mais il la retint captive en resserrant son étreinte et pénétra plus profondément en elle.

— Très bien, dit-elle, très bien. A demain donc.

Dès qu'elle eut raccroché, il battit précipitamment en retraite, tandis qu'elle se lançait à sa poursuite, en lui assenant des coups de pieds. Il se laissa tomber à terre et les coups se mirent à pleuvoir. Il se recroquevilla, à genoux.

— Ne t'avise plus jamais de faire une chose pareille, lui intima-t-elle, en le frappant sans merci, tandis qu'il riait aux éclats.

Lorsqu'ils eurent regagné le lit, un peu plus tard, elle lui demanda s'il voudrait bien l'emmener à San Francisco. Elle aimerait beaucoup rencontrer son père, lui dit-elle. Il lui promit qu'il le ferait. Elle avait songé à partir s'installer ailleurs, récemment — à Berkeley peut-être, ou même à San Francisco.

— Est-ce vraiment une bonne idée ? Ta maison est ici. La mienne aussi...

— Oui, je sais, répondit-elle. Mais je ne peux pas rester ici plus longtemps. Je ne peux plus vivre avec Rick et je ne vais tout de même pas m'installer six kilomètres plus loin, dans ta maison à toi.

— Ah, non ? Et pourquoi pas ?

Elle avait élaboré un plan de séparation en tenant compte des conséquences matérielles et émotionnelles que son départ provoquerait. Elle partait du principe que le canyon n'était pas assez grand pour Rick et elle. Elle ne souhaitait pas aggraver sa colère et son ressentiment en restant dans les environs. Il fallait qu'ils se séparent, certes, mais elle voulait une cassure nette, dans la mesure du possible, afin de lui épargner trop de souffrance. Il lui paraissait plus sage de s'expatrier, au moins pendant un certain temps.

— Pourquoi ne viendrais-tu pas habiter ici, avec moi ? demanda Bascomb, réellement perplexe. Il est bien entouré avec toutes ces demoiselles qui sont aux petits soins pour lui, peut-être qu'il ne serait pas mécontent de te voir partir en fin de compte. Peut-être que le processus est plus avancé que tu ne l'imagines et qu'en fin de compte il se fiche de ce que tu vas faire.

— Peut-être qu'il s'en fiche, mais moi je ne m'en fiche pas. Et je sais très bien ce qu'il va ressentir — pas parce qu'il m'aime, mais parce qu'il croit qu'il est seul à décider de tout pour tout le monde. Or moi je n'ai plus envie de lui appartenir de cette façon. Je veux m'en aller. Il est chez lui ici, tu sais, tout le canyon lui appartient. C'est une espèce de prince capricieux, un monarque absolu qui bannit ses ennemis. Il ne peut pas fonctionner autrement, c'est plus fort que lui.

Bascomb ronchonna. Elle cherchait trop à ménager la susceptibilité de Rick. Quand allait-elle commencer à penser à elle, et à lui par la même occasion ?

— Je ne fais que ça, dit-elle. Je ne pense à rien d'autre, ne le vois-tu pas ? Mais je ne veux pas qu'il me prenne mon fils. Je ne le supporterais pas, quoi qu'il arrive. C'est pour cela qu'il faut que je sois prudente. Mais j'ai peut-être trouvé la solution. Je crois savoir comment m'y prendre.

Ils dormirent comme des anges, cette nuit-là. Catherine se sentait en sécurité, bercée par le silence de la vieille maison de bois, là-haut parmi les séquoias. Même Bascomb, qui n'avait plus l'habitude de partager son lit, dormit à poings fermés, les bras passés autour d'elle.

28

Lorsque Rick rentra de voyage, Catherine se sentait prête à lui parler, mais l'agitation du retour lui fit perdre ses moyens, et elle laissa passer l'occasion. Après des vacances merveilleuses, ils rentraient tous en pleine forme, pleins de vitalité, y compris Ben, qui n'avait téléphoné que deux fois à Catherine pendant leur séjour. Elle l'accueillit à bras ouverts, en le couvrant de baisers convulsifs, presque désespérés ; il se renfrogna, comme il l'avait fait avec Karen lorsque celle-ci était revenue à la maison. Mais Catherine se contenta de rire, le cœur débordant de joie.

Puis, peu à peu, l'enfant se détendit. Il se mit à lui raconter son voyage, avec une quantité surprenante de détails, mais d'une voix totalement monocorde, sans insister sur un événement ou sur un autre. Il avait fait de la voile, vu des requins, et mangé une goyave. Il avait aussi fait un tour en hélicoptère, et étudié différentes stratégies pour mettre l'adversaire échec et mat dans un livre d'échecs que son père avait emporté avec lui.

— Il y a toujours moyen d'éviter de faire pat, dit Ben, mais il faut exploiter les cases vulnérables. Attends, je vais te montrer...

Rick aussi semblait aller bien — un peu hagard peut-être, mais son hâle lui donnait l'air plus vigoureux. Il avait emporté son ordinateur portable et, quelque part en mer, du côté de Basse-Terre, il avait terminé son livre. Il ne s'agissait que d'un premier jet qui avait besoin d'être peaufiné, mais il avait déjà appelé son agent, qui lui-même s'était mis en contact avec son ancien éditeur. Ils s'étaient tous déclarés curieux et impatients de lire son nouveau bouquin.

— Un livre aussi personnel que celui-là, dit Rick à Catherine, c'est comme une histoire qu'on se raconterait inlassablement à soi-même, jusqu'à ce qu'elle soit parfaite. C'est pour ça que je préfère ne pas leur montrer le premier jet. Le peaufinage se fait tout seul ensuite, à mesure que les idées jaillissent de l'inconscient. Je ne parle pas d'améliorations techniques, tu comprends, mais pour te donner une image, c'est un peu comme quand le sol se dérobe sous nos pieds, on se retrouve brusquement au-dessus d'un gouffre immense et terrifiant dont on ignorait l'existence et qu'on se sent obligé d'explorer. Voilà pourquoi je n'ai pas envie de les voir triturer dans mon texte alors qu'il n'est pas terminé. Karen en a lu des passages, note bien — les trois derniers chapitres. Et ses commentaires m'ont beaucoup aidé.

Nul doute que cette dernière remarque était un reproche non déguisé à l'adresse de Catherine, qui ne s'était intéressée ni de près ni de loin à son nouveau livre. Rick lui signifiait qu'il pouvait la remplacer aisément dans ses fonctions de conseillère littéraire. Bien que peu instruite, Karen n'en demeurait pas moins vive et motivée, assoiffée de connaissances. Rick avait commencé à la conseiller dans ses lectures, et la plupart des ouvrages qu'il lui avait indiqués lui avaient plu.

La gouvernante, qui avait beaucoup profité du soleil, se joignit à eux pour le repas du soir. Elle avait embelli, son teint avait doré sans brûler (elle avait pris toutes les précautions d'usage : chapeau de soleil, crème solaire écran total). Ses yeux étaient d'un vert incroyablement éclatant. Ils brillaient comme si le vif argent des eaux tropicales s'y était imprimé. Quelque chose s'était modifié dans sa façon d'être, comme si elle avait enfin pris conscience de son pouvoir de fascination sur les autres. Elle en avait acquis davantage d'assurance, et son passage suscitait des regards de plus en plus admiratifs.

Lorsque Catherine l'interrogea sur son séjour en mer,

Karen lui dit qu'elle avait été malade les premiers jours, mais qu'ensuite elle avait fini par s'habituer au roulis et au fait que la ligne d'horizon n'arrêtait pas de monter et de descendre. Ce qu'elle avait préféré, c'était les haltes qu'ils faisaient dans de petites criques que Rick repérait sur ses cartes marines. Ils commençaient par explorer les plages et ensuite ils se baignaient — l'eau des îles était si chaude, si douce et si pure.

— Et toi, le « Chalut », demanda Karen en se tournant vers Ben, c'est aussi la baignade que tu as préféré ?

(Le « Chalut » était apparemment le nouveau surnom de Ben. Catherine fut stupéfaite de voir qu'il y répondait volontiers. C'était l'un des membres de l'équipage qui le lui avait donné, un Martiniquais féru de pêche qui lui avait appris à remonter les filets. Après quoi tout le monde s'était mis à appeler Ben le « Chalut ».)

Ben reconnut que la baignade lui avait beaucoup plu jusqu'au jour où il avait été très effrayé par un banc de barracudas qui faisait des cercles autour du bateau. A partir de ce moment-là il n'avait plus voulu se baigner.

— Oui, s'esclaffa Rick, nous avons eu un petit problème ce jour-là. Il était persuadé que les barracudas, étant plus petits que les requins, préféraient manger les petits garçons. En revanche les requins ne lui faisaient absolument pas peur. Et pourtant la mer en était infestée.

Comme il fallait s'y attendre, Catherine poussa des hauts cris, reprochant à Rick de les avoir exposés à de tels dangers. Rick se contenta de sourire, heureux d'être resté un marin intrépide, même avec son fils.

— Quand on se baignait à la bonne heure du jour, on ne courait pratiquement aucun risque, dit-il à Catherine pour la rassurer. Et le Chalut a bravement réussi à dépasser sa peur des barracudas.

Le dernier jour, ils avaient fait un peu de plongée près d'un récif appelé la Pointe des barracudas et personne ne s'était fait dévorer, apparemment.

Lorsque Gerda rentra ce soir-là, chacun se précipita pour l'accueillir, mais elle repoussa ces effusions avec hargne, en brandissant le pommeau de sa canne d'érable. Elle avait perdu sa journée à discuter avec sa gynécologue, déclarat-elle. Son vieux médecin, qui l'avait suivie pendant quarante-trois ans, était mort récemment et c'était « une idiote de bonne femme » qui avait racheté le cabinet. Le vieux spécialiste, le Dr Steiman, l'avait toujours traitée avec humour et impertinence, dit-elle, il savait plaisanter et la taquiner dans son allemand ponctué d'inflexions yiddish.

— Lui, il connaissait mes entrailles de fond en comble. Dites-moi pourquoi les femmes se mêlent de faire de la médecine ? Cette pauvre fille s'imagine qu'elle me comprend parce qu'elle est une femme, mais moi je viens d'un autre monde, comme je lui ai dit, d'une autre époque, presque d'un autre siècle. Elle ne comprend rien. Ses mains sont incapables de sentir quoi que ce soit. Même Steiman, qui n'y voyait qu'à moitié, était meilleur qu'elle.

Au bout d'un moment elle continua :

— Quand les toubibs se mettent à sourire sans raison, c'est qu'ils ont une idée derrière la tête. Ils s'imaginent qu'ils savent mieux que vous ce qui est bon pour vous. Mais je connais parfaitement mon corps, merci. J'ai l'impression que ma tête ne lui revient pas à cette idiote, elle n'a aucune sensibilité.

Catherine resta pour parler avec Gerda après que les autres furent montés se coucher. Et peu à peu elle découvrit que la nouvelle gynécologue, sensible ou non, avait dérangé Gerda en lui suggérant de se faire opérer. Le vieux Steiman avait diagnostiqué une grosseur au niveau du pelvis, quelque chose qui ressemblait à un fibrome. Mais le Dr Strick, sa nouvelle gynécologue, préconisait une dilatation et un curetage pour connaître précisément la nature du problème. Gerda avait déjà eu des fibromes dans le passé, elle savait que ce n'était « rien du tout ». Elle avait même eu des saignements à l'époque.

— Je sais bien comment je me porte, protesta-t-elle. Je suis vieille, c'est un fait, mais j'ai encore tous mes viscères et je n'ai aucune envie de me faire dépecer puis rapiécer, merci bien.

— Une dilatation et un curetage, ça n'est pas bien méchant, Gerda, ils ne vous endorment même pas. J'en ai eu un il y a trois ans, mon amie Maryanne aussi, et tout s'est très bien passé. Ça n'est pas grand-chose.

La gynécologue de Gerda lui avait décrit l'intervention

en détail, bien sûr. Mais la vieille femme n'avait rien voulu savoir, elle prétendait qu'il lui fallait une approche « personnalisée » comme celle qu'elle avait connue avec le vieux Dr Steiman. Catherine lui suggéra de consulter un autre médecin, mais Gerda rejeta catégoriquement cette idée.

— Non merci, j'ai déjà donné. C'est comme Rick, il n'a vu que des imbéciles et des charlatans. Ils finissent par vous rendre aussi maboules qu'eux. Je crois qu'ils voient trop de morts, ces gens-là, et que ça les terrifie. Un médecin ne devrait pas avoir peur de la mort, il devrait l'accepter, l'aimer même. Quand vous franchissez le seuil de leur cabinet, vous n'êtes déjà plus qu'un cas : une vieille femme qui pèse tant, qui mesure tant... Probabilité de cancer du sein, vingt-quatre pour cent. Cancer de l'utérus, seize pour cent. Cancer des os, tant de pour cent, etc.

Catherine était sûre qu'en dépit de ses virulentes protestations, Gerda accepterait de se soumettre aux examens. Elle était la plupart du temps puissamment, farouchement rationnelle. Le secret de sa vitalité reposait essentiellement sur sa capacité à faire la part des choses et, dans une large mesure, à se débarrasser de ses préjugés afin de prendre les décisions difficiles mais nécessaires. C'était ainsi que Catherine la percevait en tout cas.

— Si vous voulez, je peux appeler mon gynécologue, insista Catherine, le Dr Meadows. Il faut que je prenne rendez-vous de toute façon.

Gerda secoua la tête, comme si rien ne devait la faire revenir sur sa décision.

Quelques semaines plus tard, Catherine trouva enfin une occasion pour parler à Rick. Elle lui dit qu'elle songeait à s'éloigner quelque temps, qu'elle souhaitait vivre en ville toute seule. Elle avait besoin de se séparer de lui pendant un certain temps, pour voir si la chose était viable.

— Très bien, dit Rick avec une espèce de petit sourire. C'est comme tu voudras. Tu comptes emmener Ben avec toi ?

— Pas dans un premier temps. Je ne me vois pas faire une heure et demie de voiture chaque jour pour l'amener à l'école. Je viendrais le prendre le week-end.

Rick hocha la tête en silence.

Catherine eut soudain une légère bouffée d'angoisse. Ils avaient prononcé les phrases qu'il est d'usage de prononcer quand on se sépare, et pourtant elle se sentait un peu ivre, elle n'arrivait pas à croire qu'elle avait franchi le pas. Rick aussi paraissait légèrement désorienté.

— Autrement dit, Ben va vivre principalement ici, dit-il. Tu souhaites qu'il reste à l'école du village, c'est bien cela ?

— Oui, il me semble.

Elle avait le sentiment de commettre une grave erreur concernant Ben, mais elle ne voyait pas comment l'éviter. Il fallait qu'elle fasse semblant d'accepter toutes les conditions de Rick car elle savait que lorsqu'on s'en remettait à lui, il était rare qu'il vous déçoive. Mais cette loyauté avait un prix : elle devait prendre des risques en espérant qu'il ne s'en servirait pas contre elle.

— Très bien, dit-il en se levant de son fauteuil. Nous ferons comme cela.

Il lui jeta un coup d'œil sceptique. Était-ce tout ? N'y avait-il rien d'autre à discuter ? Allaient-ils faire comme si Ben était le seul problème qu'il importait de régler ?

Comme elle se taisait, il ajouta :

— Si c'est à cause de Karen, je suis désolé. Je ne voulais pas te blesser ou t'humilier. J'aurais vraiment préféré que ça se passe autrement, je t'assure. Mais il y a autre chose, n'est-ce pas ? Ça n'est pas seulement à cause de Karen ?

Au bout d'un moment elle répondit :

— Karen ? Ça n'est pas seulement à cause de Karen, non...

C'était donc arrivé. Elle n'était pas vraiment surprise, elle ne l'était même pas du tout. Elle s'en doutait depuis plusieurs semaines déjà, mais cela lui était égal.

Rick eut l'air décontenancé par son indifférence. Il l'avait pourtant trompée, sous leur propre toit. Elle aurait même pu interpréter cet acte comme une volonté délibérée de l'humilier. Était-il possible que cela lui soit égal ?

— Bien. Et si ça n'est pas Karen, alors ?

— Oh, Rick, dit-elle, faut-il absolument que nous entrions dans ce genre de détails ? Je n'en suis pas sûre. Je suis une idiote, une incorrigible optimiste. Il m'a fallu des années pour comprendre qu'il nous manquait quelque chose. Mais aujourd'hui je suis prête à le reconnaître. Je ne t'aime plus, Rick, je n'éprouve plus le même intérêt passionné pour toi, du moins pas le genre d'intérêt que tu mérites.

Rick souriait. Oh, il ne la laisserait pas s'en tirer à si bon compte. Il n'allait tout de même pas abandonner la partie, pas encore. Un instant, elle craignit qu'ils ne finissent par perdre de vue le fond du problème. Elle entendait déjà ses railleries sur son mérite, sur le prétendu intérêt qu'elle était censée lui témoigner.

Il réussit à se contenir, et dit d'une voix franche et quelque peu distante :

— Le mariage ne fonctionne pas ainsi, Catherine. Je m'étonne que tu ne l'aies pas encore compris. L'intérêt passionné pour l'autre est une grande et belle chose, mais je ne prétends pas l'éprouver et je ne l'exige pas des autres. Deux personnes qui se marient font un pacte, voilà tout — elles décident de vivre ensemble. Puis, à mesure qu'elles vieillissent, elles apprennent à se connaître, tout en s'efforçant d'accepter l'autre tel qu'il est. Elles font simplement route ensemble, quoi qu'il arrive. Sans doute parce que c'est plus facile que de vivre seul.

— Mais je ne peux pas vivre comme cela, Rick, répondit-elle. J'ai besoin de sentir chez l'autre le désir de me connaître. C'est tout ce qui compte pour moi. Et le jour où on trouve ça, on réalise qu'on n'a pas vraiment vécu avant. Le seul problème est de savoir si je m'aime assez moi-même pour mériter que cela m'arrive. En ce moment, j'ai l'impression que oui...

Avait-elle dit quelque chose de drôle ? Rick semblait sur le point d'éclater de rire.

— La valeur de tes mérites, Catherine, est... pour le moins impressionnante ! railla-t-il. Très impressionnante, même. Pourquoi diable les femmes s'imaginent-elles qu'elles sont si intéressantes ? Pourquoi un homme voudrait-il connaître une femme aussi intimement ? Dans quel but, je te le demande, un type passerait-il sa vie à t'étudier, à te sonder ? Qu'il soit un bon compagnon, d'accord... un mari responsable, un amant attentif, tout ce qui fait généralement partie de ce genre de pacte. Mais où est-il écrit qu'il devrait se prosterner à tes pieds et s'interroger sur toi indéfiniment comme si tu étais le plus précieux des mystères ?

Catherine ne comprenait pas où il voulait en venir. Elle avait l'impression d'avoir réveillé une vieille amertume, une de celles qui rongeaient secrètement Rick et dont il traitait peut-être dans son nouveau livre. Comme elle ne trouvait rien à lui répondre, il poursuivit :

— Quand cesserez-vous de vous octroyer systématiquement les bons sentiments, de dominer la culture, de contrôler l'air du temps et d'exiger de nous une attention constante ? Nous n'avons plus rien, plus rien du tout à vous donner. La réponse à la question : « Que veulent les femmes ? », c'est : « Tout. Elles veulent tout et plus encore. » Mais je ne peux pas te donner ça, Catherine. Il y a des limites que je n'ai pas envie de dépasser. Et le monde que tu voudrais bâtir selon tes propres lois, selon tes seules préjugés, serait irrespirable. Je ne pourrais pas vivre dans un monde totalitaire dirigé par des commissaires en jupon. Et je n'entends pas me soumettre à votre forme pervertie de pensée — ni me prosterner à vos pieds de femelles avides et insatiables.

Catherine ne pouvait que secouer la tête. Elle l'aurait volontiers planté là, mais elle avait eu tant de mal à aborder le sujet avec lui qu'elle ne voulait pas lâcher prise. Rick la regardait d'un œil mauvais. Elle sentait l'orage qui grondait en lui, la foudre qui s'apprêtait à fondre sur elle.

— Oh, Rick, dit-elle précipitamment, je ne te demande rien. Je te dis simplement que j'ai cessé d'espérer. Je sais ce que je veux à présent et je sais que tu ne peux pas me le donner. Regarde-moi, Rick. Regarde-moi bien. Sois présent, juste une minute. Essaye de me comprendre. Ça n'est pas parce que je suis une femme, cela n'a rien à voir. Ni parce que je désire quelque chose d'impossible...

Il la regardait, furieux. Pourtant cette attention qu'il lui prêtait enfin avait quelque chose d'impersonnel, voire d'hostile. Elle ne redoutait plus sa colère à présent — simplement cette attitude la déprimait. Au bout d'un moment, comme il continuait à la fixer, glacial, elle commença à sentir l'absurdité de sa demande. Comment avait-elle pu espérer qu'il la reconnaisse ou même qu'il l'entende ? Il en était profondément incapable. Et pourtant elle savait que s'il l'avait voulu, il aurait pu la comprendre. Car ses pouvoirs étaient immenses, dans tous les domaines.

— Je te regarde, Catherine.

— Oh non, Rick.

— Mais si... Malheureusement je ne vois pas du tout ce que tu crois, à savoir quelqu'un d'audacieux, d'authentique, quelqu'un qui cherche à briser ses chaînes. Non, non, pas du tout, je ne vois qu'un être égoïste. Un être incroyablement capricieux qui n'a jamais été obligé de travailler pour gagner sa vie. Voilà à quoi ont servi vingt-cinq ans de revendications féministes : à nous accuser des pires maux et à vous donner le droit de détruire un mariage en toute impunité. Et avec un certain sentiment de libération, par-dessus le marché. Oui, je te regarde, Catherine. Je te regarde...

Elle commençait à perdre pied. Elle était épuisée, mais surtout, sa patience était à bout. Brusquement, elle lança :

— Je suis amoureuse, Rick, c'est tout. J'aime un autre homme. Maintenant tu as une bonne raison de me haïr, même si je vois bien que tu t'en fiches.

Il resta un instant sans voix. Il se tenait toujours à quelques pas d'elle, la jaugeant d'un œil digne et sûr de lui. Elle ajouta :

— J'ai un amant, Rick, quelqu'un qui peut me rendre heureuse, je crois. Je veux vivre avec lui, c'est pour ça que je te quitte. Un point c'est tout. Alors si tu me hais, fais-le au moins pour la bonne raison.

— Épargne-moi tes rodomontades, Catherine, veux-tu ? Je sais tout de ta liaison naturellement. Ne me dis pas que tu ne le savais pas ! J'ai honte pour toi, nous avons tous honte pour toi. Car ce n'est pas joli-joli, vu de l'extérieur. Si j'étais toi, je m'abstiendrais de le crier sur tous les toits.

Elle ressentit cruellement ses mots. Elle fit un pas en arrière, s'apprêtant à partir. Au même moment, Rick se redressa, en prenant appui sur une de ses cannes. Sa main libre reposait sur le canapé vanille, dont les coussins moelleux s'enfonçaient sans vraiment le soutenir.

— Je suis navrée, dit-elle vaguement. Je voulais te l'annoncer moi-même. Je vois que cela t'est égal, de toute façon. Ça ne te touche pas.

— Laisse-moi en décider tout seul, veux-tu, Catherine ? Je sais que tu m'as catalogué comme quelqu'un de froid, incapable de sentiments et par voie de conséquence d'autant plus facile à tromper. Mais j'ai mes propres pensées. Je suis même capable de quelques sentiments, Catherine, que tu le veuilles ou non. Et peut-être qu'un jour je t'en parlerai.

29

Le malaise de Catherine s'accrut considérablement après cette conversation avec Rick, qui se poursuivit de manière décousue pendant les deux jours suivants. La stratégie de Rick consistait à ne montrer aucun des sentiments qu'il avait exprimés, si ce n'est son mépris pour elle et sa profonde déception — elle s'était montrée indigne, car non seulement elle avait pris un amant, trahissant ainsi son mari et leur engagement mutuel, mais elle le lui avait avoué. Elle avait commis l'erreur de se prendre au sérieux et de se laisser aller à la rébellion en s'imaginant que cette sordide liaison dont il n'y avait pas lieu de se glorifier pouvait bouleverser sa vie. Il s'était bien gardé de lui dire tout ça cependant, il s'était contenté de lui faire comprendre à demi-mot que, bien que blessé, il était prêt à lui pardonner.

— J'imagine que c'était plus commode pour vous deux, lui dit-il avec un air de profond dégoût, qu'« il » habite dans le canyon... N'a-t-il pas travaillé pour nous dans le passé ? Il me semble que si.

— Non, Rick. Il n'a jamais travaillé pour nous. Tu te trompes.

Elle était désorientée. Elle ne reconnaissait plus son mari. Il avait toujours été capable de se dominer, bien sûr, et d'afficher du mépris, mais cet incroyable sang-froid devant l'infidélité de sa femme allait bien au-delà de tout ce qu'elle aurait pu imaginer. Autrefois, il aurait exigé le divorce — il n'aurait jamais accepté d'être humilié.

Il était plus faible aujourd'hui parce que la maladie l'avait profondément affecté. Mais il n'avait pas plus besoin d'elle qu'avant, au contraire. Il avait prouvé qu'il pouvait se passer d'elle à tous les points de vue, en lui substituant Karen, Rachel, et les autres. C'est pourquoi son entêtement à sauvegarder leur mariage n'avait pas de sens...

— Karen va m'accompagner à Los Angeles, annonça-t-il un soir. Les cinq derniers jours de février, je crois bien. C'est pour la Fondation.

Qu'était-elle censée répondre ?

— Très bien, dit-elle au bout d'un moment, ça m'est égal, c'est comme tu voudras.

— Tu n'y vois donc... aucune objection ? Tout va bien, au fond.

Ils étaient à égalité, c'était le message qu'il semblait vouloir faire passer. Il avait Karen et elle avait son amant, aussi indigne fût-il. La situation était donc plus ou moins équilibrée, l'issue restait en suspens.

— J'emmène Karen avec moi, répéta-t-il, ce qui veut dire que tu devras t'occuper de Ben toute seule. — Comme si elle ne s'était pas occupée de Ben toute seule depuis qu'il était né ! — Mais, au fait, es-tu sûre d'être encore là fin février ?

— Je ne sais pas, Rick. Je ne sais pas si j'aurai trouvé un logement d'ici là.

Elle avait toujours l'intention de s'installer à San Francisco — même si l'étonnante tolérance de Rick, son esprit de dédaigneuse conciliation, semblait indiquer que cela ne serait peut-être pas nécessaire. Était-il vraiment indispensable qu'elle parte vivre ailleurs ?

Bascomb écouta patiemment son récit des événements, sans faire aucun commentaire. Il avait l'air de trouver naturel qu'elle ait parlé à son mari, qu'elle lui ait tout raconté. La réaction de Rick ne semblait pas le surprendre non plus.

— Bien sûr qu'il cherche à te garder à tout prix. Il pense que vous finirez par vous réconcilier. Que l'orage va passer. Ou bien que les choses n'ont pas véritablement changé. Il n'y a jamais eu de véritable intimité entre vous, n'est-ce pas ?

— Non, mais tu ne comprends pas. Il m'a dit un jour qu'une seule chose était véritablement impardonnable à ses yeux : l'infidélité. Pour lui, c'est un manque de respect pour le mariage, d'abord, et pour le conjoint ensuite. Il ne serait jamais infidèle, disait-il, parce que selon lui les amours de passage ne méritaient pas de mettre en péril le mariage. En plus, il ne se permettrait jamais de piétiner ma dignité. La dignité passe avant tout, c'est sa raison d'être.

— Il ne lui est jamais arrivé de te tromper quand il partait en voyage d'affaires, au Guatemala et tout ça ?

— Nous partions toujours ensemble. Je ne crois pas qu'il ait jamais couché avec une autre femme. De toute façon, ça ne m'a jamais vraiment intéressée.

Au bout d'un moment, elle comprit que Bascomb, qui essayait de demeurer impassible, était pris de court par ce changement radical de situation. Comme un être à demi mort de froid qui retrouve tout doucement l'usage de ses membres, il la prit dans ses bras et l'étreignit avec une ferveur croissante, l'œil fixe, étrangement écarquillé. A vrai dire, il n'avait jamais imaginé qu'elle avouerait un jour leur liaison à son mari, lui conférant par là une indéniable réalité. Il voulut l'entraîner vers la chambre à coucher, mais elle refusa. Il se consola en balayant une mèche qui tombait sur son front, et en passant ses doigts dans ses cheveux.

— Bien sûr qu'il te veut... Il n'arrive pas à croire que tu vas le quitter, ne serait-ce que pour des raisons matérielles.

— Je ne reviendrai jamais sur ma décision, affirma-t-elle. Jamais. La seule chose un peu passionnée entre nous était la convention qui régissait notre mariage : les termes en étaient si rigides ! Fidélité absolue, immersion complète dans la vie du conjoint, à certains niveaux. Mais quand on commence à prendre du recul, on découvre qu'il n'y a rien... que du vide. La seule chose qui m'ait jamais émue chez lui, c'est son autorité, cette volonté de me posséder de façon aussi absolue... même s'il ne m'a jamais véritablement choisie.

Lorsqu'ils firent l'amour, ce jour-là, Bascomb était inquiet, comme s'il avait peur d'avoir des gestes trop familiers. Ce qui venait de se produire bouleversait leur relation, et cela l'effrayait. Catherine sentit son malaise et en

199

fut affectée, les idées ne cessaient de tourner dans sa tête alors qu'elle aurait voulu les chasser. Bascomb l'étreignait plus qu'il ne lui faisait l'amour, elle avait l'impression qu'il l'avait pénétrée presque par accident.

Tandis qu'ils étaient étendus côte à côte, tristement songeurs, l'alchimie des cœurs se mit en marche, et Catherine commença à se dire que même si elle avait commis une faute irréparable, elle l'avait fait avec une certaine honnêteté. Et cette simple pensée, qui prenait la forme de leurs deux corps enlacés, la rasséréna. Leurs corps étaient beaux, et c'était déjà une raison en soi. A cet instant précis, elle eut l'impression que Bascomb était très loin, perdu quelque part dans ses propres pensées. Puis tout à coup il revint à elle, et elle sentit une source de lumière qui jaillissait entre ses reins, la raideur fit place à la chaleur pour se transformer en un flot iridescent — les pensées faisant place aux sentiments, sentiments et pensées désormais indissociables.

Ils firent l'amour avec pudeur et retenue. Pour Catherine, ils célébraient la sympathie mutuelle et sans artifices de leurs corps, un sentiment délicat qu'on n'avait pas besoin de justifier.

Puis elle se leva et se mit à scruter la bibliothèque, où elle trouva quelques romans et quelques guides régionaux. Elle avait soudain envie que Bascomb lui fasse la lecture.

— Qu'est-ce que tu cherches ? lui demanda-t-il du lit. Il n'y a rien ici. Tous les bons livres sont dans le salon.

— Je veux que tu me fasses la lecture, dit-elle d'une voix impatiente. N'importe quoi, ça m'est égal.

Il vint se poster derrière elle, et lui effleura le dos. Tandis qu'elle continuait ses recherches, les bras en l'air, il se mit à la caresser de haut en bas, comme pour lui lisser le dos et les fesses.

— Reste comme ça, lui dit-il lorsqu'elle voulut se retourner. Exactement dans cette position. Quel beau cul tu as. Si généreux, si beau. Est-ce qu'on te l'a déjà dit ? Il est large et rond, peut-être un peu trop même... comme la vie. Puissant et mystérieux. La vie fait parfois des choses extravagantes, sans raison apparente.

Elle le regarda par-dessus son épaule, et elle rit, brièvement. Elle était gênée, mais tendrement, agréablement ;

une sensation de chaleur commençait à descendre le long de sa poitrine, et à gagner le bout de ses seins.

— Il a quelque chose de secret, dit-il en se raillant un peu lui-même. Non, ne te retourne pas... Tu as un cul à vénérer, et à posséder. Quand je le touche, j'ai l'impression de tenir le monde entier dans ma main. Je comprends un peu mieux le monde quand je te touche là.

Elle frémit avec un petit gémissement anxieux, mais Bascomb continuait à la caresser de la manière la plus effrontée.

— Il est si lourd. Et si puissant. En le regardant on comprend le mystère de la reproduction. Je sais, ça n'est rien d'autre que ton joli cul... mais c'est rond comme le monde, doux comme le sein d'une mère. Un peu timide, un peu honteux. C'est un cul après tout....

— Je vais te dire, moi, ce que c'est un cul...

— Non attends, ne bouge pas. Pourquoi est-ce que je ressens tout cela lorsque je te caresse ? Tu ressens quelque chose toi aussi, mais quelque chose de différent. Même ça c'est un miracle... à la fois si grand et si petit.

Ses caresses lui donnaient du plaisir mais elle se sentait assez peu concernée par ses paroles doucement ironiques. Puis il cessa de faire des déclarations à ses fesses, tout en continuant à la caresser avec la même intimité délicate et admirative. Elle aimait sentir la chaleur de son corps qui se pressait contre le sien.

Ils restèrent ainsi pendant quelques minutes, Catherine plaquée contre lui. Il tirait sur ses seins, la torturant tendrement. Au bout d'un moment ils accélérèrent, emportés vers des sensations familières et étranges à la fois.

30

Bascomb ne comprenait pas le besoin qu'avait Catherine de s'expatrier, mais lorsqu'elle commença à faire le tour des agences immobilières de San Francisco, et à répondre à des annonces, il la prit plus au sérieux. Un jour, ils allèrent ensemble visiter des appartements dans le quartier Marina — neuf mois avant le tremblement de terre d'octobre 1989 — et le soir ils rendirent visite au père de Bascomb, Mark, qui habitait rue Coyle Terrace, dans une maison dont il était propriétaire depuis 1954.

— Bonjour ! dit l'imposant vieillard dont le nœud de cravate était de travers. Il donna une tape amicale à Catherine et l'aida à ôter son manteau. Bascomb se tenait à l'écart, l'air vaguement amusé.

— Ah, Henry, dit M. Bascomb, mon cher garçon, tu avais oublié de me dire qu'elle était belle !

— Comment vas-tu, Père ?

— Peu importe. Je n'ai pas envie d'en parler. Où est ton violon ? Tu ne l'as pas laissé dans la voiture au moins ? Ça n'est pas prudent, tu sais.

Bascomb alla chercher son instrument, qu'il avait en effet laissé dans le coffre de sa voiture.

Catherine savait que M. Bascomb avait été malade tout l'hiver. Il la pria d'excuser le désordre qui régnait dans la maison, mais il n'y avait pas vraiment de désordre, on voyait simplement que la maison était habitée. Chaque objet, chaque magazine, chaque vieux coussin bosselé,

chaque guéridon, chaque plateau, livre ou petit bibelot, et
même le bol de cacahuètes, se trouvait exactement là où il
devait être. En dépit d'un léger sentiment d'oppression dû
à la présence d'un nombre important de vieux fauteuils
capitonnés, et d'un quart de queue Yamaha ciré, enfoncé
jusqu'aux chevilles dans les poils d'un tapis blanc, la maison lui parut agréable, elle lui parlait en quelque sorte.

— J'aime beaucoup votre maison, déclara-t-elle de but
en blanc, ce qui n'eut d'autre effet que de le faire redoubler
d'excuses, tandis qu'il ramassait précipitamment les feuilles
d'un journal éparpillées çà et là.

— Quand ma femme était encore de ce monde,
expliqua-t-il, nous jouions souvent ensemble dans cette
pièce. Le tapis, je l'ai mis quand elle est morte, pour que
cela paraisse moins froid. Henry se souvient de cette
époque. Nous jouions de la musique de chambre... C'est sa
mère qui a peint ces aquarelles, le saviez-vous ? Peut-être
avez-vous vu celles que Henry a emportées chez lui. C'est
elle qui les a peintes... Elle faisait partie de ces femmes qui
connaissent intuitivement tous les arts, elles savent écrire,
peindre, jouer la comédie, cuisiner. Jouer de n'importe quel
instrument... Tiens, justement, voilà Henry. Il ne me
démentira pas.

Bascomb avait toujours le même petit air amusé. Il tenait
son violon serré contre sa poitrine. Catherine eut l'impression qu'il jouait au petit garçon qui se rend tout tremblant
chez son professeur de musique, à la fois maître et censeur.
Il la regarda comme pour lui demander : « Eh bien ?
Qu'est-ce que je t'avais dit ? Il a déjà fait une gaffe, je
parie ! »

— Approche, Henry. Fais voir ton violon.

Le fils présenta son instrument, et son père ouvrit l'étui
avec mille précautions.

Dans cette pièce encombrée de beaux objets, Bascomb
semblait avoir rétréci. Il se tenait debout devant son père, le
dos voûté, la tête rentrée dans les épaules. Pourtant il
n'était pas réellement intimidé : chaque fois qu'il jetait un
coup d'œil furtif du côté de Catherine, son regard était
pétillant, insolent même. Catherine comprit que cette timidité était feinte, qu'il s'agissait en fait d'une vieille conven-

tion à laquelle père et fils se prêtaient aussi volontiers l'un que l'autre.

— Il a besoin d'un bon nettoyage. Regarde, le vernis est en train de s'écailler ici. Emmène-le chez La Fosse, ils me connaissent là-bas. Et ne remets plus jamais de cordes en acier, sinon tu vas le bousiller complètement.

— D'accord, d'accord.

L'instrument avait appartenu à la mère de Bascomb. Catherine regardait les deux hommes se le repasser aussi délicatement que s'il s'agissait du corps d'une femme. Leurs mains serraient, mesuraient, caressaient l'objet avec tant d'amour que Catherine se sentit étrangement émue. Ah, si tous les hommes avaient pu chérir leur femme — ou leur souvenir — avec autant de spontanéité, autant d'évidente tendresse, cherchant toujours à mieux les connaître !

— Si tu ne veux pas en prendre soin correctement, alors rends-le-moi. Je te rappelle que ta mère n'a jamais dit qu'il te revenait. Je pourrais te le reprendre... ce soir même.

Cette admonestation facétieuse n'était qu'un prélude, et, sans se concerter, les deux hommes s'installèrent pour jouer. Bascomb père, pour donner l'exemple, accorda son violon pendant une bonne minute et demie. Son fils n'accorda pour ainsi dire pas le sien ; il attendit, tête baissée, que le vieil homme donne le signal, puis il fit quelques ajustements de dernière minute. Catherine avait pris place sur un siège près de la fenêtre. Les musiciens occupaient le centre de la pièce, devant le piano noir, et lorsqu'ils attaquèrent le morceau (avec un synchronisme stupéfiant), la musique se mit à vibrer comme une conversation intime, jadis interrompue, qui reprenait soudain avec un regain de vigueur. Ils jouèrent un largo ; Catherine apprit plus tard qu'il s'agissait du deuxième mouvement du double concerto de Bach, auquel Bascomb avait fait allusion auparavant. Il jouait la deuxième partie. Son jeu était un peu plus réservé, et très légèrement décalé par rapport à celui de son père. Physiquement, les deux hommes étaient en apparence mal assortis, ils tenaient leur instrument de façon très différente, comme s'ils se reprochaient mutuellement leur manière de faire.

Assis, son père avait l'air encore plus imposant, presque

brutal. Son instrument était comme happé par son impressionnant poitrail qui se soulevait par vagues. Sa tête et ses épaules ondulaient sans retenue, et son dos arrondi rappelait à Catherine la bosse d'un bison. Son jeu était sublime cependant, d'une douceur exquise. Catherine sentait qu'il était conscient de cette excessive finesse — il aurait pu jouer autrement, mais non, ce toucher lui venait spontanément. C'est ainsi qu'il avait envie de jouer. Bascomb, au contraire, assis confortablement, se tenait parfaitement droit et ses épaules remuaient à peine. Le bras qui tenait l'archet bougeait discrètement, sans précipitation, et produisait un son calme, introspectif, subtil. Son jeu dégageait également une grande douceur, douceur qui venait du sens qu'il donnait aux notes, pensa-t-elle.

Ils jouèrent le mouvement en entier deux fois de suite. Puis ils répétèrent un passage plusieurs fois, pour une raison qui lui échappa. Elle commençait à s'ennuyer, presque à s'assoupir, lorsque le père se tourna vers elle et dit soudain :

— Il nous manque la partie de piano. Vous savez jouer, je crois ? Il nous faudrait tout l'orchestre, mais si vous pouviez plaquer quelques accords pour nous aider...

— Non, je suis navrée, je ne peux pas. Vraiment pas. Il y a des années que je n'ai pas joué. Et puis le déchiffrage n'a jamais été mon fort.

Il sourit, et elle eut honte de lui avoir dit qu'elle avait joué autrefois, dans la mesure où elle n'avait jamais dépassé le stade du pianotage. Bascomb semblait stupéfait : pourquoi ne lui avait-elle jamais dit qu'elle jouait du piano ? Et comment son père l'avait-il deviné — par intuition pure ?

— Vous ne voulez vraiment pas jeter un coup d'œil à la partition ? Mais si, attendez...

Le père lui apporta la partition de la partie pour piano. Tandis qu'il se penchait au-dessus d'elle pour lui montrer du doigt le passage qu'ils venaient de jouer, elle sentit toute sa puissance, qui semblait même s'être intensifiée depuis qu'il avait joué. Il émanait de sa personne une odeur animale d'homme corpulent. Il aurait pu désirer la prendre dans ses bras, se dit-elle soudain — nullement de façon indécente, mais simplement parce qu'il venait de faire de la musique pour elle.

— Vous écoutiez religieusement. Je l'ai vu. Ça vous a plu, n'est-ce pas ?

— Oh, oui ! Beaucoup.

Ils se mirent à jouer le premier mouvement, esquisse des thèmes qu'elle venait d'entendre dans le deuxième. Elle était contente d'avoir la partition sous les yeux, même si elle ne la suivait pas vraiment. Elle était captivée par la façon dont Bascomb et son père jouaient en alternance les nobles phrases de l'austère musique. Le fils avait cessé de jouer en demi-teinte : son jeu était plus coloré, comme une voix qui trouve par hasard les mots qu'elle voulait prononcer. Son interprétation, destinée en partie à contredire celle de son père, gardait quelque chose de réservé, d'ironique. Son esprit de contradiction lui servait de prétexte, pensat-elle, pour construire et affiner son jeu sans jamais le transcender véritablement.

Plus tard, ce soir-là, tandis qu'ils se rendaient dans un restaurant voisin, le père prit la main de Catherine avec une tendresse possessive qui ne lui déplut pas. M. Bascomb s'adressa au Vietnamien qui tenait le restaurant d'une voix forte et dans un français étrange que tout le monde trouva amusant. Avant guerre, il avait fait des études en France, apprit-il à Catherine. Quand il n'était encore qu'un gringalet de dix-neuf ans, il avait étudié quelque temps avec Nadia Boulanger, l'illustre professeur de Copland, Sessions, Milhaud, Virgil Thomson, et bien d'autres.

— Elle était sur le point de venir en Amérique — elle a passé toute la guerre à Baltimore. Nous nous sommes vus deux fois par semaine pendant environ trois mois, mais elle n'a jamais pu retenir mon nom. Je n'avais pas de talent pour la composition — elle l'a tout de suite vu. Je n'étais alors qu'un grand échalas d'adolescent qui aimait passionnément la musique. J'étais libre, j'étais à Paris... Henry, dit-il en se tournant vers son fils, je suis très fâché, mon garçon. Pourquoi ne m'as-tu pas présenté Catherine plus tôt ? Tu sais que j'aime bien que tu me présentes tes fiancées.

— Non, je ne le savais pas.

Après avoir passé une commande pantagruélique, le vieux Bascomb refusa d'avaler la moindre bouchée. Il souffrait de problèmes de digestion chroniques, dit-il, son estomac le tourmentait sans cesse. Depuis qu'il avait dépassé la soixantaine, il était privé de tout ce qu'il aimait — les mets épicés, les bons desserts —, de même qu'il avait dû renoncer au café, au thé, au jus d'orange, au whisky et au vin blanc. Il continuait à boire un peu de vin rouge, cependant, mais en dépit de toutes ces privations, il n'avait jamais réussi à maigrir. Après une vie d'excès, son corps s'était transformé en une sorte de monument incompressible.

— Je me nourris de souvenirs, voilà tout. J'ai quelques souvenirs merveilleux, lumineux. Par exemple, je me souviens d'une fois, c'était au sud de Lyon, j'étais dans le train en compagnie d'une jeune femme. Pas la mère d'Henry — non, c'était des années avant que je ne fasse sa connaissance. La jeune femme en question était à moitié algérienne, si je me souviens bien. Ses cheveux étaient d'un noir bleuté, très brillants, comme une variété de pruneau qui pousse là-bas... Sa mère nous avait préparé un repas somptueux qu'elle avait mis dans un panier en osier, avec des bouteilles de vin. Nous buvions un bourgogne, si mes souvenirs sont exacts, c'était un ladoix premier cru de 1934 ou 1937. Elle avait fait une préparation qu'ils appellent *choc de minuit*, c'est un mélange d'ail, d'olives vertes, de câpres, de pruneaux et d'anchois qui rappelle un peu la tapenade...

Ce bon vivant avait manifestement croqué la vie à pleines dents ; et tandis qu'il parlait, son regard triste et franc donna à Catherine le sentiment qu'un autre soir il aurait pu se montrer sous un autre aspect, moins jovial, moins exalté. Il avait passé des années au sein de l'Orchestre symphonique de San Francisco, où il avait gravi tous les échelons jusqu'à celui de premier violon. Une arthrose cervicale avait quelque peu précipité son déclin, cependant il ne se plaignait pas. Il avait fait une carrière tout à fait honorable. Un premier violon à la retraite, fort de trente-cinq ans de service, touchait une retraite confortable. Il percevait aussi les intérêts de placements immobiliers qu'il avait faits avec sa femme, des années auparavant.

— Nous étions propriétaires de plusieurs petits

immeubles. Vous savez ces ravissants petits immeubles blancs, comme il y en a du côté de Russian Hill et ailleurs, qui ressemblent à des meringues. Je les ai tous vendus à la famille Patel, des Penjabis je crois. Toute la ville leur appartient aujourd'hui. Mangez votre soupe, je vous en prie, ne la laissez pas refroidir. Il y a de la citronnelle et du sucre dedans, ça se sent d'ici. Et du piment rouge aussi...

Lorsqu'on les voyait assis côte à côte, le père et le fils n'offraient qu'une ressemblance très vague. A première vue, ils étaient même diamétralement opposés, pensa Catherine, comme deux extrémités d'une gamme, déclinant toutes les nuances possibles et imaginables du tempérament masculin. Le père continuait à s'épanouir, occupant de plus en plus d'espace, tandis que le fils devenait de plus en plus silencieux et effacé. Il n'avait pas du tout l'air malheureux, une sorte de chaleur semblait émaner de lui — Catherine comprit soudain qu'il l'avait amenée ici, dans l'encombrant giron paternel, pour une raison précise, même s'il n'en était pas tout à fait conscient : sa présence détendait l'atmosphère entre eux, lui ôtait de sa solennité, la rendait plus objective, comme le faisait probablement la présence de sa mère autrefois.

— J'aime votre fils, dit-elle soudain, de but en blanc. Je l'aime et je veux vivre avec lui. Mais je dois d'abord résoudre un autre problème... Il faut que je quitte mon mari, que je m'éloigne du canyon. J'ai pensé à venir m'installer ici, en ville, et vivre seule pendant quelques mois pour essayer d'y voir un peu plus clair. Ça n'est pas la seule raison, mais c'en est une.

Bascomb père cligna plusieurs fois des yeux, la tête légèrement rejetée en arrière. Il était complètement stupéfait et pourtant il avait envie d'en savoir plus, d'entendre ce qu'elle avait à dire.

— J'ai un fils, poursuivit-elle. Il n'a que huit ans. Si j'arrivais à trouver un appartement convenable, où il pourrait se sentir à l'aise... peut-être que ce changement de vie radical serait moins pénible pour lui. Je ne sais pas, peut-être que je me fais des illusions au fond, que cela n'a pas vraiment d'importance pour lui. Je me dis que vous pourriez m'aider, si cela ne vous ennuyait pas.

Après un long moment de silence, il répondit :

— Si je vous ai bien comprise, je pourrais éventuellement vous aider à trouver un appartement, par exemple. Rien n'est moins sûr, mais je peux essayer.

Il lui adressa un sourire vague mais plein de gentillesse.

Pendant ce temps, Bascomb mangeait sa soupe en silence. Puis, posant sa cuillère, il s'essuya soigneusement les lèvres et se mit à regarder Catherine fixement. L'expression de ses yeux, juste à ce moment-là, lui rappela le désespoir qu'elle avait décelé dans les yeux de son père. Elle sentit un grand trouble chez lui, un désir palpable, aussi réel et aussi précis que s'il s'était levé pour la prendre dans ses bras.

— Je vais essayer de vous aider, dit le vieil homme. On ne sait jamais. Je passerai quelques coups de fil, on verra bien ce que ça donnera.

— Merci, merci du fond du cœur.

Plus tard, le père se tourna vers son fils et lui dit :

— Tu as entendu ce que cette jeune femme a dit, Henry ? Cette extraordinaire et fascinante personne vient de déclarer qu'elle était amoureuse de toi. Est-ce possible ? Dis-moi, est-ce possible ?

— Elle a bien le droit de dire ce qu'elle veut, répondit-il, sans se troubler. Je ne peux pas l'en empêcher. Je ne le veux pas non plus...

— Garçon ! L'addition s'il vous plaît, lança M. Bascomb à la cantonade en agitant les mains, bien qu'il n'y ait pas eu un seul garçon en vue.

Tous trois restèrent à table, à manger et à boire jusqu'à une heure tardive. M. Bascomb commanda d'autres bouteilles de vin, les meilleures que pouvait leur offrir le restaurant.

31

La vie de Bob Stein avait complètement changé. Il était devenu un écrivain à part entière, et prenait son rôle très à cœur. Catherine eut l'occasion de s'en rendre compte quelques semaines plus tard, au cours d'une séance de dédicace dans une grande librairie de San Francisco. Trois cents personnes se pressaient dans la rutilante boutique de l'Opera Plaza, et lorsque Bob apparut en compagnie de deux attachés de presse, un murmure parcourut l'assistance, comme quand une star de la télévision entre dans un restaurant.

Il était rapidement devenu célèbre : depuis deux mois on parlait de lui dans les journaux, on le décrivait comme un écrivain de la baie de San Francisco, une figure littéraire de la Californie du nord. Ceux qui avaient vu ses photos avaient l'impression de le connaître, et ils étaient impatients de le découvrir en chair et en os. Il y avait également un certain nombre d'écrivains et de gens travaillant de près ou de loin dans l'édition. Ceux-là étaient nettement plus blasés, sans doute même considéraient-ils ce genre de mise en scène comme un épiphénomène médiatique parmi tant d'autres.

Bob avait l'air détendu, chaleureux. Il émanait de lui une force réellement virile, sans provocation aucune. Ses cheveux noirs et frisés avaient poussé, cachant la ligne dégarnie de son front. Il avait toujours su s'habiller avec recherche, même quand il n'avait pas beaucoup d'argent, mais le blouson qu'il portait ce soir-là sur un polo en soie à col roulé était sans doute ce que tous les écrivains du sexe mâle rêvent de porter un jour : un blouson de tweed, épais et parfaitement coupé, ocre foncé, vraisemblablement d'origine irlandaise, qui exaltait sa virilité sensuelle et odorante. Ce vêtement semblait proclamer sa réussite littéraire.

Catherine, qui se trouvait juste derrière la chaire, vit qu'il portait des mocassins italiens extra-plats. Au cours de sa conférence, il se hissa à plusieurs reprises sur la pointe du pied droit, et sa jambe tendue se mettait à trembler.

— J'aimerais vous lire quelques passages d'un de mes livres qui s'intitule *Le Braconnier*, dit-il avec une fausse ingénuité. — Il y eut des petits sourires dans l'assistance, car c'était naturellement pour ça qu'ils étaient venus ce soir. *Le Braconnier* était depuis peu sur la liste des best-sellers du *New York Times* en onzième position. — « Kathy n'avait jamais envisagé qu'elle pourrait détester un homme du fond du cœur et avoir tout de même envie de porter son enfant. En y réfléchissant bien, elle haïssait tout ce que Powys représentait : le néo-impérialisme de ses idées politiques, par exemple ; son honnêteté brutale et autoritaire ; le rejet de toute forme de compromis social. Son menton proéminent, qui donnait toujours l'impression d'avoir été rasé à la hâte, lui inspirait une sorte de répugnance mêlée de souffrance... »

Ensuite, Bob lut un passage du début de son roman, une scène de fornication sur un terrain de golf. Katherine, l'héroïne confuse et néanmoins déterminée, commettait l'adultère pour la première fois mais pas avec l'homme qui allait devenir son compagnon. Bob lisait vite, sur un ton railleur, provoquant des rires dans l'auditoire. Lorsque Catherine avait lu le manuscrit, il ne lui avait pas paru si comique. Si Bob avait écrit une satire, comme cela semblait être le cas, alors elle était passée à côté de ses véritables intentions.

Le style fleuri du récit l'avait frappée, elle y avait vu une tentative en partie réussie de redonner vie au vocabulaire suranné de l'émotion. Des expressions comme « tout au fond de son âme », « n'écoutant que son cœur », « la part la plus secrète de lui-même », l'avaient presque émue. Elle avait eu envie de féliciter Bob Stein pour le courage de sa démarche. Or aujourd'hui elle découvrait qu'elle s'était fourvoyée sur ses intentions. Son style résolument postmoderne était un clin d'œil à la nature indéterminée du mot et de l'acte de lecture. Nous, lecteurs aguerris, semblait-il dire, nous, bêtes de culture rompues à l'introspection, avec toutes nos défenses et toute notre lucidité, nous croyons qu'il est impossible de nous manipuler. Or quand nous lisons un roman et en particulier lorsqu'il y est question de sexe et de romantisme, nous sommes aussi naïfs que des brutes du Moyen Age devant un spectacle de marionnettes.

« [...] et dans le clair de lune, continuait-il, là, sur le septième trou... en voyant la blancheur onctueuse de ses seins, une rage ancestrale s'empara de lui — la rage délirante, éternelle, de punir, de profaner... »

Maintenant, Catherine y voyait plus clair. Avec un brusque accès de joie, à peine réprimé, l'assistance montra qu'elle appréciait la subtilité de Bob. Il avait trouvé l'attitude juste, en adoptant un point de vue ironique qui permettait à chacun de se gausser des petits malheurs de l'humanité.

Une fois sa lecture terminée, Bob répondit à quelques questions. Une belle femme en manteau de cachemire et bottes de cuir rouge, demanda si, en dehors du clin d'œil évident à *L'Amant de Lady Chatterley* (ou était-ce *Anna Karenine*, ou *Jane Eyre*, ou encore l'ensemble de la littérature romantique occidentale qui était visée), Bob n'avait pas cherché à faire une critique de la société actuelle, et de l'attitude des hommes en particulier, attitude qui, dans le passage qu'il venait de lire, oscillait entre la misogynie ravageuse de Powys, qui se considérait comme une sorte de justicier sexuel, et la compassion doucereuse de Gilbert, le mari cocu de Katherine. Car après tout, Gilbert était le seul joueur de golf du groupe, et de ce fait le seul à pouvoir apprécier le véritable « enjeu » de la bataille ? N'était-il pas aussi celui qui avait naïvement cherché à dominer les manifestations intempestives de la sexualité de sa femme ? C'était Gilbert qui, pour la femme au manteau de cachemire, était le plus répugnant de tous les personnages

212

(même si tous les mâles du roman étaient, à son avis, aussi détestables les uns que les autres) : l'homme qui prétend comprendre les femmes, qui dénonce leur oppression, est le pire ennemi de tous — ce qu'il est convenu d'appeler un libéral du sexe.

Tout en écoutant l'interminable question en forme de clin d'œil qui lui était posée, Bob Stein pliait et dépliait nerveusement la jambe. Il n'avait pas cherché à analyser des attitudes masculines, dit-il, mais à écrire une histoire enlevée, avec une pointe d'humour. La vérité, c'est qu'il en avait assez, il en avait même plus qu'assez de la lutte des sexes. Mais d'où venait ce besoin obsessionnel de donner aux choses un aspect romantique ? Où trouvait-il sa source, sa genèse morale et spirituelle ? Était-il possible qu'ils aient renoncé à ce rêve empoisonné ?

— En tout cas... en ce qui me concerne, je ne veux plus en entendre parler. Je renonce. Je me rends. Naturellement, étant un homme, il m'est facile de demander une trêve, dans la mesure où les privilèges de l'homme restent fermement établis. Mais peut-être me comprendrez-vous mieux si j'ajoute que dans ma vie, je n'ai plus rien à prouver. Et même si je ne parviens jamais à savoir comment m'y prendre avec une femme, cela n'a plus vraiment d'importance. Peut-être est-ce tout simplement irréalisable. Le paysan qui crève de faim s'en fiche lui, et il a raison. Moi je dis : essayons d'avancer, ensemble si possible. Et faisons en sorte que l'histoire continue.

Il était impossible de savoir — même lorsqu'il parlait aussi franchement — s'il fallait prendre ses propos dans le même esprit que son roman, ou bien s'il était réellement en train de révéler ce qu'il avait sur le cœur. Peut-être les deux. Quelques minutes plus tard, Catherine mêla ses applaudissements à ceux de l'assistance tandis que Bob commençait à distribuer des dédicaces.

— Oui, j'habite en ville, lui dit-elle plus tard. J'ai mon appartement, maintenant. C'est la première fois que j'ai mon chez moi.

— Si j'avais su que tu étais dans la salle, dit Bob en

roulant des yeux faussement affolés, je crois que je n'aurais pas pu prononcer un mot. Tu n'imagines pas comme c'est impressionnant de se retrouver sous les feux des projecteurs. Ça fait un de ces effets !

Ils avaient traversé Van Ness Avenue et se dirigeaient vers un restaurant qui se trouvait au bout d'une allée pimpante. Une des attachées de presse s'assit un instant à leur table, juste assez longtemps pour jauger la nature des rapports de Catherine avec l'auteur ; voyant que celle-ci ne présentait aucun intérêt particulier, elle se retira.

— Lorsque tu fais ce genre d'apparition en public, quelque chose se produit en toi, dit Bob. Tu as l'impression de pénétrer dans une autre dimension temporelle où tout a l'air trop réel, trop brillant. Tu commences à lire, et alors tous ces visages étrangers se mettent à hocher la tête et à sourire, à réciter le texte à voix basse avec toi... parce qu'ils ont lu ton bouquin. Ils l'ont vraiment lu. Il y a aussi ceux qui croient l'avoir lu parce qu'ils en ont entendu parler. Quand l'éditeur m'a envoyé à Washington pour la promotion, j'ai dû aller dans une grande librairie d'un centre commercial, et là, une femme qui avait la tête complètement rasée s'est mise à parler du chapitre vingt-trois : « Vous savez, le passage où il est question des vagins, vous décrivez différentes sortes de vagins, certains sont amicaux, d'autres voluptueux mais bêtes, certains ont l'air de vouloir vous parler... » Et moi j'étais incapable de répondre, je n'arrivais même plus à respirer. C'est que cela devient trop personnel, à la fin. On a envie de se transformer en petite souris. Il y a des dizaines de milliers d'individus qui s'imaginent qu'ils me connaissent maintenant. Ils se font une certaine idée de moi : je suis un comique, ou un tordu, ou une bête sexuelle.

— Moi, je dirais sans conteste une bête sexuelle. Tu as écrit un best-seller, ne l'oublie pas. Un roman qui parle d'amour et de sexe... à moins qu'il ne parle de la fin de l'amour et du sexe ? Je n'en sais rien. Mais la librairie était bourrée de femmes, tu as remarqué ? Elles buvaient littéralement tes paroles. Comme seules les femmes savent le faire quand un homme s'adresse à elles.

Bob n'était pas aussi mécontent qu'il prétendait l'être. Il

reconnaissait que sa gloire nouvellement acquise pourrait lui être utile, une fois qu'il s'y serait habitué. On allait certainement rééditer ses anciens romans, et pas plus tard que la veille son agent l'avait appelé pour lui faire part d'une nouvelle proposition de contrat : « Pour quatre romans, tiens-toi bien ! De quoi rouler sur l'or jusqu'au siècle prochain. » Bientôt il allait pouvoir revendre, ou donner, sa vieille Volvo bleue. Et il ne serait pas obligé de finir sa vie dans un studio.

— Je ne suis pas fait pour le succès, cela dit. J'ai un sentiment de flottement permanent, d'irréalité. Je ne comprends plus rien après toutes ces années d'insuccès où je pouvais me mépriser en toute tranquillité... Quand tu es fait pour le succès, comme Rick, tu sais instinctivement te mouvoir dans ce monde. Rien ne t'échappe. Mais moi, il m'arrive de passer des semaines sans éprouver les émotions auxquelles le vieux Bob Stein était habitué.

Inéluctablement, ils en vinrent à parler de Rick. Bob était au courant de leur séparation, principalement par le truchement de Maryanne, qui était venue voir Catherine dans son nouvel appartement. Leur rupture avait été ressentie comme un tremblement de terre, déclara Bob, l'équivalent d'une inversion des quatre points cardinaux. Leur mariage était considéré comme un point de repère par tous leurs amis, ne le savait-elle pas ? Si Rick et Catherine divorçaient, alors le monde entier s'écroulait, plus rien ne serait jamais comme avant.

— Oh, Bob... je crois que tu survivras, va. Depuis le temps que tu l'avais prédit ! C'est toi qui as écrit, encore et encore, sur la fausseté d'un certain mariage. Eh bien, tu t'es trompé, l'histoire le prouve. Mon mariage n'a jamais été creux pour moi, pas au sens où tu l'entendais en tout cas. Et il n'est devenu faux que sur la fin, la toute fin.

— Je n'ai jamais dit qu'il était creux, protesta Bob, inquiet de passer pour un ennemi de son mariage. Je n'ai jamais vu les choses comme cela parce que l'un comme l'autre, ensemble ou séparément, vous êtes les individus les plus forts qu'il m'ait jamais été donné de rencontrer. Bien sûr, il a toujours été évident que Rick allait réussir, qu'il pouvait réaliser de grandes choses. Quant à toi, tu fais partie de ces gens qui portent quelque chose en eux, qui incarnent un principe. Et même au milieu de leur train-train quotidien ils sont porteurs de ce message. La première fois que je t'ai vue, je l'ai tout de suite compris. Ç'a été une grande découverte pour moi, la seule. Elle m'a ouvert l'esprit et elle m'a donné envie d'écrire sans aucun doute.

Après un silence embarrassé, Catherine protesta :

— Mais que veux-tu dire au juste par « incarner un principe » Bob ? Quel principe ? La soumission féminine ? La beauté de la vache à lait ? Je t'en prie, parle-moi normalement, avec des mots et des concepts qui me sont familiers. Alors nous pourrons redevenir amis. Tu ne crois pas que ce serait mieux ?

— Très bien, Catherine. Au fait, j'ai entendu dire qu'il y avait déjà un autre homme dans ta vie. C'est ce qu'on raconte en tout cas. C'est drôle, j'ai toujours pensé que je serais celui-là. Mais tu m'as répudié sans même me donner ma chance.

— Oh, non, Bob, je ne t'ai pas répudié. Comment le pourrais-je ? C'est la vie qui nous a séparés. Comme tu le disais autrefois de Rick, tu appartiens à un monde plus vaste. A la postérité peut-être. Ou aux femmes qui se pressent dans les librairies.

En rentrant chez elle, Catherine se sentit bizarre, comme coupée d'elle-même. Elle avait l'impression d'avoir raté une marche, et de ne plus savoir qui elle était. La ville qui fuyait derrière la vitre de la voiture resplendissait d'une lueur qu'elle ne pouvait pas comprendre, et elle se mit à penser à Bascomb, qui avait refusé de se joindre à elle ce soir. Cela lui arrivait souvent ces derniers temps. Il disait simplement qu'il ne se sentait pas à l'aise en ville. Mais sa présence ce soir eût été un grand réconfort pour elle. Elle s'en voulait de cette dépendance qu'elle éprouvait parfois. Ce désir pathétique et absolu lui procurait une sorte de confort amer, comme si par son intensité, il lui promettait une étrange satisfaction.

32

Au bout de deux mois, Catherine commença à ressentir l'absurdité de son exil, mais elle s'entêtait à penser que le bouleversement de sa vie affective devait être marqué géographiquement. Elle voulait respecter la convention selon laquelle la femme qui a quitté son foyer doit s'isoler pour faire le bilan de sa vie loin de l'influence de son mari, et évaluer en toute liberté ses possibilités et ses obligations. Maryanne Gustafson approuvait totalement sa décision. En tant que spécialiste du divorce, elle était au courant des dernières théories sur le meilleur comportement à adopter afin de limiter les risques de conflits, les traumatismes, etc. A son avis, le repli en terrain neutre était une bonne chose, pour la femme en particulier.

— Si j'étais toi, je n'hésiterais pas à partir encore plus loin, lui conseilla-t-elle. Pourquoi ne fais-tu pas un voyage à l'étranger, par exemple ? Tu as besoin de faire le vide dans ta tête pour essayer d'y voir clair. Pars, loin de tout — et de tout le monde.

Catherine comprit ce qu'elle sous-entendait.

— Je ne veux pas m'éloigner de lui, Maryanne. Ce n'est pas un « amant transitionnel » comme tu dis. Je l'aime, et je veux être avec lui le plus souvent possible.

— Je sais que tu es sincère, Catherine... ce que tu as fait le montre assez clairement. Mais je voudrais te faire remarquer que la grande majorité des femmes qui abandonnent un foyer relativement fonctionnel ont un amant, et que la plupart du temps cette relation ne dure pas. C'est un prétexte pour partir. Il peut arriver bien sûr qu'une vraie passion s'établisse, tendre et physiquement gratifiante. Mais c'est rare. J'imagine que ce garçon ne ressemble pas à Rick — ce qui est un bon point pour lui. Sinon je ne vois pas l'intérêt. Mais quel genre de vie peut-il t'offrir ? Une femme qui décide de divorcer est rongée par la culpabilité... elle est capable de se mettre dans des situations inextricables pour se punir d'être partie.

Maryanne était intraitable quand il s'agissait de regarder les choses d'un point de vue « économiquement rationnel ». Ce qui, en d'autres termes, signifiait que Catherine était habituée à un certain train de vie, tout comme son fils, Ben. De plus, Rick n'était pas n'importe qui. La Laurel Foundation faisait virtuellement de lui un des hommes les plus riches de l'État.

— Le plus drôle dans tout cela, c'est que Rick ne possède rien, il n'a pas de maison, pas même un pied de chaise, insista Maryanne. Il a pris le peu qui lui appartenait dans les biens communs du ménage, à croire qu'il a tout organisé en prévision d'un éventuel divorce... Il sera généreux, sans aucun doute, mais si tu te bases sur ton ancien train de vie, tu risques d'être amèrement déçue : il n'a pas un sou à lui, pas de voiture, pas de bateau, pas d'appartement. Pardon, j'oubliais, toi tu as une voiture. La vieille Ford, la camionnette.

Catherine saurait se contenter de peu, elle en était convaincue. L'aspect financier des choses lui était indifférent. Elle chercherait du travail ; elle avait toujours travaillé, même sans être rémunérée. Mais Maryanne l'incitait à voir à plus long terme. Dans la plupart des cas, c'étaient les femmes qui voyaient baisser leur niveau de vie après un divorce, alors qu'il se produisait généralement l'inverse pour les maris. Catherine avait-elle envie de venir grossir ces statistiques déplorables, par ignorance ou par simple paresse ?

— Oh, je n'en sais rien, Maryanne, ça n'est pas mon problème pour l'instant. Je ne demande qu'un an ou deux pour pouvoir retomber sur mes pieds. Si Rick veut bien m'aider à passer ce cap, alors ce sera parfait. Et si on arrive à se mettre d'accord pour la garde de Ben, je crois que tout ira bien. Et moi, j'aurai ma liberté.

— Catherine, tu n'as pas l'air de comprendre. Je n'arrive pas à croire que tu n'aies pas songé à l'aspect matériel de ton avenir. Tu vas te retrouver dans une cabane au fond des bois, avec un type qui n'a ni boulot, ni revenus fixes, tout en partageant ton gosse avec un homme qui tôt ou tard sera propriétaire de la moitié du comté de San Mateo. Tu tiens absolument à te réduire à néant ? Si je t'en parle, c'est parce que je vois quotidiennement des femmes dans ton cas. Un jour viendra, n'aie crainte, où Rick et toi allez vous bagarrer, sans doute à cause de Ben, et ce jour-là tu prendras toute la mesure de sa puissance. Tu ne chercheras même pas à te battre, parce que tu réaliseras que tu n'en as pas les moyens, que tu es devenue, par ta faute, quantité négligeable...

Maryanne insista pour qu'elle prenne un avocat, mais pas n'importe lequel : un ténor du barreau tant qu'à faire. C'était bien joli de vouloir se débrouiller toute seule, mais cette attitude la conduirait droit au suicide financier. Maryanne, en tant qu'amie du couple, se refusait à plaider pour l'un ou pour l'autre, d'autant que son petit cabinet n'avait pas l'envergure requise pour une affaire aussi complexe et délicate.

— Je connais quelques avocats, Sherry Corcoran, par exemple. Elle est excellente, très vive. Rick va prendre Bauer and Black, c'est certain. Ils travaillent pour la Laurel depuis l'époque de la ruée vers l'or. Mais tu as tout de même tes chances, Catherine. Le tout est de passer à l'attaque. Il faut leur montrer que tu n'as pas froid aux yeux, que tu es prête à aller jusqu'au bout.

Catherine nota les noms de trois avocats, tous trois apparemment d'une « autre envergure ». Maryanne, rassurée, commença à se détendre et se mit à parler d'autre chose. Elle évoqua Bob Stein, à qui le succès était « monté à la tête », et qui était probablement « irrécupérable », puis elle parla de sa décision récente d'épouser George, son fidèle compagnon depuis plusieurs années.

Catherine avait abandonné ses cours de jardinage ; elle

continuait d'entretenir ses plantations malgré une séche-resse de plus en plus désespérante. Depuis dix-huit ans qu'elle vivait en Californie, elle avait constaté le début d'un changement climatique important, du moins le croyait-elle. Les articles de journaux prétendant qu'il était encore trop tôt pour dire que l'effet de serre avait réellement commencé à modifier le climat ne la convainquaient pas.

— Quand je suis arrivée en Californie, dit-elle à Bas-comb un jour, j'ai été frappée par la quantité de pluie qu'il y tombait. Or aujourd'hui, la saison sèche dure toute l'année, hormis un jour de pluie par-ci par-là. En plus, les gens continuent d'affluer de plus en plus nombreux. Cette étroite bande de terre maudite qui naguère débordait de sève et de vie est en train de se transformer en désert.

Bascomb était plutôt d'accord avec elle, même s'il était plus mesuré dans son jugement. Il disait que de tout temps les gens avaient vu des signes avant-coureurs de la fin du monde dans les variations climatiques, à cette différence près qu'aujourd'hui on était un peu mieux équipé pour appréhender les phénomènes écologiques à l'échelle plané-taire. Mais il n'y avait pas de doute : quelque chose était en train de se produire dans la forêt — il le sentait, lui aussi. Il n'y avait plus la même odeur dans les bois, les pousses dépérissaient, les points d'eau croupissaient. Il avait décidé de ne pas planter de marijuana, cette année. Il se ferait embaucher par l'entreprise chargée de l'entretien des forêts du canyon. Ensuite il verrait.

— L'hiver prochain, je serai peut-être complètement dans la dèche. Mais tant pis, je me débrouillerai. Peut-être l'heure est-elle venue de quitter le canyon pour de bon ? Je commence à en avoir ma dose des séquoias, comme on dit.

— Où veux-tu aller ? demanda Catherine. Tu n'arrêtes pas de te plaindre de la ville, de dire que tu ne t'y sens pas à l'aise, que tu n'aimes pas me rendre visite là-bas. Tu es comme une fleur délicate qui ne peut être transplantée. Une plante fragile et tendre.

— Ah, vraiment ? Je suis trop fragile, trop tendre, et jamais content ?

Elle lui dit que oui. Chaque fois qu'il venait la voir, il pestait contre la ville, ce lieu abject, terrifiant, insupportable. Il détestait les voitures, le bruit, le tourbillon de la rue, la laideur urbaine, la couleur même de la ville.

Il eut l'air amusé.

— Tu exagères. J'ai déjà vécu dans des villes, de grandes villes, mais c'était différent. Paris ou Londres ne sont pas aussi écrasantes que le sont les « vraies » villes. On dirait des espèces de miniatures, elles sont aussi coquettes que ces femmes qui n'arrêtent pas de vous répéter combien elles sont merveilleuses.

— Ça n'est pas le problème, on est bien obligé de faire avec ce qu'on a et d'en tirer le meilleur parti. Tu ne te vois tout de même pas finir ta vie au fond des bois ? Cela t'avancerait à quoi ? Tu crois que cela t'empêchera de souffrir ? Tu souffres déjà — je sens que tu ne vas pas bien. Tu vis coupé du monde, tu as renoncé à te faire une place au soleil. Et ça te rend triste. Ça te donne l'impression d'être plus faible que tu ne l'es réellement.

Bascomb lui souriait toujours. Il ne savait pas s'il devait la prendre au sérieux ou non. Chaque fois qu'elle lui tenait ce genre de discours revigorant, soit il avait envie de rire, soit il était embarrassé. Il préférait ne rien répondre.

— Je suis sérieuse, insista-t-elle. Écoute-moi bien. J'ai l'impression que tu es déprimé, que quelque chose ne tourne pas rond. Je ne comprends pas comment un homme comme toi peut vivre ainsi, année après année. L'homme qui me fait l'amour, l'homme que j'aime n'est pas un perdant, un défaitiste, un type qui se complaît dans une vie étriquée, sans ambition. L'homme que je connais sait obtenir ce qu'il veut, et quand il le fait, il m'emporte très loin avec lui.

Bascomb secoua la tête. Elle était allée trop loin, apparemment, elle avait dépassé les bornes.

— L'homme qui te fait l'amour, répondit-il, n'est peut-être pas un gagnant, il n'est peut-être pas allé bien loin dans la vie, mais il aime sa vie telle qu'elle est. Il y trouve parfois un vrai plaisir. Tu dis que je suis déprimé, tu as sans doute raison même si je ne crois pas l'être particulièrement. Pas plus que je ne me sens vaincu.

— Oh, ne fais pas l'idiot. Arrête de plaisanter, je t'en prie... Prends-toi un peu en main... ne te laisse pas aller à la dérive. Si tu ne le fais pas pour toi, eh bien fais-le pour moi. Parce que j'ai besoin de toi. J'ai terriblement besoin de toi.

Il répondit sur un ton mi-amusé mi-amer :

— Je fais déjà des tas de choses pour toi. Tout ce que je fais, je le fais en pensant à toi. J'espérais que tu le comprendrais. Mais peut-être n'est-ce pas assez.

Elle commençait à désespérer de se faire entendre. Elle craignait que l'indifférence de Bascomb, son manque d'ambition et son obstination à se dévaloriser ne finissent par la décourager.

33

Les plantations de Catherine dépérissaient, et lorsqu'elle passait chercher Ben le vendredi, elle avait l'impression qu'elles la regardaient avec un air de reproche. Mais c'était le climat qui était responsable, pas elle. Ses plantations pouvaient le comprendre, non ?

— Il faut parler aux plantes, dit-elle à Ben, un jour qu'il l'aidait à nettoyer ses plates-bandes. — Soudain elle pensa : « Qu'est-ce qui me prend de lui raconter toutes ces âneries sur les arbres et les fleurs qui comprennent quand on leur parle, sur l'existence d'un esprit sensible en toute chose ? » Mais cela ne l'empêcha pas de continuer : — Elles se sentent mieux quand on leur parle. Si tu leur donnes quelque chose qui vient de toi, de l'intérieur, elles poussent mieux. C'est un fait scientifiquement reconnu.

— Oh, je ne crois pas, maman. Elles ne m'entendent pas. Elles n'ont pas d'oreilles. Et quand tu les tues, tu crois qu'elles se sentent bien ?

— Tout dépend comment tu le fais, Ben. Si tu le fais avec gentillesse, et prévenance, peut-être comprennent-elles qu'elles doivent mourir, que leur destin est d'être cueillies à un moment ou à un autre. Il faut penser à cela quand tu le fais.

Gerda ne s'était pas occupée des plantations de Catherine ; il y avait toujours eu une séparation relativement claire des rôles : Catherine s'occupait des plates-bandes, des poiriers et des cognassiers, et de son carré de légumes,

223

tandis que Gerda se consacrait entièrement à la pépinière. L'une faisait du jardinage, tandis que l'autre faisait du commerce —, commerce qui d'ailleurs tournait rondement (même si les cultures biologiques de Catherine rapportaient parfois pas mal d'argent). Depuis le premier jour, la vieille femme lui avait fait comprendre qu'elle n'était ni contente ni mécontente d'avoir une deuxième jardinière sur ses terres ; leur amitié, pour se développer, devrait se fonder sur d'autres affinités. La notion de disciple revêtait une certaine importance aux yeux de Gerda. Elle les attirait comme des mouches alors qu'elle s'emportait contre elles, qu'elle se sentait oppressée par leur présence. Avant Rachel il y en avait eu d'autres, toutes à peu près coulées dans le même moule : c'était des jeunes femmes sans but dans la vie qui, après avoir entendu parler de Gerda, venaient parfois de fort loin jusqu'à sa lointaine propriété pour la supplier de les prendre à son service. Peu s'intéressaient à la flore californienne, mais toutes se prenaient d'une affection passionnée pour la vieille femme revêche.

— Oui, elles me considèrent comme leur mère, expliquait Gerda, ou leur grand-mère peut-être, je n'en sais rien. Elles n'arrêtent pas de m'interroger sur les « pouvoirs de la femme ». Alors je leur montre mon pouvoir à moi. Si elles ne font pas leur travail, je te prie de croire que je le leur montre.

Avant Rachel, il y avait eu Melanie, Star, Maya, Geneva. Geneva revenait de temps en temps, elle faisait le voyage de Portland, dans l'Oregon, pour venir travailler quelques jours à la pépinière, comme une aspirante religieuse qui part en retraite. Gerda avait montré à Catherine quelques poèmes que cette Geneva avait écrits. La plupart étaient adressés à une déesse, une figure féminine supérieure. Le petit recueil de vers incantatoires était dédié à Gerda Mansure.

— Je suppose que je suis cette Terre Nourricière dont elle parle — oui, c'est moi la déesse. De nos jours tout passe par la conscience... même le fait d'être une femme. C'est ridicule. Moi, je leur dis : « Ne pensez pas à être des femmes, soyez, un point c'est tout. C'est une chose qui vient du dedans, les filles, de votre âme ».

A l'époque où trois de ces filles se trouvaient en même temps à la ferme, Gerda eut un accès de colère. Elle leur cria qu'elle ne pouvait plus les supporter, elles et leurs chamailleries incessantes.

— Ça sent les hormones, ici, avait-elle déclaré en parlant de la pépinière où toutes travaillaient ensemble l'après-midi. Sortez, que l'air se renouvelle un peu.

Mais elle tolérait malgré tout ces jeunes filles, elle les aimait même, à sa façon. En leur compagnie elle prenait de la hauteur, elle avait un port de reine, avec son épaisse couronne de tresses blanches, immaculées, qui semblait susciter leur adoration. Lorsqu'elles s'adressaient à elle sans « faire de simagrées », elle devenait presque caressante, elle les réprimandait sans acrimonie, leur donnait momentanément accès à ce pouvoir dont elle prétendait réfuter l'existence.

— Catherine, je ne me suis jamais mêlée de tes affaires, déclara Gerda un vendredi. Je ne t'ai jamais dit comment tu devais mener ta vie, mais aujourd'hui, je ne peux plus me taire. Tu peux sauver ton mariage, je sais que tu le peux. Rick est comme il est — tu le connais. Alors, accepte-le tel qu'il est. Tu peux choisir de vivre avec lui ou non, dans cette maison ou non. Mais reste mariée avec lui. Parce que tu en auras besoin.

— Mais pourquoi, Gerda ? Rick n'a pas besoin de moi, il n'a jamais eu vraiment besoin de moi. Et puis il a Karen maintenant. Elle vit à la maison, elle dort dans mon lit. Oh, ça ne me dérange pas... ils peuvent faire ce qu'ils veulent. Mais il n'est plus mon mari. Cette page de ma vie est définitivement tournée.

Gerda refusait d'entendre ces mots terribles. Le mariage de Catherine n'était cependant pas son souci principal, et elle n'était pas aussi désolée qu'elle le laissait entendre. Elle avait d'autres préoccupations, d'ordre pratique, en tête.

— Écoute, Catherine, je vais bientôt mourir. A qui reviendront la ferme, la maison, toutes ces bêtises ? A Rick, bien sûr. Il va hériter de tout. Je ne dis pas qu'il avait une idée derrière la tête quand il m'a demandé d'habiter avec moi. Mais c'est tout de même lui qui va hériter. Brillante tactique, non ? Il est comme les autres. Comme ses oncles. Ils finiront par obtenir ce qu'ils voulaient.

Il fallut un moment à Catherine pour comprendre.

— Je ne vois pas ce que ses oncles viennent faire là-dedans. Que voulez-vous dire ?

— Si, si. Tout cela va revenir à ses oncles. C'est ce qu'ils ont toujours prédit. Rick n'a pas cherché à hériter pour lui-même, naturellement, mais pour sa famille. C'est autre chose. Et toutes ces forêts vont repasser une fois de plus aux mains des Mansure. Rentrer dans le patrimoine. Comme ses oncles l'ont toujours espéré.

Gerda pouvait léguer ses terres à qui bon lui semblait. Mais elle ne les laisserait jamais à un trust ou à l'État. La terre était une chose sacrée, elle la croyait dotée d'une vie propre, d'une âme, qui ne pouvait survivre dans n'importe quelles conditions. Elle-même, veuve et sans enfants, l'avait appris à ses dépens. Incapable de donner le jour et proche, très proche de la mort, elle était fermement décidée à maintenir cet équilibre coûte que coûte.

— Écoute-moi bien. Si je fais don de mes terres à l'État pour qu'il en fasse un parc, celles-ci vont appartenir à tout le monde. Autrement dit à personne. Or, peut-être que le petit Ben les voudrait pour lui, un jour, et ce serait beaucoup mieux ainsi. C'est une idée qui me plaît davantage. Rick ne pense pas à ces choses, elles sont trop bassement matérielles pour lui. N'empêche, il sait qu'elles existent parce que ses oncles le lui ont suffisamment rabâché. Moralité, il vient s'installer ici, chez moi. Et voilà ce qui arrive.

Catherine était bien obligée de reconnaître, même si cela l'embarrassait, que ce genre de considérations lui passait totalement au-dessus de la tête. Elle était ignorante à bien des égards, elle le savait, et les circonstances de son existence lui avaient permis de le demeurer.

— Mais, Gerda, vous ne pouvez tout de même pas me demander de faire passer ces questions avant tout le reste. De ne voir que cela. De ne me baser sur rien d'autre pour prendre ma décision.

— Non, je sais, Catherine. Ne fais pas l'enfant. Pense à ce que tu es, à l'endroit que tu habites. Tu as passé ta vie entière dans la dépendance, sous le toit de quelqu'un d'autre. D'abord chez ton père, j'imagine, ensuite chez moi, sous la tutelle de ton époux. Mais cette maison pourrait devenir la tienne, aussi vrai qu'elle m'appartient aujourd'hui. Et mes terres, aussi.

Gerda saisit fermement la jeune femme par le bras, comme si elle voulait lui faire franchir un seuil de force. Bien qu'interpellée par ce contact impérieux et direct, Catherine n'en ressentait pas moins toute l'absurdité de la situation — son irréalité, sa fausseté.

— Je suis navrée, Gerda... tout ceci me semble tellement solennel ! Je ne m'attendais pas à une telle proposition. Mais je ne resterai pas avec Rick, non, pour rien au monde. Même si l'idée de posséder tout ça est extrêmement séduisante. Je ne sais pas voir les choses en grand. Je ne suis qu'une petite-bourgeoise, au fond. C'est cela, n'est-ce pas ? De toute façon, ce ne serait pas une bonne chose pour moi. Je ne le sens pas, au fond de mon cœur. Je ne peux pas faire semblant d'aimer Rick — non, je ne le peux pas. Ça ne marcherait pas.

La vieille femme relâcha son étreinte.

— Tu ne comprends pas. Je ne suis pas en train de te faire du chantage, Catherine. Il faut que tu prennes le temps de réfléchir. Tôt ou tard quelqu'un héritera de ces terres, que tu le veuilles ou non. Et si elles ne vous reviennent pas, à toi et à Rick, alors elles reviendront à Rick tout seul. Mais... tu es libre de faire ce que tu veux. De te marier et de divorcer comme tu l'entends. Je n'ai rien à ajouter.

— Oh, Gerda, je vous en prie, ne vous fâchez pas. Je crois que je n'ai pas envie de grandir, voilà tout. Laissez-moi commettre encore une folie, juste une. Ça ne m'est pas arrivé souvent jusqu'ici.

34

Gerda s'était finalement décidée à aller voir le gynécologue de Catherine, le Dr Meadows, et peu après elle se
soumit aux examens recommandés par son propre médecin. Le fait que le Dr Meadows fût un vieil homme, qu'il
sût lui prêter une oreille attentive, l'examiner avec soin
mais sans affectation, enfin lui présenter franchement son
diagnostic, sans y mettre d'inflexions tragiques ou bêtement optimistes, faisait pour elle une grande différence.

— J'ai une tumeur, annonça-t-elle le plus naturellement
du monde à Catherine. Une sorte de cancer. Mais ça n'est
peut-être pas trop grave. Ils vont commencer par m'opérer,
puis ils me feront des rayons. J'ai des chances de m'en
sortir. A mon âge on peut vivre très vieux avec ce genre de
maladie — les cellules se reproduisent beaucoup plus lentement, si bien que le cancer s'en trouve ralenti.

Ce diagnostic et l'imminence de l'opération étaient à
l'origine de la pénible discussion qu'elle avait eue avec
Catherine au sujet de Longfields. A partir de ce jour-là,
Gerda ne fit plus une seule allusion à son mariage ou à son
divorce. Toutefois, elle émit un souhait : elle voulait rencontrer Bascomb, ou plutôt elle voulait le voir de loin. Elle
était curieuse de savoir à quoi il ressemblait.

— Amène-le ici, dit-elle, mais pas dans la maison. Rick
n'apprécierait sûrement pas. Fais-le venir quand Rick fait
sa sieste. Tu n'auras qu'à le faire marcher sous mes
fenêtres. Dimanche prochain, si ça ne t'ennuie pas.

Catherine était mal à l'aise. Bascomb risquait de ne pas comprendre, ou de se vexer. Ne serait-ce pas mieux pour tout le monde s'ils se rencontraient dans le patio ou, si Gerda préférait, dans le verger, voire même un peu plus loin ?

— Non. Fais ce que je te dis, Catherine, je t'en prie. Je le regarderai depuis ma fenêtre. Et s'il ne comprend pas ce que je veux... eh bien qu'il aille au diable.

Bascomb écouta attentivement l'étrange demande que lui fit Catherine. A sa grande surprise, il ne se vexa pas du tout. L'idée de faire son apparition sous les fenêtres de la Gerda, *la grande châtelaine* [1], l'amusait plutôt. Il aurait soin de tenir son chapeau à la main, dit-il, si tel était son bon vouloir, et de relever la mèche de cheveux qui lui tombait sur le front.

— Je l'apprécie, dit-il, énigmatique, vraiment, je l'aime bien. Elle sait qui elle est, et qui je suis par rapport à elle. C'est très bien ainsi. C'est honnête, en somme. Nous n'aurons pas besoin de faire semblant.

— Henry, tu ne comprends pas que si elle t'ouvrait sa maison, comme à un invité ordinaire, elle ferait injure à Rick. Cela n'a rien à voir avec de la condescendance. Ça n'est pas son genre.

— D'accord, mais elle n'a pas non plus proposé de me rencontrer chez moi, que je sache. A moi de me taper tout le chemin à travers bois, comme au temps du servage. Mais ne t'inquiète pas, je viendrai me présenter au pied de son château, aussi petit que ses tours sont hautes. Elle ne fait pas semblant, au moins, elle ne fait pas comme s'il n'y avait pas de différence entre nous. De différence de classe, j'entends.

Catherine commençait à en avoir assez de sa manie de se complaire dans l'humilité. Cette prétendue infériorité était grotesque : comme si les hautes sphères de la société demeuraient aussi inaccessibles qu'elles l'avaient été en Europe quelques siècles auparavant !

— S'il y a quelqu'un qui fait semblant, dit-elle, c'est toi. Dès que les choses se compliquent un peu, tu renies l'être

---

1. En français dans le texte. (*N.d.T.*)

doué, sensible, un tant soit peu hors du commun que tu es vraiment et c'est l'autre image de toi qui prend le dessus. Celle du misérable homme des bois, l'obscur, le sans-grade.

Ce dimanche-là, il s'avéra impossible d'arranger une visite. Mais le week-end suivant, Bascomb apparut à la ferme, prêt pour la « revue ». Il arriva en camionnette, et se gara à côté des granges. A son grand étonnement, Cathe-rine vit qu'il n'était pas venu seul : Mary Elizabeth l'accompagnait. Elle n'était pas partie vivre avec sa mère, en fin de compte, ou alors elles étaient restées moins long-temps que prévu à Lake Tahoe. La fillette sauta de la camionnette et fit le tour du véhicule pour aller tranquille-ment rejoindre son père.

— Elle est revenue vivre à la maison, dit-il simplement. C'est Mme Mansure, Mary Elizabeth. Tu te souviens d'elle ?

— Mm-mm.

La fillette évita de regarder Catherine en face, mais elle prit la main de son père, chose inhabituelle — elle ne le touchait pour ainsi dire jamais, autrefois. Puis elle demanda de but en blanc à Catherine où se trouvait « le petit garçon ». Était-il à la maison ? Voulait-il jouer avec elle ?

— Oui, je crois qu'il est là. Allons le chercher ensemble...

Ils partirent en direction de la maison, Mary courant devant. L'imposante demeure chaulée de blanc les domi-nait du haut de ses quatre étages majestueux, avec ses rangées de fenêtres plombées où dansait le soleil couchant.

Bascomb ne s'était pas habillé comme un plouc, comme il avait menacé de le faire. Rasé de frais, il était presque élégant dans sa chemise noire à col étroit à laquelle il ne manquait qu'un petit coup de fer pour avoir une tenue impeccable. Il avait peigné ses cheveux brillants aux reflets ocre. La promesse de douceur qu'ils contenaient, la netteté avec laquelle ils encadraient son front immense à peine ridée, procurait à Catherine un étrange plaisir, et elle l'embrassa sur la bouche. Mary Elizabeth surprit son geste, mais ses yeux sans profondeur ne trahirent pas plus d'émotion que ceux d'un oiseau. Une fois arrivés à la maison, ils longèrent la promenade, d'où l'on pouvait les apercevoir depuis les étages. De là, un escalier menait à une petite cour pavée.

— Il est là-haut ? demanda la fillette qui piaffait presque d'impatience.

— Oui, je crois, dit Catherine. Mais nous allons attendre qu'il descende. Il finira bien par nous apercevoir.

Ils n'avaient rien à faire, sinon à rester là, bien en vue. Catherine s'assit sur un banc de pierre, invitant Mary à venir s'asseoir à côté d'elle. La fillette se mit à lui raconter sa vie au lac Tahoe. Ils n'étaient allés skier qu'une seule fois, cet hiver, dit-elle, parce que sa mère travaillait beaucoup au casino. Parfois elle travaillait toute la journée et toute la nuit suivante.

— Alors je suis obligée de me lever toute seule le matin, et de faire moi-même mon petit déjeuner et d'aller à l'école toute seule, dans la neige.

Bascomb se tenait un peu à l'écart, un sourire aux lèvres. Il ne regardait pas la maison, mais ne lui tournait pas le dos non plus. Un instant il pensa aller s'asseoir à côté de Catherine et de la fillette. Mais il changea d'avis, et resta tranquillement debout, la tête tournée vers la cour.

— Maman n'est pas encore croupier, expliquait Maryanne, mais elle est en train de suivre une formation. Ensuite, elle pourra faire partie du syndicat. Elle voudrait aller à Las Vegas, parce que ça paye bien là-bas. Mais Las Vegas, c'est pas bien pour les enfants, il n'y a que des boîtes de nuit.

Au bout de cinq ou six minutes, une fenêtre s'ouvrit à la volée au troisième étage. Catherine et Mary relevèrent aussitôt la tête. Mais ce n'était que Ben. Sa petite main disparut dans l'ombre. Quelques secondes plus tard, on entendit une porte claquer à l'intérieur.

La petite fille continuait de regarder en direction de la fenêtre, comme si l'apparition de cette petite main avait quelque chose de mystérieux. Puis une porte s'ouvrit sur la cour et Ben apparut. Il vint directement à eux, sans hésiter, et Mary se leva du banc. Elle le regardait avancer avec un regard affolé qui fit bientôt place à de la curiosité.

Lorsqu'il ne fut plus qu'à quelques mètres, il prit soudain sur sa gauche, comme un train qui change subitement de voie. Sans le vouloir, il se retrouva sur la trajectoire de Bascomb, qui longeait la véranda pour se rapprocher du banc. L'homme et l'enfant faillirent entrer en collision avant de se saluer d'un petit signe de tête. Bascomb toucha légèrement l'épaule du garçon, et Ben baissa la tête.

— Ben, tu te souviens de Mary Elizabeth, demanda Catherine. Et voici son père, monsieur Bascomb.

— Tu peux m'appeler Henry, si tu veux.

Il lui tendit la main avec une certaine ironie, en exagérant le côté viril de son geste. Ben s'en rendit compte et tendit la main à son tour, avec un peu trop d'assurance, un peu trop de témérité.

— Bonjour. Ravi de te revoir, dit Bascomb.

Ben baissa à nouveau les yeux. Il semblait sourire intérieurement. La fillette, dont le regard s'était intensifié, fit un pas en avant. Puis, sans que ni l'un ni l'autre ne dise un mot, les deux enfants prirent la direction de la maison. La fillette marchait derrière le petit garçon, docilement, en traînant les pieds mécaniquement, tout comme lui.

— Regarde, dit Catherine à Bascomb, il y a quelqu'un là-haut à la fenêtre.

Bascomb se retourna. La grande dame avait daigné se montrer, assumer sa position de supériorité. Bascomb leva brièvement le nez avant de se détourner. Il secoua la tête, comme si l'absurdité de sa présence ici lui sautait soudain aux yeux. Mais au bout d'un moment, il tira Catherine par le bras pour la faire lever et l'embrassa sur la bouche. Elle lui rendit son baiser.

— Regarde là-haut. Tu n'es pas obligé de faire signe, mais regarde en l'air. Lève la tête.

— Pourquoi faire ? Si elle tient absolument à me voir, elle n'a qu'à descendre. Je ne vais pas la mordre, c'est promis.

— Cependant, il se tourna vers elle, et leva la tête. Sans vraiment hocher la tête, Gerda fit un petit signe de reconnaissance que Bascomb lui rendit. Il y avait même quelque chose de gracieux dans ce geste éphémère et subtil, pensa Catherine. Gerda disparut prestement de la fenêtre.

— Je l'ai déjà vue quelque part, dit Bascomb. Elle est belle, n'est-ce pas ? On dirait la reine mère à son balcon, avec sa couronne de cheveux blancs... Je me trompe peut-être, mais j'ai l'impression qu'elle est malade. Non ?

— Si, elle ne va pas très bien, confirma Catherine. Elle a presque quatre-vingt-sept ans.

Laissant la maison derrière eux, ils prirent la direction des plantations de Catherine. Ils y restèrent un moment, main dans la main, tandis que le soleil déclinait à l'horizon. Ils s'embrassèrent, et restèrent un instant face à face, tout près l'un de l'autre. Puis, juste avant que la nuit ne tombe, ils rejoignirent Ben et Mary Elizabeth, qui faisaient la course autour du rond-point. La fillette était la plus rapide. Ben lui proposa de jouer aux échecs ; elle refusa, déclarant que ces jeux-là n'étaient pas « rigolos ».

35

La fille de Bascomb était donc revenue vivre avec lui, peut-être pour toujours cette fois. Terry et son nouvel amant avaient des « projets », d'après ce que Bascomb avait cru comprendre. Elle avait besoin d'avoir les coudées franches pendant un certain temps pour pouvoir partir au pied levé, peut-être dans le Névada, peut-être ailleurs. Lorsque Mary Elizabeth serait un peu plus grande, sa mère reviendrait la chercher.

— Mary n'a pas l'air trop perturbée, dit Bascomb. Il paraît qu'elle ne s'entend pas très bien avec le nouveau copain de sa mère. Il va falloir que je la réinscrive à l'école. Elle entre au cours moyen, il me semble, cette année.

— Elle est forcément perturbée, au contraire, rectifia Catherine. Sa mère est en train de l'abandonner. Ça me fait de la peine pour elle. C'est très dur.

Bascomb ne voulait pas discuter de cette question. Catherine avait peut-être raison, mais il était fermement décidé à se comporter avec sa fille comme il l'avait toujours fait, à rester prévenant tout en gardant une certaine distance. Si elle était traumatisée, il était exclu qu'il la traumatise davantage en lui faisant sentir qu'il l'avait remarqué. Sans doute Mary avait-elle de bonnes raisons de faire comme si tout allait bien, et tant qu'elle ne donnait pas de signes de neurasthénie — terreurs nocturnes, pipi au lit —, il ne voyait pas pourquoi il modifierait son comportement. Il tâcherait simplement de faire le moins de vagues possible.

— Elle aime bien ton fils, tu sais. Surtout ses deux poneys. Et tous ces ordinateurs.

— Je crois qu'il l'aime bien, lui aussi, répondit Catherine, bien que Ben ne lui ait rien dit. Il avait peur d'elle autrefois. L'année dernière il m'a raconté qu'elle frappait les autres gosses, elle a même cassé la dent d'un de ses camarades. Mais maintenant, j'ai l'impression qu'elle l'intimide plus qu'elle ne lui fait peur. Je crois qu'il aimerait bien être dangereux, lui aussi.

Son fils était étrangement, peut-être même anormalement, flegmatique. Il semblait totalement indifférent aux bouleversements qui secouaient sa vie. Une fois, il lui avait demandé si elle comptait divorcer. Elle lui avait alors répondu que oui, elle divorcerait certainement. Et ils n'en avaient plus jamais reparlé. Lorsqu'il venait la voir à San Francisco, le week-end, Catherine l'emmenait visiter des endroits insolites, des musées, des expositions. Dans Stanyan Street, ils avaient déniché une boutique spécialisée dans la vente de skateboards et autres accessoires du même type que Ben adorait. L'atmosphère de « guérilla urbaine » qui régnait dans la ville le fascinait. Il ne se plaignait jamais quand il fallait rentrer chez Gerda le dimanche soir, pas plus qu'il ne refusait de partir avec Catherine le vendredi soir.

— Tu sais, Rick, avait-elle dit un jour à son mari, j'apprécie la manière dont tu te comportes avec lui. Tu n'as jamais cherché à l'impliquer dans nos histoires, et je vois bien que tu ne lui montres pas le ressentiment que tu éprouves pour moi. Je suis sûre que ça l'aide beaucoup.

— Ah oui, vraiment ? s'empressa-t-il de répondre avec hauteur.

Rick allait de mieux en mieux, Catherine le trouvait plus épanoui. Il commençait à se rétablir — ses moments d'abattement profond, ses crises d'angoisse, faisaient désormais partie du passé, même si de temps en temps il lui arrivait encore de se servir d'une canne. Catherine avait l'impression que l'intolérable épreuve physique qu'il avait traversée avait débouché sur une ultime transformation : il était incontestablement devenu l'homme qu'il était destiné à être. A aucun moment elle n'avait douté de sa capacité à s'accrocher à la vie et à vaincre sa maladie. Mais aujourd'hui, il avait atteint le niveau supérieur, il était parvenu à une maîtrise de soi tout à fait remarquable. Aussi bien dans ses attitudes que dans sa façon de s'habiller, il s'était mis à ressembler à son oncle préféré, Gower, le plus riche et le plus raffiné des Mansure. Gower avait toujours eu un faible pour les foulards et les pulls en cachemire, qu'il portait parfois avec des blousons amples de marque étrangère.

— Crois-tu que Ben va « survivre » à cette épreuve ? demanda Rick. Qu'il va en sortir victorieux, plus fort, avec une personnalité plus affirmée ?

— Oh, Rick, je n'ai pas dit cela... Je t'en prie, ne commence pas à me culpabiliser. Je sais que je vais regretter toute ma vie ce que je suis en train de lui faire. Mais notre mariage est foutu, Rick. Nous le savons, toi et moi, il est inutile de se leurrer. Maintenant, je veux être heureuse et... faire le bonheur de quelqu'un. En ce qui concerne Ben, je souhaite qu'il s'en sorte le moins mal possible. Et il me semble que c'est ce que tu veux, toi aussi.

Rick secoua la tête, pas en signe de désapprobation mais de stupéfaction, apparemment. Il ne savait pas par où commencer. Il trouvait Catherine confuse, ses formules creuses et totalement hors de propos.

— Parce que tu crois que c'est ce que je veux, Catherine ? Comme c'est pratique pour toi ! Comme c'est gratifiant ! Ta condescendance est exquise, comme toujours... Depuis quand as-tu décidé que toi, et toi seule, savais ce qui était bon pour lui ? Depuis le jour où tu as froidement décidé de nous planter là tous les deux, de tourner le dos à tes responsabilités pour te faire sauter par le jardinier ou je ne sais qui. Non, je ne lui montre pas mon ressentiment, Catherine, pour la bonne raison que ça n'est pas du ressentiment que j'éprouve pour toi. Mais je vais continuer de l'élever du mieux que je peux, comme je l'ai toujours fait. Surtout maintenant que sa mère lui a donné le coup de grâce.

Elle devinait toutes les autres « douceurs » qu'il aurait voulu lui assener. Mais elle n'avait pas besoin d'entendre son jugement. Elle le connaissait, et cela lui suffisait amplement. Elle savait ce qu'elle avait à faire.

— Je suis navrée, Rick, vraiment. Mais je crois que tu ne m'aimes plus... tu ne m'en veux même pas, personnellement s'entend. Disons que tu m'avais mise de côté depuis un bon moment déjà, mais qu'il m'a fallu du temps pour m'en apercevoir. Tu es le plus fort, Rick, et je n'ai pas envie de me mesurer à toi, j'en suis parfaitement incapable. Je te demande juste de me laisser partir. De me laisser partir en paix, si tu le veux bien. J'ai trouvé un homme qui m'aime et qui m'accepte telle que je suis. Laisse-moi prendre ma part de bonheur, ou de malheur, seul l'avenir nous le dira.

Il n'était pas convaincu.

— L'idée que tu te fais de l'amour, répondit-il, est tout simplement ridicule. Dangereusement gnangnan. Mon Dieu... mais pourquoi dois-je constamment me préoccuper de tes sentiments ? Si tu n'es pas bien dans ta peau, Catherine, ça n'est pas mon problème. Nous avons passé quinze ans ensemble... quinze années d'un mariage plutôt réussi, correct et fructueux à bien des égards. Il se trouve que tu as craqué quand je suis tombé malade. Peu importe le reste, la façon dont tu as fui tes responsabilités va de pair avec l'idée romantique et bêtasse que tu te fais de l'amour, tout ce cinéma sur les « besoins réels » du couple. J'avais besoin d'une femme, Catherine, c'est tout, et toi tu m'as tourné le dos. Je crois qu'on peut résumer les choses ainsi. Ça a été ton seul geste véritablement téméraire et authentique.

Elle était écœurée de l'entendre parler ainsi, mais elle répondit tout de même :

— Ce n'est pas vrai, Rick. Tu es injuste. C'est arrivé bien avant ta maladie. Le problème n'est pas que tu es malade, Rick, c'est que tu es trop fort... peut-être même trop parfait. Il n'y a pas moyen de communiquer avec toi, pour moi en tout cas. Tu es trop complet, trop entier, trop sophistiqué... et moi, je me consume à petit feu à tes côtés. J'étais plus malade que tu ne l'étais toi-même. Et puis, un beau jour, j'ai ouvert les yeux et j'ai eu peur. J'ai compris que je devais réagir.

Rick sourit. Tous ces lieux communs, ces phrases vides, semblaient l'amuser : l'épouse au bout du rouleau, le mari intraitable et dominateur — à croire qu'elle les avait dénichés dans un roman-photo.

— Je commence à te connaître, Catherine, je le crois du moins. Et je sais combien tu peux tricher. Tu es très belle, Catherine, il y a quelque chose d'impressionnant chez toi, physiquement, moralement... De l'extérieur, tu donnes l'impression que tu comprends les choses. Mais tu es terriblement faible en réalité. Tu étais tellement dépendante de moi que lorsque je me suis effondré, tu n'as pas pu le supporter. Mais ça n'est plus dans l'air du temps de parler de ce genre de choses, n'est-ce pas ? On ne dit plus combien les femmes sont dépendantes des hommes, à quel point elles les parasitent. La tendance s'est tellement inversée que nous sommes obligés de prétendre le contraire. Quoi qu'il en soit, je crois que tu as commis une grave erreur, ma chère, et que tu vas amèrement le regretter. La chute va être rude à tous points de vue : social, personnel, spirituel. Et même, qui sait, sentimental — car l'infidélité se paye tôt ou tard, tu le sais bien. Naturellement, on attendra de moi que je te soutienne activement, que je cautionne tes aventures. Je devrais probablement te haïr pour tout cela, or je trouve que j'ai plutôt de la chance, finalement. Chaque perte est une sorte de gain, au fond, si tu vois ce que je veux dire.

Catherine éclata brusquement en sanglots. Des larmes roulèrent sur ses joues. Elles lui faisaient penser à une averse, une pluie froide et rébarbative, une pluie qui n'éclaircit pas le ciel. Elle demeura un instant incapable de parler. Rick se tenait tout près d'elle, magistral.

— Moi aussi, j'ai de la chance, dit-elle enfin. Je ne suis pas entièrement détruite — non, pas entièrement. Je suppose que je devrais te haïr pour tout ce que tu viens de me dire... mais je ne suis pas faite pour la haine. Je n'éprouve plus rien pour toi, Rick. Mon cœur est tari. C'est drôle, quand on pense à tout ce qu'il contenait pour toi, autrefois.

— Rien, en tout cas, sur quoi je voudrais reconstruire quelque chose, dit-il d'une voix qui n'était sans doute pas aussi convaincante qu'il l'aurait souhaité.

36

Vers la fin du mois de juin, Muriel, la sœur de Catherine, vint à San Francisco pour assister à un congrès. Catherine appréhendait cette visite. Muriel annonçait depuis des années la fin du mariage de Catherine, pourtant elle parut stupéfaite et profondément affectée par la nouvelle. Mais, au bout de quelques jours, Catherine vit que sa sœur, qui avait été particulièrement froide au téléphone, n'était en réalité ni pour ni contre la décision qu'elle avait prise. Elle se contenta de se montrer compatissante : c'était à Catherine de décider ce qu'elle avait à faire, cela ne la regardait pas.

— Je suis désolée, Catherine, mais je n'arrive pas à penser à autre chose qu'à mon intervention au congrès — à mes deux interventions, pour être exacte. Pour la première, je ne me fais pas trop de souci, elle concerne mes travaux sur les jumeaux. Mais c'est la seconde qui me préoccupe. Même moi, je la trouve abstraite, c'est tout dire. Peut-être pourrais-tu la lire et me dire ce que tu en penses ?

Catherine feignit l'enthousiasme. Après tout, elle avait lu tous les écrits de sa sœur. A partir des recherches qu'elle avait entreprises, Muriel avait élaboré une théorie permettant de déterminer la fréquence du suicide chez les vrais jumeaux : elle avait découvert, ce qui n'était pas réellement étonnant, que dans certaines familles le suicide pouvait presque s'assimiler à une anomalie génétique, et qu'il était possible de prédire de façon quasi mathématique le nombre de suicides sur plusieurs générations. Un jumeau avait sept fois plus de chance de commettre un suicide si son frère ou sa sœur l'avait commis ; pour les jumeaux séparés à la naissance, la probabilité était encore plus élevée.

— Le cas le plus connu est celui des frères Gurney, qui furent adoptés et élevés séparément, l'un en Oregon et l'autre dans l'Idaho. Ils se sont suicidés à quelques heures d'intervalle à l'âge de quarante-trois ans. Tous deux étaient agriculteurs. Tous deux avaient trois enfants et étaient mariés à une femme d'origine indienne nommée Frances. Ce n'est qu'un exemple, bien sûr, mais quand on épluche les statistiques, on constate des phénomènes absolument stupéfiants...

En dépit de ses efforts pour déchiffrer les démonstrations de sa sœur, Catherine comprit d'emblée qu'elle serait incapable d'en retirer quoi que ce soit tant les mots et les idées étaient éloignés de sa conception de l'humain. Une énigme impénétrable enveloppait ces travaux. Les histoires comme celles des Gurney étaient relatées sans la moindre touche d'humanité, comme si, pour Muriel, une décision aussi personnelle que de se tirer ou non une balle dans la tête se réduisait à une fonction mécanique inéluctable.

— Il me semble que ça se lit bien, Muriel, dit-elle. Je ne prétends pas comprendre les formules mathématiques, bien sûr... Je crois que si ç'avait été moi, j'aurais présenté les choses autrement. Existe-t-il des exceptions — des cas de jumeaux séparés qui ne se sont pas suicidés, ou des cas où l'un des deux se suicide sans que cela empêche l'autre de vivre heureux ? Je crois que c'est cela qui m'aurait intéressée. Parfois on a l'impression que tu t'attaques à des idées complexes, des idées qui te touchent profondément, mais au lieu de dire ce que tu ressens, tu te lances dans des théories, des statistiques et tout le tremblement. Comme si, en procédant ainsi, tu croyais pouvoir en venir à bout. Mais le message qui sous-tend tout ceci, c'est que nous n'avons aucun contrôle sur nos vies, que le choix conscient est une illusion. Pourtant tu t'en remets entièrement à ta conscience, n'est-ce pas ? Parfois j'ai l'impression qu'il s'agit d'une parodie, que tu ne te prends pas réellement au sérieux.

240

Muriel ne le prit pas mal. Et après trois jours de congrès, lorsqu'elle se fut brillamment acquittée de ses deux interventions, elle se concentra sur les problèmes de sa sœur. Sans doute les gens s'apitoyaient-ils sur le sort de Rick, pensait Muriel, pourtant c'était Catherine qui avait tout sacrifié au mariage, qui avait fait les compromis, qui avait mené une guerre secrète, un bras de fer psychologique contre ce redoutable adversaire, tout en sachant qu'elle ne le battrait jamais.

— Je n'ai jamais compris ce que tu faisais avec Rick, lui avoua-t-elle. Rick est un grand bonhomme, une figure de proue — j'en conviens. Mais ça n'est pas quelqu'un avec qui on a envie de faire sa vie. Rick n'a pas de vrai talent pour la vie. Il appartient à une autre sphère, au-dessus du commun des mortels... A vrai dire, je ne m'imagine pas faisant l'amour avec un type comme lui. Ou alors juste une fois, pour « voir », si tu vois ce que je veux dire. Il y a quelque chose de presque trop parfait chez lui. Insaisissable comme une icône.

— Rick va mieux, maintenant, beaucoup mieux, répondit Catherine. — Parler de lui sur ce ton la mettait un peu mal à l'aise. — Il ne sera plus jamais le même homme physiquement, mais on dirait que ça n'a pas vraiment d'importance pour lui... En fait, je crois qu'il est heureux ainsi. Il vit avec la gouvernante maintenant, tu sais ? La belle Karen. Il paraît même qu'ils vont se marier. On dit qu'elle est une version plus jeune, plus simple et moins substantielle de moi-même, mais je ne pense pas qu'elle soit aussi simple qu'on le prétend : je crois qu'elle va lui donner du fil à retordre un jour ou l'autre. Elle s'est bien débrouillée en tout cas, tu ne trouves pas ?

La même semaine, Catherine reçut un coup de fil de Bob Stein, qui avait réussi à mettre la main sur les épreuves du nouveau livre de Rick. Maintenant qu'il l'avait lu, il ne savait plus qu'en faire : le rendre, tout simplement, à son vieux copain, le représentant de l'éditeur de Rick sur la côte ouest qui le lui avait procuré ? Il ne proposa pas à Catherine de le lui envoyer, ce qui ne fit qu'attiser sa curiosité. Elle finit par lui demander de le lui envoyer.

Elle comprit vite les motifs véritables qui se cachaient derrière la curieuse pudeur de Bob. Ce livre était une véritable trahison. Rien à voir avec la façon poético-comique dont Bob l'« utilisait » dans ses romans. Rick avait écrit dans un esprit de vengeance, d'implacable ressentiment. Nulle part Catherine n'était appelée par son nom. Surnommée « l'épouse », ou « l'épouse du malade », elle incarnait le personnage diabolique du récit. Elle se demanda comment Ben, lorsqu'il serait plus grand, réagirait devant cette image salie de sa mère car un jour viendrait sûrement où il lirait les livres de son père (et probablement ceux de Bob aussi). Elle était écœurée, complètement écœurée.

— Ce ne sont que des calomnies, Bob, et rien d'autre. Comment peut-on écrire des choses pareilles ? Je n'arrive pas à y croire. Je n'ai jamais rien lu de plus retors, de plus cynique. Il n'a même pas le courage d'exposer ses infectes idées concernant les femmes, et les conséquences de leur libération, et tout le reste. Non, il préfère tout me mettre sur le dos. Il n'y a pas un mot de vrai dans tout cela, c'est un tissu de mensonges. De deux choses l'une, ou bien il est complètement tombé sur la tête, ou bien c'est un monstre, comme tu me l'as dit un jour toi-même. Un fameux hypocrite en tout cas. Je ne comprends pas. Pourquoi souiller ainsi sa propre existence ? Pourquoi ? Toi, tu n'as jamais trahi la vérité.

Bob était d'accord avec elle, cependant il tenta de calmer le jeu, de mettre les choses en perspective. Non pas qu'il cherchât à excuser Rick, mais elle ne devait pas oublier ce qu'il avait enduré ces deux dernières années. En tombant malade, Rick avait pour la première fois de sa vie été confronté à l'échec et à l'impuissance, et il avait craqué. Plus encore que la plupart des mortels, Rick Mansure était un être contradictoire : il avait mené une carrière brillante grâce à ses capacités hors normes, mais une sorte de zone nébuleuse hantait son inconscient. Selon Bob, la confrontation avec ce noyau aux contours imprécis avait donné naissance à une terreur profonde.

— Mais il ne s'agit pas d'une vraie prise de conscience, cela dit, ajouta-t-il, enflammé par sa propre analyse. Il n'a jamais été au-delà d'un certain cap, puis il s'est accroché à tout ce qui passait. Quand j'ai entendu dire que son analyste l'encourageait à s'affirmer davantage — non mais explique-moi un peu ce que ça veut dire pour un type comme Rick —, enfin, bref, j'ai tout de suite compris qu'il filait un mauvais coton. L'idée que Rick soit le souffre-douleur de ses amis ou de sa famille est vraiment comique non ? C'est vrai qu'il a eu des moments difficiles, qu'il a perdu ses parents, qu'il a eu une éducation bâclée, etc. Mais arrêtons les frais ! Rick est un type qui ne peut pas être amélioré, ni dépassé. Il est imbattable, quoi qu'il arrive. C'est ça, Rick...

Dans le livre de Rick, Catherine fuyait la maladie de son époux, refusait de le soigner et de lui apporter un soutien véritable. Il la décrivait comme une femme-enfant, toujours à la recherche de prétendus « sentiments authentiques ». Sa liaison avec Bascomb n'était que brièvement mentionnée, comme une infidélité parmi tant d'autres (spirituelles, sinon sexuelles). Le livre racontait aussi qu'elle avait entretenu pendant des années une relation équivoque avec le meilleur ami de son mari, lequel ami avait, de son côté, exploité cette relation à des fins littéraires douteuses.

— Je crois, dit Bob pour conclure, que sa misogynie est vraiment trop évidente. Rien que pour ça je lui conseillerais de ne pas publier son livre. Peut importe qu'il s'en prenne à toi, à moi ou à d'autres. Mais le bouquin est truffé de saloperies sur les femmes. Il risque de s'attirer des ennuis, de saborder sa réputation d'auteur. Les gens vont le prendre pour un rétrograde fanatique.

Catherine n'était absolument pas d'accord. Elle était sûre que la franchise scandaleuse de Rick allait recueillir la sympathie de nombreux lecteurs.

— Les gens sont prêts à gober ce genre de choses, Bob, et tu reconnaîtras que ça se lit bien. C'est dense. Le style n'est pas hésitant, il sait exactement ce qu'il veut dire, du début jusqu'à la fin. C'est l'histoire d'un homme qui triomphe d'une maladie atroce, et les gens adorent ça. Moi, je crois qu'il va faire un carton. Au moins autant qu'avec *Escambeche*, sinon plus.

Bob se demandait comment Maryanne, dont la susceptibilité était légendaire lorsqu'on portait des coups réels ou imaginaires à son sexe, allait réagir. Rick allait-il définitivement tomber dans son estime, tout comme elle était tombée dans la sienne ? Quelles répercussions allait avoir ce bouquin sur leurs nouvelles relations professionnelles ? Devant le regard perplexe de Catherine, Bob s'empressa d'ajouter qu'il ne savait probablement rien de plus que Catherine elle-même à ce sujet : Rick avait demandé à Maryanne de le représenter pendant le divorce et, malgré ses protestations, Maryanne avait fini par accepter. Au terme d'une longue discussion, il avait réussi à la convaincre qu'elle pourrait défendre sa cause sans compromettre son amitié pour Catherine. Rick avait apparemment décidé d'agir en « adulte », de se montrer généreux et magnanime.

— Oh, non, je ne crois pas, dit Catherine au bout d'un moment, plutôt stupéfaite. — Maryanne ne lui avait rien dit de sa décision et la discussion qu'elles avaient eue quelques semaines plus tôt semblait exclure une telle possibilité. — Mon Dieu ! Je n'ai même pas encore commencé de constituer le moindre dossier. J'imagine qu'il ne me reste plus qu'à trouver un avocat, maintenant. Es-tu certain de ce que tu avances, Bob ? Elle te l'a vraiment dit ? C'est curieux tout de même. Rick ne peut pas la voir en peinture. Il ne lui a pas adressé deux mots en cinq ans... alors pourquoi fait-il une chose pareille ? Pour se rendre odieux, et me nuire par tous les moyens ? En éloignant de moi une de mes plus vieilles amies, il cherche à me faire souffrir davantage, il essaye de me montrer que je suis seule au monde. A moins que ce ne soit une ruse pour me faire croire qu'il est décidé à régler cette affaire à l'amiable, entre vieux copains, tu vois ce que je veux dire...

— Je crois que le coup d'envoi du divorce a été donné, dit Bob en se grattant la tête, l'air penaud. C'est parti pour de bon cette fois.

37

Avant de regagner l'Oregon, Muriel souhaitait voir son neveu, Ben. Les deux sœurs firent donc le voyage jusqu'au canyon un mercredi, après avoir prévenu Rick qu'elles passeraient prendre Ben à la sortie de l'école. Il faisait gris ce jour-là et le vent soufflait. Catherine reprenait courage à l'idée qu'il allait peut-être pleuvoir, mais la météo annonçait des nuages, rien de plus : la sécheresse était fermement installée, avaient annoncé les autorités, sans espoir de changement.

Elles aperçurent le fils de Catherine au moment où il sortait de l'école. Sa tante, pour qui il avait toujours eu un faible, lui offrit un gros paquet enveloppé dans un papier cadeau. Ben l'ouvrit aussitôt, sur le parking de l'école. La grande femme rousse (Muriel) et sa sœur, un peu plus petite et un peu moins rousse qu'elle (Catherine), se tenaient de part et d'autre du petit garçon aux cheveux bruns qui déballait précipitamment une paire de patins à roulettes. A aucun moment son visage ne changea d'expression, si ce n'est qu'il plissa brièvement les yeux.

— Ils sont super, dit-il un instant plus tard. — Puis de sa voix de fausset, sans aucune inflexion, il ajouta : — Ils sont cool.

Catherine avait aperçu la camionnette de Bascomb. Bientôt elle le vit sortir de l'école, Mary Elizabeth dans son sillage. Catherine les appela. Bascomb, stupéfait, s'arrêta net, cherchant d'où venait la voix qui l'appelait. Dès qu'il la vit, il traversa tranquillement le parking, guidant sa fille devant lui. Il portait un coupe-vent bleu que Catherine lui avait offert.

Lorsqu'elle fit les présentations, il serra lentement la main de Muriel. Puis il se tourna vers Catherine, et son air austère et quelque peu impérieux se changea en une expression ironique. Il la regarda au fond des yeux, et Muriel s'écarta légèrement, attentive. Au bout d'un moment, le visage de Muriel se détendit à son tour.

— Muriel se souvient de toi... même si tu ne te souviens pas d'elle.

— Vraiment ?

— Oui, dit Muriel, je vous ai entendu jouer un soir. Ici même, au bar du village. J'étais avec Catherine.

— Oh, je me souviens de cette soirée, dit-il avec une pointe d'ironie dans la voix, comme si ce souvenir avait quelque chose d'embarrassant. Catherine aussi... quelques jours plus tard, elle me disait qu'elle avait aimé ma musique. J'ai vécu de ce compliment pendant six mois environ, si mes souvenirs sont exacts.

— Oh, mais j'imagine que vous recevez des compliments tous les jours, rétorqua Muriel, que la fausse modestie dérangeait. Vous êtes un excellent musicien. J'ai moi-même été très impressionnée. Emportée par la musique.

— Merci, c'est gentil. Mais je connais mes limites... Quant aux compliments, ils ne sont pas si fréquents... surtout de la part de quelqu'un qu'on ne connaît pas, qui n'a pas de raison particulière de vous adresser la parole. Ça aide à croire qu'il peut arriver de bonnes choses dans la vie, même à quelqu'un comme moi, quand je me donne la peine de faire de la musique.

— Mais ne pensez-vous pas que les bonnes choses arrivent souvent ? demanda Muriel, le regard pénétrant et amusé.

Bascomb était intimidé. Cette femme était-elle en train de l'analyser ? de le percer à jour ?

— Oh, les bonnes choses peuvent arriver, dit-il enfin, c'est souvent après coup qu'on réalise qu'elles sont extra-ordinaires. Ce sont des accidents. Je jouais avec toute mon âme ce soir-là, sans raison particulière... et il s'est trouvé que Catherine était dans la salle. Une semaine plus tard, environ, on s'est rencontrés ici à l'école et elle m'a ramené en voiture... Non, vraiment, les bonnes choses n'arrivent pas souvent. Il faut toute une série de coïncidences, sans compter la main de la providence. C'est toujours elle qui a le dernier mot.

Muriel pensait que c'était un peu excessif.

— Les femmes raffolent des musiciens, vous savez. Elles aiment leur parler après un concert. Ce n'est pas nouveau, dans notre famille en tout cas, ajouta-t-elle en rougissant jusqu'aux oreilles, comme une jeune fille. Son embarras émut Bascomb.

— Oh, mais vous ne savez pas ? dit-il. J'avais déjà rencontré Catherine avant cela. Des années et des années auparavant. J'avais désespérément envie de la revoir mais je n'osais pas. Et puis, un beau jour, la providence s'est enfin manifestée... Je la rencontrais partout, même là-haut, près du lac. Elle nageait nue, comme une nymphe affolante... Pourquoi m'était-il donné de contempler pareille beauté ? Il y avait quelque chose d'irréel dans cette apparition, je n'avais pas l'impression de l'avoir méritée. Vous savez, le destin ne coupe pas forcément les fils des marionnettes que nous sommes. Le destin triche le plus souvent.

Muriel leur proposa d'aller boire une tasse de thé. Le seul restaurant de Cuervo fermait généralement l'après-midi. Ils s'y rendirent cependant en voiture, pour s'en assurer. Le quartier commerçant du village regroupait une épicerie, le magasin de diététique, un bureau de poste, le restaurant (fermé), et quatre bars. Ils se retrouvèrent à nouveau sur une aire de stationnement sans savoir où aller. Ben enfila ses patins à roulettes, et essaya de patiner. Il tomba. Mary Elizabeth l'observait attentivement, persuadée qu'elle se serait beaucoup mieux débrouillée que lui.

Bascomb leur proposa de venir chez lui. Catherine dit qu'elles auraient volontiers accepté mais elles devaient passer voir Gerda, qui sortait tout juste de l'hôpital. Mais Muriel voulait voir la maison de Bascomb. Catherine lui avait décrit la cabane comme un endroit mystérieux, elle avait très envie de voir à quoi elle ressemblait. Ils s'y rendirent donc.

247

Tandis que la voiture de Catherine gravissait lentement la côte qui menait chez Bascomb, Muriel murmura :

— Je vois, maintenant. Je vois mieux.

— Tu vois quoi, Muriel ?

Muriel se contenta de sourire. Elle semblait convaincue de quelque chose.

Bascomb leur prépara un thé bien fort, parfumé au miel cassis. Il faisait froid dans la maison par ce temps de bourrasque. Muriel examina attentivement les rayonnages tandis qu'il faisait du feu, puis elle aperçut son violon dans son étui laissé ouvert, recouvert d'un chiffon doux. Elle lui demanda s'il jouait encore dans les bars, s'il était possible de gagner sa vie en jouant ici ou là.

— Non, ça n'est pas vraiment possible. Il faut passer son temps à chercher des engagements... ce que je n'ai pas fait assez sérieusement. Il faut être organisé. Je ne joue que lorsque mes amis musiciens me le demandent, ou lorsque quelqu'un a entendu parler de moi. Mais on a quelques contrats de prévus pour cet été. Nous verrons bien si ça marche — peut-être qu'on va devenir célèbres.

— Mais pourriez-vous en vivre, insista Muriel, si vous acceptiez tous les contrats qu'on vous propose ?

Bascomb semblait vaguement amusé par son insistance.

— Vous êtes en train de me demander si je pourrais faire vivre Catherine... eh bien, la réponse est non. Je ne crois pas que ce serait possible. Pas dans l'immédiat. Mais si je veux qu'elle vienne vivre avec moi, il va bien falloir que je me débrouille, pas vrai ? Je devrai probablement quitter le canyon. Il n'y a pas beaucoup de travail par ici.

— Je ne vous en demandais pas tant, s'empressa de dire Muriel. Ce serait dommage que vous partiez. C'est si charmant ce petit nid au fond des bois. Quand on entre chez vous, on a une impression de bien-être, les dimensions sont parfaites — ce sont des dimensions humaines. Je crois que toutes les femmes de la terre rêvent à un moment ou à un autre d'habiter dans une maison comme celle-ci... avec l'homme idéal, naturellement. De toute façon, Catherine va bientôt gagner sa vie, maintenant. N'est-ce pas Catherine ? — Elle se tourna vers sa sœur, qui ne disait rien : — Tu n'en as pas marre de dépendre financièrement d'un homme, Cath ? Est-ce que ça ne devient pas insupportable au bout d'un moment ?

Deux jours plus tard, alors que Muriel s'apprêtait à quitter l'hôtel pour se rendre à l'aéroport, elle dit à Catherine ce qu'elle pensait de Bascomb.

— Tu es en train de vivre un rêve. C'est merveilleux, dans un sens... comme un conte de fées. Mais ce conte de fées se joue dans le réel, Catherine. Je crois que c'est ce qu'il a essayé de nous dire quand il a parlé des coïncidences, de la marque du destin. Il sait que votre histoire est irréelle. Je pense qu'il t'aime, pour autant qu'un homme comme lui soit capable d'aimer... et toi tu t'es laissée prendre au rêve, à l'image de l'amour. Lorsque cela arrive à une gosse ignorante, bon, on croise les doigts, on espère qu'elle ne va pas y laisser trop de plumes. Mais toi, Catherine, tu n'es plus une gosse. Tu es une femme mûre, une mère de famille. On ne vit pas ce genre de chose à ton âge, je le crois du moins. Tu cours à ta perte. C'est presque pathologique dans ton cas.

Catherine demeura silencieuse un moment, stupéfaite par cette déclaration.

— Je croyais qu'il t'avait plu, Muriel. J'ai eu l'impression que vous étiez sur la même longueur d'ondes. Qu'est-ce que tu as dit déjà ? qu'il était parfait pour moi comme il l'était pour n'importe quelle femme ou presque ?

— Oh, c'est exactement cela. C'est un homme hors du commun, une figure romantique. Il a l'instinct des choses, c'est quelqu'un de doué pour l'amour. Il est beau, c'est certain, et très réservé, avec un air blessé qui fait vibrer ton cœur de femme. Cet air triste, cette sensualité morose, cette âme de musicien sont extrêmement attirants mais il n'est pas réel, Catherine. Un homme comme lui ne sait faire qu'une chose : jouer les romantiques. Il t'aime à la folie parce qu'il se cherche désespérément à travers toi... et toi, tu le motives, tu lui sers de prétexte. Mais arrive un jour où le prétexte disparaît. Et tu te retrouves face à face avec un homme-rêve. Une sorte d'acteur.

Catherine secoua la tête, les mots lui manquaient. Sa

sœur l'avait profondément blessée. Instinctivement, elle prit la défense de Bascomb. Il lui était plus facile de parler de la grossière erreur de jugement de Muriel que de l'insulte qu'elle venait d'essuyer.

— Tu ne vois que la surface des choses, Muriel, tu ne les sens pas. Je ne comprends pas pourquoi tu éprouves le besoin de le descendre en flammes... Ce n'est ni un rêveur ni un acteur, pas au sens où tu l'entends en tout cas. J'imagine que je devrais refouler mes sentiments, surtout ne pas me laisser aller à penser qu'il se passe quelque chose de beau, de terriblement beau dans ma vie — un signe du destin, comme il aime à le dire. Tu fais toujours comme si j'étais la dernière des gourdes... une inconsciente ou une écervelée. Mais je suis parfaitement lucide au contraire, parfaitement consciente de mon amour pour lui — dans ma chair, dans mon corps qui ne désire personne d'autre que lui. Et je ne vois pas en quoi je serais plus lucide si je passais à côté de mes sentiments.

— Je suis désolée, répondit Muriel d'une voix qui s'efforçait d'être conciliante. J'ai eu tort de te parler ainsi. Tu es adulte, après tout... tu sais certainement ce que tu fais. Mais j'ai cru bon de te dire ce que j'en pensais. Je suis ton aînée, et j'ai mes idées moi aussi. Ce ne sont peut-être que des idées, note bien. En tout cas je te souhaite tout le bonheur possible, et tu le sais. J'aimerais qu'un homme me regarde comme il te regardait l'autre jour, sur le parking... mais peu importe. Sois heureuse, et vis ton amour.

Catherine était déçue. Muriel s'était contentée de formuler une opinion à laquelle elles pourraient se référer si un jour les choses tournaient mal. A présent le sujet était clos. Muriel monta à bord de la navette qui devait la conduire à l'aéroport, les bras encombrés de sacs et de paquets. Lorsqu'elle eut trouvé une place, elle fit un petit signe de la main à Catherine, l'air absent. Puis le bus démarra lentement.

38

En juin, cette année-là, Catherine reçut une longue lettre de Bascomb. Il était parti dans l'Oregon pour jouer dans un festival de *bluegrass*. Après une description de ses heurs et malheurs au sein du petit orchestre, il la suppliait de venir le rejoindre (le festival avait lieu à Modoc).

— «Je déteste cet endroit, écrivait-il, le paysage est effrayant. On a l'impression qu'un faucon va apparaître dans le ciel et vous foncer dessus. La prairie est immense et aride. C'est d'ailleurs moins une prairie qu'une sorte de désert, il n'y pousse que de la broussaille. C'est glacial l'hiver, désolé et brûlant l'été. "Avec une beauté très particulière", ça je n'en doute pas.

» Il y a eu une guerre contre les Indiens, il y a environ cent ans. On voit des fers de lance et des flèches accrochés aux murs de tous les restaurants du coin, et la moitié des gens ont des têtes d'Indiens. Il y a une demi-heure, j'étais dans la rue, quand une vieille femme toute petite et très vive s'est mise à marcher à mes côtés en silence, et j'ai eu l'impression que l'ombre d'un immense vautour passait au-dessus de moi. J'ai suivi la vieille, mais elle se cachait le visage, et il me fut impossible de le voir à nouveau. Elle était à la fois belle et hideuse — étonnante, on aurait dit un bouton de peyotl séché.

» Je ne comprends pas pourquoi on a voulu prendre cette terre aux Indiens. Ils peuvent se la garder, rien n'y pousse. Hier, nous avons joué à dix heures du matin, nous étions le premier orchestre du programme. En montant sur la scène, qui est dressée au milieu d'un champ, j'ai eu un moment de panique, je me demandais ce que je faisais là, j'avais peur d'être incapable de jouer une seule note. Le ciel s'est mis à tourbillonner autour de moi, et mon esprit s'est envolé, comme s'il s'était désintégré. Mais j'ai tout de même réussi à jouer, et au bout d'un moment j'ai éprouvé un grand plaisir — un plaisir cru, féroce.

» Je me sens presque en permanence dans ce drôle d'état et je crois que tu y es pour beaucoup. Tu m'as tellement secoué, bouleversé, mis face à moi-même que je ne suis plus le même. Je le sens à travers la musique, entre autres. Maintenant je rayonne, comme il m'arrive de rayonner lorsque je suis avec toi et que nous faisons l'amour.

» J'ai l'impression que nous serons toujours ainsi car je ne peux pas retourner à l'ancien moi-même, je ne peux plus sentir les choses à moitié, ni vivre comme un fantôme. Tout a commencé, je crois, lorsque je t'ai touchée la première fois, sans savoir vraiment ce que je faisais. Cette petite partie de toi que je connais à présent, que je peux toucher avec mon corps, a rompu une digue en moi, elle m'a rendu aux sources de moi-même. Et maintenant je suis à nouveau entier, je me sens mieux, je me sens vivre même si j'en tremble à chaque instant.

» Je ne m'inquiète pas pour l'avenir. Je sais que maintenant je suis capable de faire tout ce qu'il faudra pour vivre avec toi. J'y crois, de toutes mes forces, comme je crois à la tendresse qui nous lie, cette petite flamme que nous maintenons en vie et qui éclairera notre avenir.

» Le festival se termine le dimanche 18, ensuite nous pourrions partir ensemble. Il y a une ville non loin d'ici, à environ deux cents kilomètres au nord. Tout le monde dit que c'est un coin très tranquille et très beau, au milieu d'une grande forêt sauvage, sur le versant est des Cascades. Il y a deux rivières qui traversent la ville et qui se jettent l'une dans l'autre un peu plus bas. Je rêve d'escalader la montagne avec toi, ou simplement de passer quelques jours en ville.

» Mary Elizabeth restera chez sa grand-mère et ton fils pourra bien se passer de toi une semaine de plus. Je ne vois pas ce qui nous empêcherait de nous retrouver dans cet endroit qui semble fait pour nous. Il paraît que l'eau qui jaillit des cascades est très froide, très pure ; nous pourrons nous baigner dans les rivières, avec un peu de courage — bien que je n'aie pas besoin de me nettoyer, ou de me « purifier » avec toi, bien au contraire. Nous pourrons y faire l'amour aussi souvent que nous le voudrons et rêver ensemble à notre avenir.

» Je joue encore pendant trois jours, et après ça j'ai terminé. Viendras-tu me rejoindre ici ? Je sens bien cette ville, j'ai envie de t'y emmener. Je veux te faire l'amour là-bas, dans la forêt. »

Achevé d'imprimer en décembre 1993
sur presse CAMERON
dans les ateliers de la S.E.P.C.
à Saint-Amand-Montrond (Cher)

N° d'Édition : 6180. N° d'Impression : 3196.
Dépôt légal : décembre 1993.

Imprimé en France